Blindeman

Van Ian Rankin zijn verschenen:

Kat en muis
Blindeman

Ian Rankin
Blindeman

Uitgeverij Luitingh ~ Sijthoff

Voor meer informatie zie: **www.boekenwereld.com**

© 1990 Ian Rankin
All rights reserved
© 2000 Nederlandse vertaling
Uitgeverij Luitingh ~ Sijthoff B.V., Amsterdam
Alle rechten voorbehouden
Oorspronkelijke titel: *Hide and Seek*
Vertaling: Irving Pardoen
Omslagontwerp: Pete Teboskins
Omslagfotografie: Magnum/Martin Parr

CIP/ISBN 90 245 3573 5
NUGI 331

Aan Michael Shaw,
beter laat dan nooit

Mijn duivel had lang opgesloten gezeten,
brullend kwam hij te voorschijn.
DR. JEKYLL EN MR. HYDE

P'Pas op voor Hyde!'

Hij schreeuwde het uit. Hij was in alle staten en zag lijkbleek. Zij stond boven aan de trap. Hij wankelde naar haar toe, pakte haar bij haar armen en duwde haar met zo'n brute kracht naar beneden dat ze bang was dat ze zou vallen. Ze schreeuwde.

'Maar Ronnie! Wie is dat dan?'

'Pas op voor Hyde!' schreeuwde hij weer. 'Pas op! Ze komen eraan! Ze komen eraan!'

Hij had haar de hele gang door naar de voordeur geduwd. Dat hij gespannen was, had ze wel vaker meegemaakt, maar het was nooit zo erg geweest als nu. Van een shot zou hij opknappen, dat wist ze. Wat daarvoor nodig was, had hij boven in zijn kamer liggen, ook dat wist ze. Zweetdruppels vielen van zijn plakkerige haren. Nog geen twee minuten geleden was de belangrijkste vraag in haar leven geweest of ze het zou aandurven om naar de smerige wc van het kraakpand te gaan. Maar nu...

'Ze komen eraan,' zei hij weer, nu op fluistertoon. 'Pas op voor Hyde!'

'Ronnie,' zei ze, 'je maakt me bang.'

Toen hij haar aankeek, leek het bijna alsof hij haar herkende. Maar toen keek hij weer weg en staarde in een verte die geheel en al de zijne was. Toen hij weer sprak, klonk het als het sissen van een slang.

'Pas op voor Hyde!' Tegelijkertijd rukte hij de deur open. Het regende buiten, en ze aarzelde. Maar toen kreeg haar angst weer de overhand en maakte ze aanstalten om naar buiten te gaan. Hij pakte haar echter bij de arm, trok haar weer naar binnen en omarmde haar. Zijn zweet rook naar zeezout. Hij beefde. Hij hield zijn mond dicht bij haar oor. Zijn adem was warm.

'Ze hebben me vermoord,' zei hij. En toen duwde hij haar met een plotselinge heftigheid van zich af. Ineens stond ze buiten en werd de deur achter haar dichtgeslagen, zodat hij alleen in het huis achterbleef. Helemaal alleen. Ze bleef op het tuinpad staan, keek naar de deur en vroeg zich af of ze moest aankloppen of niet. Maar het zou geen verschil maken, besefte ze, en ze begon te huilen. Ze boog haar hoofd en huilde een volle minuut lang – een voor haar zeldzame uiting van zelfmedelijden – waarna ze zich omdraaide en toch maar snel het tuinpad afliep. Iemand zou zich over haar ontfermen, iemand zou haar troosten, haar angst wegnemen en haar kleren drogen.

Er was altijd wel iemand die dat deed.

John Rebus staarde naar het bord voor zich op tafel en besteedde geen aandacht aan de conversatie om hem heen, de muziek op de achtergrond of de flakkerende kaarsen. De huizenprijzen in Barnton en de pas geopende delicatessenzaak in Grassmarket interesseerden hem niet echt. Hij had weinig zin in gesprekken met de overige gasten – een docente aan de universiteit aan zijn ene kant en een boekverkoper aan de andere kant – over... nou ja, over de onderwerpen die ze net bespraken. Ja, het was een perfect georganiseerd etentje, de conversatie was even pittig als de eerste gang, en hij was blij dat Rian hem had uitgenodigd. Natuurlijk was hij dat. Maar hoe langer hij naar de halve kreeft op zijn bord keek, des te sterker voelde hij de ongerichte paniek in zich opkomen. Wat had hij gemeen met deze mensen? Zouden ze lachen als hij hun het verhaal vertelde van de politiehond en het afgehouwen hoofd? Nee, ze zouden er niet om lachen. Ze zouden beleefd glimlachen, het hoofd wat meer in de richting van hun bord buigen en hem laten merken dat ze hem... nou ja, ánders vonden.

'Groenten, John?'

Het was de stem van Rian. Ze wilde hem erop attenderen dat hij niet 'meedeed', niet 'deelnam aan de conversatie' of zelfs maar belangstelling toonde. Hij pakte de grote ovalen schotel met een glimlach aan, maar keek haar niet in de ogen.

Ze was een leuke meid. Een stuk zelfs, op haar manier. Vuurrood, kortgeknipt haar. Een pagekopje. Opvallende, diepliggende groene ogen. Dunne maar veelbelovende lippen. O zeker, hij vond haar heel aardig. Anders zou hij niet op haar uitnodiging zijn ingegaan. Hij zocht in de schaal naar een stuk broccoli dat niet in duizend stukjes uiteen zou vallen als hij het op zijn bord probeerde te krijgen.

'Fantastisch eten, Rian,' zei de boekverkoper. Rian kreeg een lichte kleur en aanvaardde het compliment met een glimlach. Meer was niet nodig, John. Dat was het enige wat je hoefde te zeggen om deze meid gelukkig te maken. Maar uit zijn mond zou het sarcastisch klinken, besefte hij. Hij kon zijn stemgeluid tenslotte niet verwisselen als een kledingstuk. Het was iets wat bij hem hoorde, wat hij door de jaren heen had gecultiveerd. Dus toen de universitair docente de woorden van de boekverkoper beaamde, kon John Rebus niet anders dan glimlachen en knikken. De glimlach was echter net even te strak, en het hoofdknikje duurde net even te lang, zodat ze weer allemaal naar hem keken. Het stuk broccoli brak boven zijn bord precies in tweeën en viel op het tafellaken.

'Shit!' zei hij, en terwijl het woord hem ontsnapte, schoot het door hem heen dat dit niet bepaald het meest passende woord was voor deze gelegenheid. Maar goed, hij was tenslotte geen levend woordenboek.

'Je kon er niets aan doen,' zei Rian. Mijn god, wat klonk ze ijzig.

Het was een perfecte afsluiting van een perfect weekend. Op zaterdag was hij de stad ingegaan met de bedoeling nieuwe kleren te kopen voor deze avond, maar het was hem allemaal te duur geweest en in plaats daarvan had hij een paar boeken gekocht, waarvan er één – *Dokter Zjivago* – bedoeld was geweest als cadeautje voor Rian. Hij had echter besloten dat hij het eerst zelf wilde lezen en voor haar bloemen en chocola gekocht. Hij had er alleen niet aan gedacht dat ze een afkeer had van lelies – had hij dat eigenlijk wel geweten? – en dat ze net met een vermageringskuur was begonnen. Als klap op de vuurpijl had hij die ochtend een andere kerk geprobeerd, een presbyteriaanse, niet al te ver van zijn flat. In de kerk waar hij de vorige keer was geweest, was het ondraaglijk koud geweest en was over niets anders dan zonde en boete gesproken, maar deze was juist het even deprimerende tegendeel daarvan geweest. Alleen maar liefde en vreugde. En vergeving? Hoezo, wat dan? Hij had de gezangen braaf meegezongen en had bij het weggaan de dominee bij de uitgang een hand gegeven en hem beloofd terug te komen.

'Nog wijn, John?'

Het was de boekverkoper die hem de fles wijn voorhield die hij zelf had meegebracht. Het was niet eens een slecht wijntje, maar de boekverkoper had er zo hoog van opgegeven dat Rebus zich verplicht voelde te bedanken. De man fronste zijn voorhoofd, maar ontspande zich bij de gedachte dat er hierdoor voor hemzelf meer over zou blijven en schonk zichzelf begerig bij.

'Proost,' zei hij.

Het gesprek werd voortgezet. Het ging over het feit dat het tegenwoordig zo druk was in Edinburgh, een constatering waar Rebus het mee eens kon zijn. Het was eind mei en het toeristenseizoen was bijna aangebroken. Maar daar lag het niet alleen aan. Als iemand hem in 1989 had verteld dat vanuit het zuiden van Engeland een emigratiestroom op gang zou komen naar de streek rond Edinburgh, zou hij daar hartelijk om hebben moeten lachen. Toch was dat wel degelijk het geval, en het onderwerp leende zich goed voor de conversatie aan tafel.

Later, veel later, toen het stel weg was en Rebus bezig was Rian te helpen met de afwas, vroeg ze: 'Wat was er met jou aan de hand?' Hij kon echter aan niets anders denken dan aan de handdruk van de dominee, die vertrouwenwekkende handdruk die een absoluut geloof in het bestaan van het hiernamaals uitdrukte.

'Niks,' zei hij. 'Zullen we de afwas tot morgen laten staan?'

Rian liet haar blik door de keuken gaan en inventariseerde het aantal vuile pannen, half opgegeten kreeften en wijnglazen vol vetvlekken.

'Okay,' zei ze. 'Had je andere plannen?'

Hij trok zijn wenkbrauwen langzaam op en liet ze vervolgens tot vlak boven zijn ogen zakken. Om zijn mond vormde zich een brede glimlach waarin ook iets van wellust werd uitgedrukt. Ze keek bedeesd.

'Maar inspecteur,' zei ze, 'moet ik dit opvatten als een aanwijzing?'

'Hier, nog een,' zei hij, terwijl hij zijn armen uitstrekte, haar tegen zich aan drukte en zijn gezicht in haar hals duwde. Ze gaf een gilletje en bonsde met gebalde vuisten op zijn rug.

'De politie misdraagt zich!' hijgde ze. 'Help! Politie! Help!'

'Wat kan ik voor u doen, mevrouw?' vroeg hij, terwijl hij zijn handen om haar middel legde en haar de keuken uit leidde en meevoerde in de richting van de halfduistere slaapkamer om het weekend uit te luiden.

Laat op de avond op een bouwplaats aan de rand van Edinburgh. Een kantoorpand in aanbouw. Een vier meter hoge schutting schermt het bouwwerk af van de weg. Ook de weg is betrekkelijk nieuw en is aangelegd om de overvolle straten rondom het centrum te ontlasten, zodat forensen vanuit hun woonplaatsen op het platteland gemakkelijk hun werkplek in de stad kunnen bereiken. Deze avond was er geen verkeer op de weg. Het enige geluid dat weerklonk was het trage malen van een cementmolen op het terrein. Een man stond grijs zand in het apparaat te scheppen en dacht terug aan het verre verleden, toen hij zelf nog in de bouw werkte. Zwaar werk was het geweest, maar wel eerlijk.

Twee andere mannen stonden bij een diepe kuil en keken naar beneden.

'Zo kan het wel,' zei de een.

'Ja,' beaamde de ander. Toen liepen ze terug naar de auto, een al wat oudere, paarse Mercedes.

'Hij heeft overal connecties, dat moet ik zeggen. Ik bedoel, om dit te organiseren en ons de sleutels van dit terrein te bezorgen, daarvoor moet je de juiste mensen kennen.'

'Het is niet aan ons om daar vragen over te stellen, dat weet je.' De man die dit zei was de oudste van de drie en de enige calvinist. Hij deed de kofferbak open. In de kofferbak lag het dubbel geklapte lichaam van een tengere tiener. Dood, dat was duidelijk. Zijn huid had de kleur van een met potlood gearceerde tekening. De blauwe plekken waren het donkerst.

'Zonde,' zei de calvinist.

'Tja,' beaamde de ander. Samen tilden ze het lichaam uit de kofferbak en droegen het voorzichtig naar de kuil. Met een lichte klap viel het op de bodem. Eén been plakte aan de klei aan de zijkant en bleef omhoogsteken. De broekspijp schoof iets omhoog, waardoor een blote enkel zichtbaar was.

'Okay,' zei de calvinist tegen de man bij de cementmolen. 'Cement erover en dan zo gauw mogelijk weg hier. Ik verga van de honger.'

MAANDAG

Bijna een generatie lang had niemand deze toevallige passanten weggestuurd of de door hen aangerichte verwoestingen hersteld.

Wat een manier om de werkweek te beginnen.

De goedkope woonwijk, althans het gedeelte dat hij kon zien door de voorruit waarop de regen neerkletterde, werd langzaam weer overwoekerd door de woestenij die hier had bestaan voordat men jaren geleden was gaan bouwen. Hij twijfelde er niet aan dat men in de jaren zestig had gedacht dat deze wijk en de broertjes ervan rond Edinburgh op volmaakte wijze zouden voorzien in de toekomstige woningbehoefte. Hij vroeg zich af of stedenbouwkundigen echt uitsluitend van in het verleden gemaakte fouten leerden. Als dat inderdaad het geval was, zouden de 'ideale' oplossingen van nu uiteindelijk hetzelfde armzalige resultaat opleveren.

Groene zones waren overwoekerd met wilde grassoorten en een rijke variatie aan onkruid, terwijl de geasfalteerde kinderspeelplaatsen het aanzien van platgebombardeerde gebieden hadden, waar knietjes en handjes beslist niet veilig waren voor de overal verspreid liggende glasscherven. Veel van de rijtjeshuizen hadden dichtgetimmerde ramen, loshangende regenpijpen, van waaruit de regen neergutste en drassige voortuintjes met kuilen erin en kapotte hekjes ervoor. Hij bedacht dat de wijk er op een zonnige dag waarschijnlijk nog deprimerender uit zou zien.

Maar vlakbij, nauwelijks enkele honderden meters verderop, was een projectontwikkelaar begonnen met de bouw van koopflats. Het bord bij de bouwplaats kondigde aan dat hier luxe appartementen werden 'gerealiseerd' onder de naam Muir Village. Rebus liet zich niet voor de gek houden, maar vroeg zich af hoeveel jonge kopers er wél in zouden trappen. Pilmuir heette het hier, en zo zou het altijd blijven heten. Een vuilnisbelt was het.

Het was volkomen duidelijk bij welk huis hij moest zijn. Naast een uitgebrande Ford Cortina stonden al twee politieauto's en een ambulance. Maar zelfs zonder deze stille getuigen zou Rebus het huis hebben kunnen aanwijzen. Ja, de ramen waren dichtgetimmerd, net als bij de belendende panden, maar bovendien stond de voordeur open, waardoor de toeschouwer een blik gegund werd op de duisternis binnen. En bij welk huis zou op een dag als vandaag de voordeur wijd openstaan als er binnen niet een lijk lag en de bijgelovige andere bewoners zich daarbij niet op hun gemak voelden? Rebus zag dat hij niet zo dicht bij het huis kon parkeren als hij gewild had en vloekte binnensmonds toen hij het portier opende, een regenjas over zijn hoofd gooide en zich door de als een regen van pijlen neerdalende stortbui haastte. Onderweg viel er iets uit zijn zak. Het was vast een waardeloos vodje papier, maar toch bukte hij zich om het op te rapen en propte het onder het rennen in zijn zak. Het pad naar de openstaande voordeur was gebarsten en glibberig van het vele onkruid dat erop groeide, maar hij wist de drempel heelhuids te bereiken, schudde het water van zich af en wachtte tot het ontvangstcomité zich zou melden.

Een agent stak zijn hoofd om de hoek van de deur en fronste zijn wenkbrauwen.

'Inspecteur Rebus,' stelde Rebus zichzelf voor.

'Deze kant op, inspecteur.'

'Ik kom zo.'

Het hoofd verdween. Rebus keek om zich heen in de gang. Alleen aan de afgescheurde stroken behang was te zien dat het pand vroeger een woonhuis was geweest. Er hing een penetrante geur van vochtig pleisterwerk en rottend hout, maar bovendien drong zich het gevoel op dat het meer een hol was dan een woning, een primitief doorgangshuis waarin geen liefde bestond.

Toen hij verder het huis in liep en de kale trap passeerde, slokte de duisternis hem op. Alle ramen waren dichtgetimmerd, zodat er geen licht binnenkwam. De bedoeling zou wel geweest zijn om daarmee eventuele krakers te ontmoedigen, maar daarvoor was het leger daklozen in Edinburgh te groot en bovendien te slim. Ze waren het huis toch binnengedrongen en hadden er hun onderkomen van gemaakt. En een van hen was er overleden.

De kamer die hij binnenging was onverwacht ruim, maar had een laag plafond. Twee agenten hielden om de kamer te verlichten dikke, rubberen zaklantaarns omhoog, waarmee ze bewegende schaduwen op de bepleisterde muren wierpen. Het geheel had iets weg van een schilderij van Caravaggio: licht in het midden, de randgebieden vaag en onduidelijk. Op de kale vloerdelen hadden twee kaarsen gebrand, maar daarvan resteerden nog slechts een paar spiegeleieren. Daartussenin lag het lijk. De benen waren aan elkaar gebonden en de armen gespreid. Een gekruisigde zonder spijkers, met een ontbloot bovenlijf. Vlak bij het lichaam stond een glazen pot, waarin ooit iets onschuldigs als instantkoffie had gezeten, maar die nu een verzameling injectiespuiten bevatte. Een fix had geleid tot een crucifix, bedacht Rebus met een schuldbewuste glimlach.

De politiearts, een uitgemergeld en ongelukkig kijkend type, zat geknield naast het lichaam alsof hij bezig was de sacramenten der stervenden toe te dienen. Bij de achtermuur stond een fotograaf op zijn belichtingsmeter te kijken. Rebus liep naar het lijk toe en boog zich over de arts heen.

'Geef eens een zaklantaarn,' zei hij op gebiedende toon, terwijl hij zijn hand uitstak naar de agent die het dichtst bij hem stond. Hij liet de lichtbundel over het lijk gaan, vanaf de blote voeten via de in spijkerbroek gestoken benen naar het magere bovenlijf waarvan de ribben onder de fletse huid te tellen waren, en vandaar naar de hals en het gezicht. De mond stond open, de ogen waren gesloten. Voorhoofd en haar zagen eruit alsof er zweet op was opgedroogd. Maar wacht eens... was dat geen vocht om de mond, op de lippen? Vanuit het niets viel ineens een druppel in de geopende mond. Rebus keek verbijsterd toe en dacht even dat de man een slikbeweging zou maken, zijn uitgedroogde lippen zou aflikken en weer tot leven zou komen. Maar dat deed hij niet.

'Het dak lekt,' verklaarde de arts zonder op te kijken van zijn werk. Rebus liet de zaklantaarn over het plafond gaan en zag daar de donkere plek waar de druppel vandaan was gekomen. Toch was het bizar, vond hij.

'Het spijt me dat het zo lang duurde voordat ik er was,' zei hij. Hij moest moeite doen om zijn stem rustig te laten klinken. 'Wat is de conclusie?'

'Een overdosis,' zei de arts zachtjes. 'Heroïne.' Hij hield een plastic zakje op in Rebus' richting. 'De inhoud van dit zakje, als ik me niet vergis. In zijn rechterhand heeft hij nog een vol zakje.' Rebus liet de lichtstraal naar de plek gaan waar de levenloze hand nog een zakje met wit poeder omklemde.

'Nou ja,' zei hij. 'Ik dacht dat iedereen tegenwoordig alleen nog maar basede en zich niet meer injecteerde.'

Eindelijk keek de arts naar hem op.

'U hebt wel een zeer naïef beeld, inspecteur. Gaat u eens informeren bij de Royal Infirmary. In dat ziekenhuis kunnen ze u wel vertellen hoeveel spuiters er in Edinburgh zijn. Waarschijnlijk honderden. Daarom zijn we de aids-hoofdstad van het land.'

'Tja, we zijn trots op onze records, hè? Hartaandoeningen, kunstgebitten, en nu ook nog aids.'

De arts glimlachte. 'Maar ik heb ook iets wat u misschien zal interesseren,' zei hij. 'Er zitten blauwe plekken op het lichaam. Ze zijn in dit licht niet erg goed te zien, maar ze zitten er wel.'

Rebus hurkte neer en liet het licht van de zaklantaarn weer over het lijk gaan. Ja, er waren inderdaad blauwe plekken te zien. Veel blauwe plekken.

'Voornamelijk op de ribben,' vervolgde de arts. 'Maar ook een paar in het gezicht.'

'Misschien is hij gevallen,' opperde Rebus.

'Misschien,' zei de arts.

'Inspecteur?' zei een van de agenten. Zijn oogopslag en stem waren helder en alert. Rebus draaide zich om.

'Ja, jongen?'

'Komt u eens even kijken.'

Rebus was maar al te blij met het excuus om zich van de arts en zijn patiënt af te kunnen keren. De agent ging hem voor naar de achterwand en richtte onder het lopen zijn zaklantaarn erop. Ineens zag Rebus wat hij bedoelde.

Op de muur bevond zich een tekening. Een vijfpuntige ster met daaromheen twee concentrische cirkels, waarvan de grootste een middellijn had van ongeveer anderhalve meter. De lijnen die de ster vormden waren bijna kaarsrecht en de cirkels vrijwel perfect. Verder was de muur kaal.

'Wat denkt u, inspecteur?' vroeg de agent.

'Nou, het is niet wat je noemt alledaagse graffiti, dat is zeker.'

'Een heksencultus?'

'Of het heeft te maken met astrologie. Junks houden zich vaak bezig met allerlei soorten mystiek en voodoo. Dat hoort er kennelijk bij.'

'En die kaarsen...'

'Trek niet te snel conclusies, jongen. Anders maak je nooit carrière bij de recherche. Zeg, vertel eens, waarom lopen we allemaal met zaklantaarns?'

'Omdat de stroom is afgesloten.'

'Precies. Vandaar natuurlijk die kaarsen.'

'Als u het zegt, inspecteur.'

'Ja, jongen. Ik zeg het. Wie heeft het lijk gevonden?'

'Ik, inspecteur. Er was gebeld, door een vrouw. Ze heeft haar naam niet gezegd. Vermoedelijk een van de andere krakers. Ze hebben waarschijnlijk meteen de benen genomen.'

'Dus er was niemand toen jij hier aankwam?'

'Nee, inspecteur.'

'Enig idee wie het is?' Rebus gebaarde met de zaklantaarn naar het lijk.

'Nee, inspecteur. In de andere huizen wonen ook krakers, dus ik denk niet dat we veel wijzer zullen worden.'

'Nou, ik denk juist van wel. Als er iemand is die de identiteit van de overledene kent, zal die juist onder deze mensen te vinden zijn. Neem je maat mee en klop hier en daar eens aan. Maar doe het vriendelijk, ze moeten niet denken dat je ze op straat wilt zetten of zo.'

'Ja, inspecteur.' De agent leek weinig fiducie te hebben in de onderneming. Ten eerste zouden ze het hem niet gemakkelijk maken. En bovendien regende het nog steeds hard.

'Okay, ingerukt dan,' maande Rebus hem, maar wel vriendelijk. De agent slofte weg en nam zijn collega die verderop stond mee.

Rebus liep op de fotograaf af.

'Je neemt wel veel foto's, zeg,' zei hij.

'Dat moet wel, met deze belichting, wil je uiteindelijk een paar goede overhouden.'

'Je hebt er geen gras over laten groeien. Je was er snel bij.'

'Opdracht van commissaris Watson. Hij wil foto's van alles wat met drugs te maken heeft. Dat heeft te maken met zijn campagne.'

'Nogal een akelig baantje, hè?' Rebus kende de nieuwe commissaris en had hem weleens gesproken. Heel sociaal voelend en begaan met de mensen. Vol goede ideeën, miste alleen de mankracht om ze uit te voeren. Rebus kreeg een idee.

'Luister eens. Nu je toch bezig bent, maak dan ook een paar foto's van de achtermuur, wil je?'

'Ja, hoor. Prima.'

'Bedankt.' Rebus keerde zich naar de arts. 'Wanneer horen we wat er in dat volle pakje zit?'

'Later op de dag. Anders morgenochtend, op z'n laatst.'

Rebus knikte. Vanwaar zijn belangstelling? Misschien lag het aan het sombere weer, of anders aan de sfeer in dit huis of aan de positie van het lijk. Hij had in elk geval een speciaal gevoel. En als dat gevoel uiteindelijk op niets anders zou blijken te berusten dan op vocht in zijn botten, nou ja, dan had hij pech gehad. Hij ging de kamer uit en maakte een ronde door het huis.

In de badkamer was het pas echt afschuwelijk.

De wc-pot moest al weken verstopt zijn geweest. Er lag een ontstopper op de vloer, dus iemand moest een poging hebben gedaan de pot te ontstoppen, maar zonder resultaat. Toen had men kennelijk besloten het smerige wasbakje als urinoir te gebruiken, terwijl het bad de verzamelplaats was geworden van de vaste stoffen, waarop een tiental grote, inktzwarte vliegen was neergestreken. Het bad had tevens dienstgedaan als afvalcontainer en bevatte ook een aantal vuilniszakken en stukken hout. Rebus bleef niet lang en trok de deur goed achter zich dicht. Hij benijdde de mensen van de woningbouwvereniging niet, die hier na verloop van tijd de strijd tegen al dit verval zouden moeten aangaan.

Eén slaapkamer was volkomen leeg, maar in de andere lag een slaapzak, die vochtig was van de druppels die door het dak heen lekten. Iemand had zijn stempel op de kamer willen drukken door een paar plaatjes aan de muren te prikken. Bij nadere beschouwing zag Rebus dat het echte foto's waren, die bovendien met elkaar verband hielden. Het waren foto's van goede kwaliteit, dat kon zelfs een leek als Rebus zien. Er waren er een paar van het Edinburgh Castle, genomen bij vochtig, mistig weer. Het zag er uitzonderlijk somber uit. Op andere foto's was het gebouw bij helder zonlicht genomen. Maar ook daarop zag het er somber uit. Op een of twee foto's stond een meisje van onbestemde leeftijd. Ze had voor de fotograaf geposeerd, maar ze grijnsde breed en het was duidelijk dat ze het gebeuren niet serieus had genomen.

Naast de slaapzak lag een half met kleding gevulde fietstas en daarnaast een stapeltje paperbacks met ezelsoren: Harlan Ellison,

Clive Barker, Ramsay Campbell. Sciencefiction en horror. Rebus liet
de boeken onaangeroerd en ging weer naar beneden.

'Ik ben klaar,' zei de fotograaf. 'Morgen krijgt u de foto's.'

'Bedankt.'

'Ik doe trouwens ook portretfotografie. Een mooie foto van het
gezin voor de grootouders? Van uw zoons en dochters? Hier heeft
u mijn kaartje.'

Rebus pakte het kaartje en trok zijn regenjas aan terwijl hij naar
zijn auto liep. Hij hield niet van foto's, vooral niet van foto's van
zichzelf. En niet alleen omdat hij niet fotogeniek was. Nee, er zat
meer achter.

Het heimelijke vermoeden namelijk dat je door gefotografeerd te
worden werkelijk je ziel kon verliezen.

Temidden van het trage middagverkeer op de terugweg naar het bureau probeerde Rebus zich voor te stellen hoe een groepsfoto van
zijn vrouw, zijn dochter en hemzelf eruit zou zien, maar dat lukte
hem niet. Ze waren zo uit elkaar gegroeid sinds Rhona met Samantha in Londen was gaan wonen. Sammy schreef nog wel, maar
Rebus reageerde traag, iets wat haar leek te hinderen, zodat haar
brieven minder frequent werden. In haar laatste brief had ze geschreven dat ze hoopte dat Gill en hij gelukkig waren met elkaar.

Hij had niet de moed gehad om haar te vertellen dat Gill Templer al maanden bij hem weg was. Niet zozeer omdat hij Samantha
er niet van op de hoogte wilde brengen, maar omdat hij het niet
kon uitstaan dat Rhona het dan ook te weten zou komen, wat hem
bij haar weer op een aantekening op zijn conduitestaat van mislukte relaties zou komen te staan. Gill was een relatie begonnen met
een diskjockey van een lokale radiozender, een man met een en-
thousiasmerend stemgeluid, waaraan Rebus niet leek te kunnen ont-
komen. Als hij een winkel binnenging, als hij benzine ging tanken,
als hij langs een flatgebouw kwam waar een raam openstond, altijd scheen hij die stem te moeten horen.

Hij zag Gill natuurlijk nog een of twee keer per week bij verga-
deringen of op het bureau, en ook wel als er ergens een misdrijf
was gepleegd. Zeker nu hij promotie had gemaakt en dezelfde rang
had als zij.

Inspecteur John Rebus.

Nou, het had lang genoeg geduurd. De promotie was verleend op grond van zijn aanpak van een tijdrovende, moeizame zaak, die hem persoonlijk veel leed had berokkend. Daar was hij zeker van.

Waar hij ook zeker van was, was dat hij Rian niet meer zou zien. Na dat etentje van gisteravond, na die nogal mislukte vrijpartij. De zoveelste mislukte vrijpartij. Toen hij naast Rian lag, was het hem opgevallen dat haar ogen als twee druppels water leken op die van Gill Templer. Moest zij dienen als vervangster voor haar? Daar was hij toch te oud voor.

'Je wordt oud, John,' mompelde hij bij zichzelf.

Hij had in ieder geval honger gekregen, en even voorbij de volgende verkeerslichten was een café. Wat nou, hij had toch zeker recht op een lunchpauze?

Het was stil in de Sutherland Bar. Maandag tussen de middag was een van de stilste momenten van de week. Dan was het geld op en was er nog geen nieuw geld in aantocht. En natuurlijk was men bij de Sutherland Bar niet dol op klanten die daar tussen de middag wilden eten, wat de barkeeper Rebus al snel duidelijk maakte.

'Geen warme maaltijden,' zei hij, 'en geen sandwiches.'

'Een pasteitje dan,' smeekte Rebus. 'Het maakt me niet uit, alleen om het bier weg te spoelen.'

'Als u wilt eten, zijn er hier in de buurt genoeg eetcafés. In deze zaak verkopen we bier, wijn en sterke drank. Het is hier geen snackbar.'

'Chips dan?'

De barman keek hem even aan. 'Welke smaak?'

'Kaas en ui.'

'Die zijn op.'

'Nou, gezouten chips dan.'

'Nee, die zijn ook op.' De barman werd een stuk vrolijker.

'Nou, wat heb je dan in godsnaam wel?' vroeg Rebus geërgerd.

'Ik heb twee smaken. Kerry of bacon en ei met tomaat.'

'Ei?' Rebus zuchtte. 'Okay, geef me maar van elk een pakje.'

De barman bukte zich om onder de tapkast op zoek te gaan naar de kleinst mogelijke pakjes met bovendien een bij voorkeur reeds verstreken houdbaarheidsdatum.

'Heb je ook pinda's?' Het was een laatste wanhopige poging. De barman keek op.

'Geroosterd, met zout en azijn of met chili,' zei hij.

'Van elk een dan maar,' zei Rebus, die zich er al bij had neergelegd dat hem waarschijnlijk geen lang leven beschoren was. 'En nog een halve eighty-shillings.'

Hij was net bezig zijn tweede glas te legen toen de deur van het café trillend openging en een meteen herkenbare figuur binnentrad, die al voordat hij de deuropening was gepasseerd met een handgebaar een verfrissing bestelde. Toen hij Rebus zag, glimlachte hij en kwam naast hem op een van de barkrukken zitten.

'Hallo, John.'

'Goeiemiddag, Tony.'

Inspecteur Anthony McCall probeerde zijn omvangrijke lichaam op het kleine oppervlak van de barkruk in evenwicht te brengen, maar bedacht zich en ging staan, zette één voet op de voetrail en legde beide ellebogen op de pas afgedroogde bar. Hongerig keek hij Rebus aan.

'Mag ik een enkel chipje van je?'

Toen hem het zakje werd voorgehouden, haalde hij er een handvol uit en propte die in zijn mond.

'Waar was je vanmorgen eigenlijk?' vroeg Rebus. 'Ik heb een klus voor je moeten opknappen.'

'Die in Pilmuir? Ach, het spijt me, John. Zware avond gehad, gisteren. Ik had vanmorgen een beetje een kater.' Er werd een groot glas troebel bier voor hem neergezet. 'Hondenhaar,' zei hij, en hij nam vier trage teugen, waardoor de inhoud van het glas werd teruggebracht tot een kwart van de oorspronkelijke hoeveelheid.

'Och, ik had toch niks beters te doen,' zei Rebus terwijl hij een slokje van zijn bier nam. 'Jezus, wat een troep is het daar, zeg.'

McCall knikte bedachtzaam. 'Maar zo is het er niet altijd geweest, John. Ik ben daar geboren.'

'Echt waar?'

'Nou, om precies te zijn ben ik geboren in de wijk die er stond voordat de huidige werd gebouwd. Die oude wijk was zo slecht, zeiden ze, dat ze hem afgebroken hebben en er Pilmuir voor in de plaats hebben gezet. Nu is het er echt de hel op aarde.'

'Toevallig dat je dat zo zegt,' zei Rebus. 'Een van die jonge agentjes dacht dat er misschien een relatie was met een occulte beweging.' McCall keek op van zijn glas. 'Op de muur stond iets geschilderd dat met zwarte magie te maken had,' legde Rebus uit. 'En op de vloer stonden kaarsen.'

'Alsof er een offer was gebracht of zo?' opperde McCall grinnikend. 'Mijn vrouw is dol op dat soort horrorfilms. Ze haalt ze uit de videotheek. Als ik aan het werk ben, doet ze volgens mij de hele dag niks anders dan daarnaar kijken.'

'Tja, het zal wel gebeuren, denk ik: duivelaanbidding, magie, en zo. Het kan natuurlijk niet allemaal ontsproten zijn aan de fantasie van de journalisten van de roddelbladen.'

'Ik weet hoe je erachter kunt komen.'

'Hoe dan?'

'Via de universiteit,' zei McCall. Rebus fronste ongelovig zijn wenkbrauwen. 'Ja, ik meen het serieus. Ze hebben daar een soort faculteit die zich bezighoudt met de bestudering van geesten en dat soort dingen. Die hebben ze opgezet met geld van de een of andere dode schrijver.' McCall schudde zijn hoofd. 'Niet te geloven, wat de mensen soms doen.'

Rebus knikte. 'Ja, nu je het zegt: daar heb ik inderdaad iets over gelezen. Geld van Arthur Koestler, was het niet?'

McCall haalde zijn schouders op.

'Ik lees liever Arthur Daley,' zei hij terwijl hij zijn glas leegde.

Rebus zat naar de stapel af te handelen administratie op zijn bureau te kijken toen de telefoon ging.

'Inspecteur Rebus.'

'Ze zeiden dat ik u moest hebben.' Het was de stem van een jonge vrouw, vol diffuse achterdocht.

'Dat zal dan wel waar zijn. Wat kan ik voor u doen, mevrouw...'

'Tracy...' Bij het uitspreken van de laatste lettergreep van de naam was het volume van de stem gedaald tot een gefluister. Ze had zich laten verleiden haar naam te noemen. 'Het doet er niet toe wie ik ben!' Even klonk ze hysterisch, maar ze kalmeerde net zo snel. 'Ik bel over dat kraakpand in Pilmuir. Het pand waar ze die dode hebben gev...' Weer viel de stem weg.

'O ja.' Rebus ging overeind zitten en begon aantekeningen te maken. 'Was jij degene die al eerder had gebeld?'

'Hoe bedoelt u?'

'Om ons te vertellen dat daar een dode was?'

'Ja, dat was ik. Arme Ronnie...'

'Ronnie? Is dat de overledene?' Rebus krabbelde de naam op de achterkant van een van de dossiers in zijn in-bakje. Daarnaast schreef hij *Tracy – belster.*

'Ja.' Haar stem brak weer. Het leek alsof ze nu op het punt stond te gaan huilen.

'Kun je me ook de achternaam geven van Ronnie?'

'Nee.' Ze zweeg even. 'Die heb ik nooit gehoord. Ik weet niet eens zeker of Ronnie wel zijn echte voornaam was. Bijna niemand gebruikt zijn echte naam.'

'Tracy, ik wil graag met je praten over Ronnie. Het kan per telefoon, maar ik doe het liever in een persoonlijk gesprek. Je hoeft je geen zorgen te maken, want je zit niet in de problemen...'

'Dat zit ik nou juist wel. Daarom bel ik. Dat had Ronnie tegen me gezegd, weet u.'

'Wat had Ronnie gezegd, Tracy?'

'Dat hij vermoord was.'

De kamer waarin Rebus zat leek ineens te verdwijnen. Het enige wat nog over was, was de onsamenhangend sprekende stem, de telefoon en hij zelf.

'Zei hij dat tegen je, Tracy?'

'Ja.' Ze was inmiddels gaan huilen en snoof onzichtbare tranen op. Rebus zag een bang meisje voor zich, dat net uit school kwam en in een afgelegen telefooncel stond.' Ik moest oppassen voor Hyde,' zei ze ten slotte. 'Ronnie zei steeds maar weer dat ik moest oppassen voor Hyde. Maar ik weet niet wie dat is.'

'Zal ik je met de auto komen halen? Zeg maar waar je bent.'

'Nee!'

'Vertel me dan hoe Ronnie is vermoord. Weet je waar we hem hebben gevonden?'

'Op de vloer bij het raam. Daar lag hij.'

'Dat klopt niet helemaal.'

'Jawel, hoor. Daar lag hij. Bij het raam. Helemaal opgerold, als een balletje. Ik dacht dat hij gewoon sliep, maar toen ik zijn arm pakte, was hij koud... Toen ben ik Charlie gaan zoeken, maar hij was weg. En toen ben ik in paniek geraakt.'

'Je zei dat Ronnie opgerold lag als een balletje?' Rebus zat potloodcirkels te trekken op de achterkant van het dossier.

'Ja.'

'In de huiskamer?'

Ze leek in verwarring. 'Wat? Nee, niet in de huiskamer. Hij lag boven, in zijn kamer.'

'Juist, ja.' De cirkels bleven als vanzelf uit Rebus' pen vloeien. Hij probeerde zich in te denken dat Ronnie, wellicht stervende maar nog niet dood, na Tracy's vertrek naar beneden was gekropen en in de huiskamer aan zijn einde was gekomen. Dat zou een verklaring kunnen zijn voor die blauwe plekken. Maar die kaarsen... Hij had er zo precies tussenin gelegen... 'En wanneer was dat?'

'Gisteravond laat. Ik weet niet precies wanneer. Ik ben in paniek geraakt. Toen ik was gekalmeerd, heb ik de politie gebeld.'

'Hoe laat was het toen je belde?'

Ze zweeg even en dacht na. 'Ongeveer zeven uur vanmorgen.'

'Tracy, zou je het vervelend vinden om dit ook aan een paar andere mensen te vertellen?'

'Waarom?'

'Dat zal ik je vertellen als ik je ophaal. Vertel me nu gewoon waar je bent.'

Er viel weer een stilte terwijl ze hierover nadacht. 'Ik zit weer in Pilmuir,' zei ze ten slotte. 'Nu in een ander kraakpand.'

'Nou, je wilt vast niet dat ik je daar kom ophalen. Maar volgens mij zit je wel vlak bij Shore Road. Zullen we daar afspreken?'

'Nou...'

'Er is daar een café dat The Dock Leaf heet,' vervolgde Rebus zonder haar de tijd te gunnen zijn voorstel af te wijzen. 'Ken je dat?'

'Ik ben er een paar keer uit geschopt.'

'Ik ook. Okay dan, ik zie je daar over een uur voor de deur, ja?'

'Ja, goed.' Ze klonk niet erg enthousiast, en Rebus vroeg zich af of ze zich aan de afspraak zou houden. Maar waarom zou ze niet? Ze klonk eerlijk, maar het kon natuurlijk best zijn dat ze een zielepoot was die maar wat verzon om de aandacht te trekken, om haar leven wat interessanter te maken dan het feitelijk was.

Maar hij had een speciaal gevoel gehad, dat was niet te ontkennen.

'Goed,' zei ze. Toen werd de verbinding verbroken.

Shore Road was de kustweg aan de noordkant van de stad, een weg waarop hard werd gereden en waaraan fabrieken, loodsen en uitgestrekte doe-het-zelfzaken en meubelwinkels waren gelegen, met daarachter de Firth of Forth, die er kalm en grijs bij lag. Meestal was in de verte de kust van Fife zichtbaar, maar die dag hing er een koude mist over het water en was dat niet het geval. Tegenover de opslagloodsen stonden etagewoningen, de vier verdiepingen tellende voorlopers van betonnen torenflats. Hier en daar bevond zich een winkeltje, waar men zijn buurman of buurvrouw tegenkwam en informatie uitwisselde, en een enkel niet gemoderniseerd café, waar je als vreemdeling niet lang onopgemerkt bleef.

Bij de Dock Leaf had de oude generatie van verloederde innemers plaatsgemaakt voor een jongere, zodat het klantenbestand nu voor een groot deel bestond uit jeugdige werklozen, die vaak met z'n zessen in een vierkamerflat aan Shore Road woonden. Er was nauwelijks kleine criminaliteit: je eigen nest bevuil je niet. De oude waarden van de gemeenschap golden er nog.

Rebus, die te vroeg was voor zijn afspraak, besloot dat hij nog wel even tijd had voor een halve pint in de saloon. Het bier was goedkoop maar smakelijk. De aanwezigen, die misschien niet wisten wíé hij was, maar in ieder geval wel wát hij was, dempten hun stemmen tot een gemurmel en vermeden het hem aan te kijken. Toen hij om halfvier naar buiten stapte, deed het plotselinge daglicht hem met zijn ogen knipperen.

'Bent u de politieman?'

'Jazeker, Tracy.'

Ze had tegen de buitenmuur van het café geleund gestaan. Hij hield zijn hand boven zijn ogen en probeerde haar gezicht te onderscheiden en was verbaasd om te ontdekken dat hij tegenover een vrouw van twintig à vijfentwintig jaar stond. Haar gezicht verraadde haar leeftijd, maar haar voorkomen was dat van de eeuwige rebel: gemillimeterd, geblondeerd haar, twee oorbellen aan haar linkeroor (rechts geen enkele), een zelf geverfd T-shirt, een strakke, gebleekte spijkerbroek en rode basketbalschoenen. Ze was lang, net zo lang als Rebus. Toen zijn ogen aan het licht gewend waren, zag hij op haar wang sporen van tranen en littekens van de jeugdpuistjes die ze vroeger had gehad. Ze had echter ook kraaienpootjes om haar ogen, een teken dat ze veel had gelachen. De olijfgroene ogen straalden nu echter geen vrolijkheid uit. Op een bepaald moment in haar leven was Tracy een verkeerde weg ingeslagen, en Rebus had het idee dat ze nog bezig was de weg terug naar dat kruispunt te zoeken.

De vorige keer dat hij haar had gezien, had ze gelachen. Op de omgekrulde foto's aan de muur van Ronnies kamer had een meisje staan lachen. Dat was zij.

'Heet je echt Tracy?'

'Min of meer.' Ze waren gaan lopen. Bij een zebrapad staken ze de weg over zonder te kijken of er auto's aankwamen, waarna Rebus achter haar aan liep naar een muurtje en over de Forth uitkeek. Ze sloeg haar armen om zich heen en inspecteerde de langzaam optrekkende mist.

'Het is mijn tweede voornaam,' zei ze.

Rebus leunde met zijn onderarmen op het muurtje. 'Hoe lang kende je Ronnie?'

'Drie maanden. Net zo lang als ik in Pilmuir ben.'

'Wie woonden er nog meer in dat huis?'

Ze haalde haar schouders op. 'Ze kwamen en gingen; het was net een duiventil. Wij zaten er pas een paar weken. Als ik 's ochtends naar beneden ging, lagen er soms wel vijf of zes onbekenden op de grond te slapen. Het kon niemand wat schelen. Het was net één grote familie.'

'Wat was voor jou de aanleiding om te denken dat Ronnie vermoord is?'

Ze keek hem boos aan, maar haar ogen waren vochtig. 'Dat zei ik toch al door de telefoon! Hij heeft het tegen me gezégd. Hij was ergens geweest en thuisgekomen met wat dope. Maar hij zag er niet goed uit. Meestal was hij als een kind zo blij als hij wat horse had. Maar deze keer niet. Hij was bang en gedroeg zich als een robot of zo. Hij zei steeds maar tegen me dat ik moest oppassen voor Hyde en dat ze achter hem aan zaten.'

'Maar wie is die Hyde dan?'

'Weet ik niet.'

'Was dat nadat hij die dope had genomen?'

'Nee, dat is nou juist het krankzinnige. Het was ervóór. Hij had het pakje in zijn hand toen hij me de deur uit zette.'

'Je was er niet bij toen hij zijn shot nam?'

'Mijn god, nee. Ik had er een bloedhekel aan.' Haar ogen boorden zich in de zijne. 'Ik ben geen junk, weet u. Ik bedoel, ik rook weleens wat, maar nooit... Weet u...'

'Is je nog iets anders opgevallen aan Ronnie?'

'Hoezo?'

'Nou, zijn toestand.'

'De blauwe plekken, bedoelt u?'

'Ja.'

'Hij zag er vaak zo uit als hij terugkwam. Hij zei er nooit iets over.'

'Hij zal wel veel gevochten hebben. Had hij vaak ruzie?'

'Niet met mij.'

Rebus stopte zijn handen in zijn zakken. Een koude wind woei hen vanaf het water tegemoet, en hij vroeg zich af of ze het wel warm genoeg had. Het ontging hem niet dat haar tepels door haar katoenen T-shirt heen duidelijk zichtbaar waren.

'Wil je mijn jas even lenen?' vroeg hij.

'Alleen als uw portefeuille erin zit,' zei ze met een kort lachje.

Hij glimlachte naar haar en bood haar in plaats van zijn jas een sigaret aan, die ze aannam. Hij nam er zelf geen. Van zijn dagelijkse rantsoen resteerden er nog maar drie, en de avond was nog lang.

'Weet je wie Ronnies dealer was?' vroeg hij ontspannen terwijl hij haar hielp de sigaret aan te steken. Terwijl ze zich vooroverboog tussen zijn openhangende jaspanden en met trillende handen de aansteker aanknipte, schudde ze haar hoofd. Toen hij haar ten slotte even uit de wind had weten te houden en de sigaret brandde, zoog ze krachtig aan het filter.

'Ik wist het eigenlijk nooit,' zei ze. 'Ook daar praatte hij nooit over.'

'Waar praatte hij wel over?'

Ze dacht even na en glimlachte toen weer. 'Over weinig dingen, nu u het zegt. Dat vond ik het leuke aan hem. Je had bij hem altijd het idee dat er meer achter zat dan hij losliet.'

'Zoals?'

Ze haalde haar schouders op. 'Het kon van alles wezen, maar soms ook niks.'

Het gesprek verliep moeizamer dan Rebus had gedacht, en hij kreeg het inmiddels echt koud. Het werd tijd om de zaak wat te versnellen.

'Hij lag in zijn kamer toen je hem vond?'

'Ja.'

'En verder was er op dat moment niemand in het kraakpand?'

'Nee. Er waren wel een paar mensen geweest, maar die waren allemaal weg. Een van hen was op Ronnies kamer geweest, maar hem kende ik niet. En Charlie was er geweest.'

'Je noemde zijn naam al door de telefoon.'

'Ja, nou, toen ik Ronnie had gevonden, ben ik naar hem op zoek gegaan. Hij hangt meestal wel ergens in een van de andere kraakpanden rond, of anders loopt hij in de stad een beetje te bedelen. Jezus, wat een rare vent is dat!'

'In welk opzicht?'

'Hebt u gezien wat er op de muur in de huiskamer stond?'

'Je bedoelt die ster?'

'Ja, die was van Charlie. Die had hij geschilderd.'

'Dus hij houdt van occulte zaken?'

'Hij is hartstikke maf.'

'En Ronnie?'

'Ronnie? Jezus, nee. Hij kon niet eens tegen horrorfilms. Daar werd hij bang van.'

'Maar hij had wel al die horrorboeken op zijn kamer staan.'

'Die waren van Charlie. Hij probeerde Ronnie ervoor te interesseren. Hij kreeg er alleen nog meer nachtmerries van, met als resultaat dat hij nog meer horse ging gebruiken.'

'Waarvan betaalde hij zijn verslaving?' Rebus keek hoe een bootje door de mist gleed. Er viel iets overboord, maar hij kon niet zien wat het was.

'Ik was zijn boekhouder niet.'

'Wie zou het wel weten?' De boot beschreef een boog en stevende verder naar het westen in de richting van Queensferry.

'Niemand wil eigenlijk weten waar het geld vandaan komt, zo zit het. Dat maakt je medeplichtig, nietwaar?'

'Dat hangt ervan af.' Rebus rilde.

'Nou, ík wilde het in elk geval niet weten. Toen hij het me wilde vertellen, heb ik mijn oren dichtgestopt.'

'Had hij nooit werk?'

'Weet ik niet. Hij had het er wel over dat hij fotograaf wilde worden. Daar had hij zijn zinnen op gezet toen hij van school kwam.

Dat was het enige dat hij nooit naar de lommerd bracht, zelfs niet als hij geen geld had om horse te kopen.'

Rebus volgde haar niet. 'Wat niet?'

'Zijn fototoestel. Dat had hem een fortuin gekost, en dat had hij helemaal bij elkaar gespaard van zijn uitkering.'

Uitkering, wat een woord eigenlijk. Maar Rebus wist zeker dat er op Ronnies kamer geen fototoestel had gelegen. Dus was er bovendien sprake van diefstal.

'Tracy, ik wil graag dat je een officiële verklaring aflegt.'

Ze werd meteen achterdochtig. 'Waarom?'

'Dan hebben we iets op grond waarvan we een onderzoek kunnen beginnen naar de dood van Ronnie. Wil je me daarbij helpen?'

Het duurde lang voordat ze knikte. De boot was inmiddels verdwenen. Er dreef niets op het water, in het kielzog was niets achtergebleven. Rebus legde zijn hand op Tracy's schouder, heel voorzichtig.

'Bedankt,' zei hij. 'Deze kant op naar de auto.'

Toen ze haar verklaring had afgelegd, drong Rebus er bij haar op aan zich door hem thuis te laten brengen. Hij zette haar er een paar straten vandaan af, maar wist inmiddels wel haar adres.

'Maar ik kan niet beloven dat ik daar de eerstvolgende tien jaar te bereiken ben,' had ze gezegd. Het gaf niet. Hij had haar zijn nummer op het bureau en zijn privénummer gegeven en was ervan overtuigd dat ze contact zou opnemen.

'Nog één ding,' zei hij toen ze op het punt stond het portier dicht te doen. Ze boog zich voorover. 'Ronnie riep steeds "Ze komen eraan." Wie denk je dat hij daarmee bedoelde?'

Ze haalde haar schouders op. Toen zag ze de scène weer voor zich en verstijfde ze. 'Hij was aan het einde van zijn Latijn, inspecteur. Misschien bedoelde hij de slangen en spinnen die hij zag.'

Ja, dacht Rebus terwijl ze het portier dichtdeed en hij de auto startte. Maar het kon ook zijn dat hij de slangen en spinnen bedoelde die ervoor gezorgd hadden dat hij die zag.

Toen hij terug was op het bureau aan Great London Road, lag er een boodschap dat commissaris Watson hem wilde spreken. Rebus belde zijn nummer.

'Ik kan nu meteen wel komen, als dat schikt.'

De secretaresse moest het even vragen en zei toen dat het schikte.

Rebus had vaak met Watson te maken gehad sinds de commissaris vanuit het hoge noorden was overgeplaatst naar Edinburgh. Hij leek redelijk geschikt, al vonden sommigen hem misschien een beetje... nou ja, zeg maar boers. Er deden op het bureau veel grappen de ronde over zijn Aberdeense achtergrond, en als hij er niet bij was, werd hij 'Boer' Watson genoemd.

'Kom binnen, John, kom binnen.'

De commissaris was even van zijn bureau opgestaan om John met een vaag gebaar een stoel te wijzen. Het viel Rebus op dat alles op het bureau zorgvuldig gerangschikt was. De dossiers lagen in keurige stapeltjes in de beide postbakjes, en vóór Watson lagen alleen een dikke, nieuw uitziende map en twee scherpe potloden. Naast de map stond een foto van twee kleine kinderen.

'Mijn twee kinderen,' zei Watson. 'Ze zijn inmiddels wel wat ouder, maar ik heb nog steeds mijn handen vol aan ze.'

Watson was een forse man, wiens omvang het adjectief 'dik' rechtvaardigde. Hij had een blozend hoofd en dun, aan de slapen al enigszins grijzend haar. Nee, Rebus had er geen moeite mee om zich hem voor te stellen met lieslaarzen aan en een hoedje op zijn hoofd zoals forelvissers dat dragen, door een moerassig gebied trekkend met zijn trouwe collie naast hem. Maar wat wilde hij van Rebus? Was hij op zoek naar een menselijke collie?

'Jij was vanmorgen bij een geval van een overdosis.' Het was een constatering, dus Rebus nam niet de moeite te reageren. 'Het was eigenlijk een zaak voor inspecteur McCall, maar hij was... nou ja, hij was er niet.'

'Hij is een goed politieman, commissaris.'

Watson keek hem aan en glimlachte. 'De kwaliteiten van inspecteur McCall zijn niet in het geding. Daarom zit je hier niet. Maar het feit dat jij daar vanmorgen was, heeft me op een idee gebracht. Je weet waarschijnlijk dat ik belangstelling heb voor de drugsproblemen in deze stad. Eerlijk gezegd stuiten de cijfers me tegen de borst. Die problemen ben ik in Aberdeen niet tegengekomen. Alleen op de booreilanden was er weleens wat, maar dan ging het om de bazen, de lui die ze uit de Verenigde Staten halen en die hun eigen gewoontes meenemen, als ik me zo mag uitdrukken. Maar

34

hier...' Hij sloeg de map open en bladerde er even in. 'Hier is het echt een Sodom en Gomorra, inspecteur. Zo eenvoudig is het.'

'Ja, commissaris.'

'Ben je kerks?'

'Hoe bedoelt u?' Rebus schoof ongemakkelijk heen en weer op zijn stoel.

'Dat is toch een eenvoudige vraag? Ga je naar de kerk?'

'Onregelmatig, commissaris. Maar soms wel.' Gisteren nog, dacht Rebus. En ook toen had hij het gevoel gehad dat hij het liefst zo snel mogelijk weg wilde.

'Dat heb ik gehoord, ja. Dan moet je weten waar ik het over heb als ik zeg dat deze stad steeds meer op Sodom en Gomorra begint te lijken.' Watsons gezicht zag er blozender uit dan ooit. 'In de Royal Infirmary hebben ze verslaafden gehad van nauwelijks elf of twaalf jaar. En je eigen broer zit een straf uit wegens handel in drugs.' Watson keek Rebus weer aan, misschien in de verwachting dat hij schaamte zou tonen. Maar Rebus had een vurige blik in zijn ogen, en zijn wangen waren wel rood, maar niet van schaamte.

'Met alle respect, commissaris,' zei hij met vlakke, maar tot het uiterste gespannen stem, 'wat heb ik daarmee te maken?'

'Gewoon het volgende.' Watson sloeg de map dicht en leunde achterover in zijn stoel. 'Ik ben bezig een nieuwe campagne te starten tegen drugsgebruik. Een omslag in het bewustzijn van de mensen bewerkstelligen en zo, gekoppeld aan financiering van goede voorlichting. Ik heb daar carte blanche voor, en bovendien heb ik er het géld voor. Een groep Edinburghse zakenlieden is bereid de campagne te steunen met een gift van vijftigduizend pond.'

'Heel sociaal voelend van ze, commissaris.'

Watsons gezicht betrok. Hij boog zich voorover in zijn stoel, zodat zijn gezicht Rebus' gehele blikveld vulde. 'Neem dat maar gerust van mij aan,' zei hij.

'Maar ik begrijp nog steeds niet wat ik...'

'John...' De stem klonk nu weer geruststellend. 'Jij hebt hier... ervaring mee. Persoonlijke ervaring. Ik zou graag willen dat je me hielp leiding te geven aan onze inspanningen voor de campagne.'

'Nee, commissaris, dat is echt...'

'Mooi. Daar zijn we het dus over eens.' Watson stond al. Rebus wilde ook opstaan, maar had geen kracht meer in zijn benen. Hij duwde met zijn handen op de armleuningen en slaagde erin om overeind te komen. Was dit de tol die ze van hem eisten? In het openbaar boete doen voor het feit dat hij een broer had die niet deugde? Watson deed de deur open. 'We hebben het er nog over; dan regelen we de details. Probeer voorlopig zoveel mogelijk zaken waar je aan werkt af te handelen. Zorg dat je bij bent met je rapportage en zo. Laat me weten wat je niet klaar krijgt, dan zoeken we iemand die dat van je over kan nemen.'

'Ja, commissaris.' Rebus pakte de uitgestoken hand. Hij leek van staal: koud, droog, als een tang.

'Dag, commissaris,' zei Rebus, maar toen stond hij al op de gang tegen een dichte deur te praten.

's Avonds voelde hij zich nog steeds wezenloos, en toen de tv hem begon te vervelen, besloot hij de deur uit te gaan en wat rond te rijden. Hij had geen speciaal doel op het oog. Het was stil in Marchmont, maar dat was het altijd. Zijn auto stond veilig en wel op de keien voor de buitendeur van zijn flat. Hij startte de auto en reed via het centrum van de stad naar New Town. Bij Canonmills stopte hij onder het portaal van een benzinestation en gooide de tank vol, pakte van de schappen binnen nog een zaklantaarn, een paar batterijen en enkele repen chocola en betaalde met zijn creditcard.

Onder het rijden at hij de chocola op. Hij luisterde naar de autoradio en probeerde niet te denken aan zijn rantsoen sigaretten voor de volgende dag. Het programma van Calum McCallum, de vrijer van Gill Templer, begon om halfnegen. Hij luisterde er een paar minuten naar, maar kreeg er toen genoeg van. Die olijke stem, die moppen met zo'n baard dat ze in een rolstoel thuishoorden, die volkomen voorspelbare afwisseling van oude plaatjes en telefoongesprekjes... Rebus draaide aan de knop totdat hij de klassieke zender had gevonden. Toen hij muziek van Mozart hoorde, zette hij het geluid harder.

Hij had natuurlijk van tevoren geweten dat dit ervan zou komen. Hij zocht zijn weg door de wirwar van slecht verlichte, kronkelige straatjes. Er hing een nieuw hangslot aan de deur van het huis, maar Rebus had een duplicaatsleutel in zijn zak. Hij knipte de zaklantaarn aan en liep op zijn gemak de huiskamer in. Er lag nu niets meer op de vloer. Niets wees erop dat daar nog maar tien uur geleden een lijk had gelegen. Ook de pot met injectiespuiten was weg, evenals de kaarsen. Rebus besteedde geen aandacht aan de achtermuur, maar liep de kamer uit en ging naar boven. Hij duwde de deur van Ronnies kamer open, ging naar binnen en liep door naar het raam. Dat was de plek waar Tracy zei dat ze het lichaam had gevonden. Rebus hurkte neer en liet, balancerend op zijn tenen, het licht van de zaklantaarn langzaam over de vloer gaan. Geen spoor van een camera. Niets. Het werd hem in deze zaak niet gemakkelijk gemaakt. Áls er tenminste een zaak was.

Wat dat betreft moest hij tenslotte geheel vertrouwen op Tracy's woorden.

Hij keerde op zijn schreden terug, ging de kamer uit en liep in de richting van het trappenhuis. Op de trap lag iets glinsterends, precies in de hoek van de bovenste traptrede. Rebus raapte het op en bekeek het. Het was een stukje metaal dat leek op het klemmetje waarmee goedkope broches worden vastgeklemd. Hij stak het toch maar in zijn zak, bekeek de trap nog eens en stelde zich voor hoe Ronnie weer bij bewustzijn was gekomen en zich naar beneden had gesleept.

Het was mogelijk. Niet meer dan dat. Maar om dan aan je einde te komen in de positie waarin hij gevonden was? Dat lag een stuk minder voor de hand.

En waarom zou hij de pot met injectienaalden mee naar beneden hebben genomen? Rebus knikte. Hij was er zeker van dat hij in de wirwar van gegevens min of meer in de goede richting aan het zoeken was. Hij ging weer naar beneden en liep de huiskamer in. Het rook er naar schimmel zoals die op oude jam groeit, een geur van aarde en tegelijk ook een zoete geur. De aarde steriel, de zoetheid wee. Hij liep naar de achtermuur en richtte de zaklantaarn erop.

Toen hij er vlakbij stond, begon zijn hart te bonzen. De cirkels waren er nog, evenals de vijfpuntige ster erbinnen in. Maar er waren figuren bij gekomen: tussen de twee cirkels in stonden nu in rode verf de tekens van de dierenriem en andere symbolen geschilderd. Hij stak zijn hand uit. De verf voelde plakkerig aan. Terwijl hij zijn hand terugtrok, liet hij de lichtstraal langs de muur omhooggaan en las het uitgelopen opschrift.

HALLO RONNIE

Rebus, tot in zijn diepste wezen bijgelovig, draaide zich bruusk om en vluchtte weg, zonder de moeite te nemen de voordeur weer op slot te doen. Toen hij op zijn auto af beende en omkeek in de richting van het huis botste hij tegen iemand op en struikelde bijna. De ander maakte een ongelukkige val en kwam langzaam weer overeind. Rebus knipte zijn zaklantaarn aan en zag in het schijnsel een knaap met glinsterende ogen en een gezicht vol bloedende wonden en blauwe plekken.

'Jezus, jongen,' fluisterde hij. 'Wat is er met jou gebeurd?'

'Ik ben in elkaar geslagen,' zei de jongen en hij strompelde weg.

Rebus wist op de een of andere manier toch bij zijn auto te komen. Zijn zenuwen voelden dun en versleten aan als oude veters. Toen hij in de auto zat, deed hij het portier op slot, leunde achterover, sloot zijn ogen en ademde diep in en uit. Rustig, John, zei hij tegen zichzelf. Hou je rustig. Even later kon hij glimlachen om het feit dat hij even de moed had verloren. De volgende dag zou hij terugkomen. Bij daglicht.

Voor het moment had hij genoeg gezien.

DINSDAG

Ik heb inmiddels redenen om aan te nemen dat de oorzaak veel dieper in de aard van de mens gelegen is, en ook om me te baseren op een edeler principe dan dat van de haat.

De slaap had niet willen komen, maar uiteindelijk moest hij toch zijn ingedut, want pas toen de telefoon om negen uur ging, kwam hij weer tot leven en constateerde dat hij met een boek op zijn schoot onderuitgezakt in zijn lievelingsstoel zat.

Zijn rug en zijn armen en benen voelden stijf en pijnlijk aan, merkte hij toen hij op de grond tastte naar zijn nieuwe, snoerloze telefoon.

'Ja?'

'Met het lab hier, inspecteur Rebus. U wilde zo snel mogelijk op de hoogte gesteld worden.'

'Wat hebben jullie gevonden?' Rebus liet zich weer achterover- zakken in de warme stoel en wreef met zijn vrije hand in zijn ogen om ze aan te zetten tot enige medewerking in de frisse nieuwe we- reld der wakenden. Hij keek op zijn horloge en zag dat hij een gat in de dag had geslapen.

'Nou, het is niet de meest zuivere heroïne die je op straat kunt kopen.'

Hij knikte en dacht dat hij de volgende vraag eigenlijk niet eens zou hoeven stellen. 'Zou iedereen die zichzelf daarmee injecteerde doodgaan?'

Het antwoord deed hem met een schok overeind komen.

'Helemaal niet. Alles in aanmerking genomen, is het eigenlijk re- delijk goed spul. Een beetje verdund is het wel, maar dat is niet on- gewoon. Dat moet zelfs.'

'Je kunt het dus gerust gebruiken?'

'Ik denk zelfs dat het heel goed spul is.'

'Juist, ja. Nou, bedankt.' Rebus drukte het toestel uit. Hij was er zo zeker van geweest. Zo zeker... Hij stak zijn hand in zijn zak, vond het papiertje met het nummer dat hij zocht en toetste de ze- ven cijfers snel in, voordat hij de tijd had om willoos overgeleverd te raken aan zijn behoefte aan de eerste kop koffie.

41

'Inspecteur Rebus voor dokter Enfield.' Hij wachtte. 'Dokter? Mooi, bedankt. Hoe is het met u? Goed, goed... Zeg, dat lijk van gisteren, die junkie in Pilmuir, is daar nog iets nieuws over te melden?' Hij luisterde. 'Ja, ik wacht even.'

Pilmuir. Wat had Tony McCall gezegd? Het was een fijne buurt geweest, een wereld van onschuld, zoiets. Maar ja, dat gold voor het verleden altijd, niet? In de herinnering gingen de scherpe kantjes ervan af, zoals Rebus uit eigen ervaring wist.

'Hallo?' zei hij in het toestel. 'Ja, dat klopt.' Op de achtergrond hoorde hij geritsel van papier. Enfield klonk onaangedaan.

'Blauwe plekken op het lichaam. Op redelijk grote schaal. Gevolg van een ernstige val of een fysieke inwerking van buiten af. De maag was bijna geheel leeg. HIV-negatief, wat opmerkelijk is. Wat de oorzaak van het overlijden betreft, ik eh...'

'De heroïne?' vroeg Rebus.

'Hmm. Voor vijfennegentig procent verontreinigd.'

'Echt waar?' Rebus schoot overeind. 'Waarmee was het vermengd?'

'Daar wordt nog aan gewerkt, inspecteur. Het kan van alles zijn geweest, van fijngemalen aspirine tot rattengif, maar ons vermoeden gaat in de richting van een verdelgingsmiddel.'

'U bedoelt dat de toevoeging dodelijk was?'

'O, absoluut. Wie hem dit spul heeft verkocht, deed hem daarmee een euthanasiemiddel aan de hand. Als er meer van in omloop is... nou, dan vrees ik het ergste.'

Meer van het spul in omloop? Het idee deed Rebus' voorhoofdshuid tintelen. Stel je voor dat iemand bezig was junks te vergiftigen. Maar waarom dat ene pakje waar niets mee was? Met het ene was niets aan de hand, terwijl het andere zo giftig was als wat. Dat sloeg nergens op.

'Dank u, dokter Enfield.'

Hij legde de telefoon op de armleuning van de stoel. Tracy had in ten minste één opzicht gelijk gehad. Ze hadden Ronnie inderdaad vermoord. Wie 'ze' ook geweest mochten zijn. En Ronnie had het geweten, hij had het geweten zodra hij het spul gebruikte... Nee, wacht even... Had hij het geweten vóórdat hij het gebruikte? Zou dat kunnen? Rebus moest de dealer zien te vinden. Hij moest zien uit te vinden waarom Ronnie dood had gemoeten, waarom hij was opgeofferd...

Tony McCall kwam er vandaan. Goed, hij was uit Pilmuir weggegaan en had op den duur zelfs met een loodzware hypotheeklast
iets gekocht wat wel een huis genoemd werd. Een leuk huis trouwens ook nog. Dat wist hij omdat zijn vrouw zei dat het leuk was.
Dat zei ze zelfs voortdurend. Ze kon maar niet begrijpen waarom
hij er maar zo weinig was. Het was tenslotte ook zíjn huis, had ze
tegen hem gezegd.

Een eigen huis. Voor McCalls vrouw dekte het woord 'huis' de
inhoud niet helemaal, voor haar was het een paleis. De twee kinderen, een zoon en een dochter, waren gedrild om op hun tenen
door het huis te lopen, nergens kruimels of vingerafdrukken achter
te laten, geen rommel te maken en niets kapot te maken. Tony Mc-
Call, die net als zijn broer Tommy een ongelukkige jeugd had gehad, vond dit onnatuurlijk. Zijn kinderen waren opgegroeid in een
sfeer van angst en tegelijkertijd overladen met liefde – een nare combinatie. Craig was nu veertien, en Isabel elf. Allebei waren ze verlegen en in zichzelf gekeerd, misschien zelfs een beetje vreemd. De
dromen van McCall dat zijn zoon profvoetballer en zijn dochter ac-
trice zou worden, waren in rook opgegaan. Craig schaakte veel,
maar deed niet aan lichaamsbeweging. (Hij had bij een schooltoer-
nooi een kleine medaille gewonnen. McCall had toen ook moeite
gedaan het te leren, maar dat was niet gelukt.) Isabel hield van brei-
en. Ze zaten in de door hun moeder tot in de puntjes verzorgde
huiskamer en maakten bijna geen geluid. Alleen het geklik van brei-
naalden, en af en toe het geschuif van een schaakstuk.

Jezus, was het een wonder dat hij zo vaak wegbleef?

Maar nu was hij dus in Pilmuir. Niet om iets speciaals na te gaan,
hij liep er gewoon te wandelen. Een luchtje te scheppen. Hij had
zijn eigen ultramoderne woonwijk met vrijstaande schoenendozen
en Volvo's voor de deuren achter zich gelaten, was een onbebouwd
stuk grond overgestoken, had goed uitgekeken bij het oversteken
van de drukke verkeersader, was langs het sportveld van een school
gekomen en na een slalom tussen een paar bedrijfsgebouwen door
in Pilmuir terechtgekomen. Maar het was de moeite waard. Hij kende de wijk; hij wist wat er broeide.

Hij was tenslotte een van hen.

'Hallo, Tony.'

Hij herkende de stem niet. Omdat hij moeilijkheden verwachtte, draaide hij zich met een ruk om. John Rebus keek hem met zijn handen in zijn zakken glimlachend aan.

'John! Jezus, je laat me schrikken.'

'Sorry. Ik ben blij dat ik je tegenkom.' Rebus keek om zich heen alsof hij iemand zocht. 'Ik heb je geprobeerd te bellen, maar ze zeiden dat je geen dienst had.'

'Ja, dat klopt.'

'Maar wat doe je dan hier?'

'Gewoon een wandeling maken. We wonen daarginds.' Hij maakte een hoofdknik in zuidwestelijke richting. 'Niet ver hier vandaan. Trouwens, dit is mijn oude wijk, vergeet dat niet. Ik moet toch een beetje op de jongens en meisjes letten.'

'Daar wou ik het juist met je over hebben.'

'O ja?'

Rebus begon langzaam verder te lopen. McCall, nog steeds verbaasd over de ontmoeting, volgde.

'Ja,' zei Rebus. 'Ik wilde je vragen of jij iemand kent. Het gaat om een bekende van de dode. Charlie heet hij.'

'Dat is alles wat je weet? Charlie?' Rebus haalde zijn schouders op. 'Hoe ziet hij eruit?'

Weer haalde Rebus zijn schouders op. 'Ik heb geen idee, Tony. Ik heb zijn naam van Ronnies vriendin Tracy.'

'Ronnie? Tracy?' McCall fronste zijn wenkbrauwen. 'Wie zijn dat in godsnaam?'

'Ronnie is de dode. Die junkie die we hier in de wijk gevonden hebben.'

Ineens was McCall alles duidelijk. Hij knikte langzaam. 'Jij laat er geen gras over groeien,' zei hij.

'Hoe sneller, hoe beter. Ronnies vriendin had een interessant verhaal.'

'O ja?'

'Ze zei dat Ronnie is vermoord.' Rebus liep door, maar McCall bleef staan.

'Wacht even!' Hij haalde Rebus in. 'Vermoord? Kom nou, John. Je hebt die gast toch gezien?'

'Dat is zo, ja. Met de inhoud van een spuit rattengif in zijn aderen.'

McCall floot zachtjes. 'Jezus.'

'Wat je zegt,' zei Rebus. 'En nu wil ik die Charlie spreken. Hij moet jong zijn, misschien een beetje angstig, en geïnteresseerd in occultisme.'

McCall dacht na en sloeg een paar denkbeeldige dossiers open. 'Tja, ik weet wel een paar plekken waar we kunnen gaan zoeken,' zei hij ten slotte. 'Maar het zal niet meevallen. De opvatting dat de politie je beste kameraad is, is hier nog geen gemeengoed.'

'Je bedoelt dat we niet welkom zullen zijn?'

'Zoiets, ja.'

'Nou, geef me dan de adressen en wat aanwijzingen. Jij hebt tenslotte een vrije dag.'

McCall leek in zijn wiek geschoten. 'Je vergeet één ding, John. Dit is mijn wijk. Het zou eigenlijk mijn zaak moeten zijn. Als er een zaak is.'

'Het zou jouw zaak geweest zijn als je toen geen kater had gehad.' Ze glimlachten beiden, maar Rebus vroeg zich af of er überhaupt wel iets te onderzoeken zou zijn geweest als Tony McCall met de zaak belast was geweest. Zou Tony de zaak niet op zijn beloop hebben gelaten? En zou hij, Rebus, dat ook niet moeten doen?

'Je zult trouwens toch wel wat beters te doen hebben?' zei McCall, die Rebus' gedachten leek te lezen.

Rebus schudde zijn hoofd. 'Nee, hoor. Ik heb niks meer te doen. Ik moet opnieuw de boer op, schijnt het. En dan leg ik de nadruk op het woord "boer".'

'Bedoel je commissaris Watson?'

'Hij wil dat ik meewerk aan zijn drugsbestrijdingscampagne. Ik, nota bene!'

'Dat kan je misschien in moeilijke situaties brengen.'

'Weet ik. Maar die gek vindt het een voordeel dat ik er "persoonlijke ervaring" mee heb.'

'Tja, misschien heeft hij daar wel gelijk in.' Rebus wilde hem tegenspreken, maar McCall was hem voor. 'Dus je hebt niks te doen?'

'Niet zolang Boer Watson me geen opdrachten geeft, nee.'

'Bofkont. Nou, dat maakt wel enig verschil, maar niet voldoende. Het spijt me dat ik het zeggen moet. Jij bent hier bij mij te gast, dus ik hou je gezelschap. Dat wil zeggen, zolang ik me niet verveel.'

Rebus glimlachte. 'Dat begrijp ik heus wel, Tony.' Hij keek om zich heen. 'Goed, waar gaan we eerst naartoe?'

McCall maakte een hoofdknikje in achterwaartse richting. Ze draaiden zich om en liepen in de richting vanwaar ze gekomen waren.

'Vertel eens,' zei Rebus, 'wat is er thuis eigenlijk zo afschuwelijk dat je op je vrije dag op het idee komt om hiernaartoe te gaan?'

McCall lachte. 'Ligt het er zo dik bovenop?'

'Alleen voor iemand die het zelf ook heeft meegemaakt.'

'Ach, ik weet het niet, John. Ik schijn alles te hebben waar ik nooit op uit ben geweest.'

'En nog is het niet genoeg.' Een simpel credo.

'Ik bedoel, Sheila is een geweldige moeder en zo, en de kinderen zijn heel verstandig, maar...'

'Buurmans gras is altijd groener,' zei Rebus, en hij dacht aan zijn eigen mislukte huwelijk, aan de kou in de flat als hij thuiskwam en aan het holle geluid als hij de deur achter zich dichtsloeg.

'Neem nou Tommy, mijn broer. Vroeger dacht ik altijd dat hij het voor elkaar had. Geld zat, een huis met een bubbelbad, garagedeuren die automatisch opengaan...' McCall zag dat Rebus glimlachte en begon zelf ook te glimlachen.

'Elektrisch bedienbare jaloezieën,' vulde Rebus aan, 'telefoon in de auto, kenteken met zijn initialen...'

'Mede-eigenaar van een appartement in Malaga,' zei McCall, op het punt om in lachen uit te barsten, 'marmeren aanrechtblad in de keuken.'

Het was belachelijk. Ze begonnen hard te lachen en vulden de lijst onder het lopen nog verder aan. Maar toen Rebus om zich heen keek, hield hij op met lachen en bleef stilstaan. Hier was hij naar op weg geweest. Hij tastte in de zak van zijn jas naar de zaklantaarn.

'Kom mee, Tony,' zei hij ontnuchterd. 'Er is iets wat ik je wil laten zien.'

'Hier is hij gevonden,' zei Rebus terwijl hij met de zaklantaarn de kale vloerdelen bescheen. 'Op zijn rug, benen naast elkaar, armen gestrekt. Ik denk niet dat hij per ongeluk in die positie terecht is gekomen, jij wel?'

McCall bestudeerde de situatie. Ze dachten nu allebei als vaklieden en gedroegen zich tegenover elkaar bijna als vreemden. 'En

die vriendin zei dat ze hem boven had gevonden?'
'Klopt.'
'Geloof je haar?'
'Waarom zou ze liegen?'
'Daar kunnen honderd redenen voor zijn, John. Zou het kunnen
dat ik dat meisje ken?'
'Ze is nog niet lang in Pilmuir. Wat ouder dan je zou denken,
midden twintig, misschien iets ouder.'
'Dus die Ronnie was al dood toen ze hem naar beneden brach-
ten en hier neerlegden, met die kaarsen en zo om hem heen.'
'Klopt.'
'Ik begin te begrijpen waarom je op zoek bent naar die kennis
van hem die zich bezighoudt met het occulte.'
'Precies. Maar nou moet je dit eens zien.' Rebus liep voor Mc-
Call uit naar de achtermuur, liet de lichtbundel op de vijfpuntige
ster vallen en richtte de zaklantaarn toen verder omhoog.
'*Hallo Ronnie*,' las McCall hardop.
'Gisteren stond dat er nog niet.'
'O nee?' McCall klonk verbaasd. 'Kinderen, John. Gewoon het
werk van kinderen.'
'Die vijfpuntige ster is niet door kinderen getekend.'
'Nee, dat ben ik met je eens.'
'Charlie heeft hem getekend.'
'Juist.' McCall stak zijn handen in zijn zakken en rechtte zijn rug.
'Ik ben overtuigd, inspecteur. Laten we maar eens gaan rondneu-
zen in een paar kraakpanden.'

De paar mensen die ze in de kraakpanden aantroffen, leken echter
niets te weten en zich er nog minder druk om te maken. Het was
niet het juiste moment, zei McCall. De meeste krakers waren op
dat ogenblik nog in de stad, bezig portemonnees te jatten uit bood-
schappentassen, te bedelen, winkeldiefstallen te plegen of dope te
verhandelen. Rebus moest met tegenzin toegeven dat ze hun tijd
aan het verdoen waren.

Omdat McCall graag de bandopname wilde beluisteren die Rebus had gemaakt van het verhoor van Tracy, gingen ze terug naar
het bureau aan Great London Road. McCall dacht dat er in die op-
name een aanwijzing te vinden zou zijn die hen naar Charlie zou

leiden, of iets wat hem zou helpen te bedenken wie het kon zijn, iets wat Rebus ontgaan was.

Lusteloos liep Rebus enkele passen voor McCall uit de trap op naar de zware houten toegangsdeuren van het politiebureau. Achter de balie was de agent van de wacht, wiens dienst net was begonnen, nog bezig zijn nepdas aan zijn boord vast te klemmen. Simpel maar slim, bedacht Rebus. Alle geüniformeerde agenten droegen dassen die je moest vastklemmen en die, als het tot een worsteling kwam en de aanvaller de agent aan zijn das naar voren wilde trekken, meteen loslieten. Zo had de brigadier achter de balie ook een bril met speciale glazen, die, als er tegenaan werd geslagen, meteen uit het montuur sprongen en niet braken. Simpel maar slim. Rebus hoopte dat ook de zaak van de gekruisigde junkie simpel zou blijken te zijn.

Hij had alleen van zichzelf niet het idee dat hij zo slim was.

'Hallo Arthur,' zei hij terwijl hij op weg naar de trap langs de balie liep. 'Nog berichten voor me?'

'Een momentje, John. Mijn dienst is pas twee minuten geleden begonnen.'

'Natuurlijk.' Rebus stak zijn handen diep in zijn zakken en voelde toen met de vingers van zijn rechterhand iets wat hij niet meteen kon thuisbrengen, iets van metaal. Hij haalde het klemmetje van de broche eruit en bekeek het. Toen verstijfde hij.

McCall keek hem vragend aan.

'Ga jij maar vast naar boven,' zei Rebus tegen hem. 'Ik kom zo.'

'Okay, John.'

Rebus liep weer naar de balie en stak zijn hand uit naar de brigadier. 'Wil je wat voor me doen, Arthur? Geef me je das eens.'

'Wat?'

'Je hebt heus wel gehoord wat ik zei.'

De brigadier bedacht dat hij die avond in de kantine een mooi verhaal te vertellen zou hebben en trok aan zijn das. Met één enkele klik sprong de klem los. Simpel maar slim, dacht Rebus terwijl hij de das tussen wijsvinger en duim ophield.

'Bedankt, Arthur,' zei hij.

'Altijd tot je dienst, John,' riep de brigadier terwijl Rebus terugliep naar de trap. 'Altijd tot je dienst.'

'Weet je wat dit is, Tony?'

McCall was op Rebus' stoel achter zijn bureau gaan zitten. Hij zat met een hand in een la en keek verschrikt op. Rebus hield de das omhoog. McCall knikte en haalde zijn hand te voorschijn. De hand was om een whiskyfles geklemd.

'Het is een das,' zei hij. 'Heb je hier ergens kopjes?'

Rebus legde de das op het bureau. Hij liep naar een archiefkast en probeerde tussen de vele kopjes die er vuil en verwaarloosd op stonden een schoon exemplaar te vinden. Ten slotte leek hij er een gevonden te hebben die de toets der kritiek kon doorstaan en zette dat op het bureau. McCall zat het omslag te bestuderen van een dossier dat op het bureau lag.

'*Ronnie*,' las hij hardop. '*Tracy – belster*.' Ik zie dat je processen-verbaal nog steeds heel uitgebreid zijn.'

Rebus reikte McCall het kopje aan.

'Waar is het jouwe?' vroeg McCall, op het kopje wijzend.

'Ik heb geen trek in alcohol. Om je de waarheid te zeggen, ik drink het spul tegenwoordig nauwelijks nog.' Rebus knikte in de richting van de fles. 'Die heb ik hier nog alleen voor bezoekers.'

McCall kneep zijn lippen op elkaar en sperde zijn ogen open. 'Dat bespaart me een hoop hoofdpijn en een boel andere kwaaltjes.' Zijn oog viel op een grote envelop op het bureau. FOTO'S – NIET VOUWEN stond erop.

'Weet je, Tony, toen ik nog brigadier was, duurde het altijd dagen voordat dit soort dingen bezorgd werd. Maar nu ik inspecteur ben, voel ik me net een prins.' Hij opende de envelop en haalde de afdrukken eruit. Achttien bij vierentwintig centimeter, zwart-wit. Hij reikte McCall er een aan.

'Kijk,' zei Rebus. 'Geen tekst op de muur. En de vijfpuntige ster was nog niet af. Vandaag was dat wel het geval.' McCall knikte. Rebus nam de foto weer aan en gaf hem toen de andere. 'De dode.'

'Arme stakker,' zei McCall. 'Het had net zo goed een van onze kinderen kunnen zijn, hè John?'

'Nee,' zei Rebus beslist. Hij rolde de envelop op tot een koker en stak hem in de zak van zijn jasje.

McCall had de das in zijn hand genomen. Hij zwaaide ermee in Rebus' richting ten teken dat hij een verklaring wilde.

'Heb jij weleens zo'n ding gedragen?' vroeg Rebus.

'Natuurlijk. Op mijn bruiloft, en ook weleens bij een begrafenis of een doop...'

'Nee, ik bedoel een das als deze. Met een klem. Ik herinner me nog dat mijn vader toen ik klein was een keer vond dat een kilt me goed zou staan. Hij heeft toen de hele mikmak aangeschaft, inclusief een vlinderdasje met een Schotse ruit. Dat maakte je ook met een klemmetje vast.'

'Ik heb er ook weleens een gehad,' zei McCall. 'Wij allemaal toch? We zijn toch allemaal van onderaf begonnen?'

'Nee,' zei Rebus. 'En nou van mijn stoel af, verdomme.'

McCall pakte een stoel die tegen de muur stond en sleepte die tot voor het bureau. Rebus ging intussen zitten en pakte de das op.

'Verstrekt door de politie.'

'Wat?'

'Dassen met een klem,' zei Rebus. 'Wie draagt die nog meer?'

'Jezus, dat weet ik niet, John.'

Rebus gooide het klemmetje naar McCall, die traag reageerde, waardoor het op de grond viel. Hij raapte het op.

'Een klemmetje,' zei hij.

'Gevonden in Ronnies huis,' zei Rebus. 'Boven aan de trap.'

'Nou én?'

'Nou, dat betekent dat het klemmetje van iemands das is afgebroken. Misschien toen hij bezig was Ronnie naar beneden te slepen. Misschien was die persoon wel een politieagent.'

'Denk je dat een van ons...'

'Het is maar een idee,' zei Rebus. 'Het ding kan natuurlijk ook van een van de jongens geweest zijn die het lijk hebben gevonden.' Hij hield zijn hand op, waarop McCall hem het klemmetje teruggaf. 'Misschien moest ik het ze maar eens gaan vragen.'

'John, wat denk je nou in 's hemelsnaam...' McCalls zin eindigde in een soort gereutel. Hij wist geen woorden te vinden voor de vraag die hij wilde stellen.

'Drink je whisky op,' zei Rebus bezorgd. 'Dan zal ik die band voor je afdraaien en kun je nagaan of Tracy de waarheid spreekt.'

'Wat ga jij doen?'

'Dat weet ik niet.' Hij stopte de das van de brigadier in zijn zak. 'Misschien een paar losse eindjes aan elkaar knopen.' McCall was bezig zichzelf nog eens in te schenken toen Rebus de deur uitging, maar diens sarcastische afscheidswoorden vanaf de trap waren wel zo hard dat hij ze kon horen.

'Of anders loop ik misschien gewoon naar de hel!'

'Ja, een gewone vijfhoek.'

Psycholoog dr. Poole, die eigenlijk geen psycholoog was maar, zoals hij weleens had uitgelegd, meer iemand die colleges psychologie gaf, wat iets heel anders was, bestudeerde de foto's zorgvuldig. Zijn onderlip krulde zich over zijn bovenlip ten teken dat hij heel goed wist waar hij over sprak. Rebus speelde met de lege envelop en keek uit het raam. Het was een zonnige dag, en in George Square Gardens lagen een paar studenten met een fles wijn in het gras. Aan studeren dachten ze niet meer.

Rebus voelde zich niet op zijn gemak. Als hij te maken had met academische instituten, of het nou een eenvoudige hogeschool was of, zoals nu, de Universiteit van Edinburgh, voelde hij zich altijd dom. Hij had het gevoel dat alles wat hij zei of deed aan een oordeel onderworpen en geïnterpreteerd werd en dat het vonnis onveranderlijk luidde dat hij een slimme vent was, die nog slimmer had kunnen zijn als hij de juiste kansen had gehad.

'Toen ik terugkwam in het huis,' zei hij, 'had iemand er tussen de twee cirkels in een paar figuren bij getekend. Astrologische tekens en zo.'

Rebus keek hoe de psycholoog naar de boekenkast liep en in een boek begon te bladeren. De man vinden was makkelijk geweest. Iets aan hem hebben zou misschien moeilijker blijken te zijn.

'Waarschijnlijk het gewone esoterische gedoe,' zei dr. Poole terwijl hij de bladzijde vond waarnaar hij op zoek was en met het boek terugliep naar het bureau om hem aan Rebus te laten zien. 'Was het zoiets?'

'Ja, dat is het.' Rebus bekeek de illustratie. De vijfpuntige ster was niet precies hetzelfde als die hij had gezien, maar leek er wel erg op. 'Weet u of er veel mensen geïnteresseerd zijn in occultisme?'

'Bedoelt u in Edinburgh?' Poole ging weer zitten en schoof zijn bril boven op zijn neus. 'O, zeker. Heel veel. Bedenkt u maar eens wat een kassuccessen films over de duivel altijd zijn.'

Rebus glimlachte. 'Ja. Ik hield vroeger zelf ook van horrorfilms.

51

Maar ik bedoel eigenlijk mensen met een actieve belangstelling.'
De geleerde glimlachte. 'Dat had ik wel begrepen. Het was een grapje van me. Er zijn heel veel mensen die denken dat occultisme daarmee te maken heeft – het weer tot leven wekken van de duivel. Maar er zit veel meer in, neemt u dat maar van mij aan, inspecteur. Of veel minder, dat hangt van uw standpunt af.'
Rebus probeerde te bedenken wat hij hiermee kon bedoelen. 'Kent u mensen die dat doen, zich er actief mee bezighouden?' vroeg hij terwijl hij er nog over nadacht.
'Ik heb wel over hen horen spreken. Heksen, mensen die aan witte en zwarte magie doen.'
'Hier? In Edinburgh?'
Poole glimlachte weer. 'O, zeker. Hier in Edinburgh. Er zijn in Edinburgh en omstreken zes groepen die regelmatig samenkomen.' Hij zweeg even. Rebus kon hem bijna horen tellen. 'Zeven, misschien. Gelukkig gaat het in het merendeel daarvan om witte magie.'
'Dat wil zeggen dat het occulte ten goede wordt aangewend, is het niet?'
'Heel juist gezegd.'
'En zwarte magie?'
De geleerde zweeg. Hij was ineens geïnteresseerd geraakt in wat zich buiten voor zijn raam afspeelde. Een zomerse dag. Rebus herinnerde zich ineens iets. Lang geleden had hij een boek met afbeeldingen van schilderijen van H.R. Giger gekocht, schilderijen van de satan, geflankeerd door Vestaalse hoeren... Hij wist niet meer waarom hij het had gekocht, maar het moest nog ergens in zijn flat liggen. Het schoot hem te binnen dat hij het voor Rhona had verstopt...
'Er wordt zelfs ín Edinburgh een heksensamenkomst gehouden,' zei Poole. 'En daar houden ze zich bezig met zwarte magie.'
'O, en... brengen ze daar offers?'
Dr. Poole haalde zijn schouders op. 'We brengen allemaal offers.' Maar toen hij zag dat Rebus niet om zijn grapje lachte, ging hij rechtop zitten en keek weer ernstig. 'Waarschijnlijk wel, maar dan min of meer ritueel. Een rat, een muis, een kip. Misschien zelfs dat niet eens. Misschien is het helemaal symbolisch.'
Rebus tikte met zijn vinger op een van de foto's die over het bu-

reau verspreid lagen. 'In het huis waar we deze vijfpuntige ster aantroffen, hebben we ook een lichaam gevonden. Een lijk, bedoel ik dus.' Op dat moment haalde hij de foto's die daarop betrekking hadden te voorschijn. Dr. Poole fronste zijn voorhoofd terwijl hij ze bekeek. 'Overleden ten gevolge van een overdosis heroïne. Zijn benen waren tegen elkaar aan gelegd, zijn armen waren gespreid. Het lijk lag tussen twee opgebrande kaarsen in. Zegt dat u iets?' Poole keek ontzet. 'Nee,' zei hij. 'Maar denkt u dat satansaanbidders...'

'Ik denk helemaal niets, meneer. Ik probeer alleen de gegevens in elkaar te passen en alle mogelijkheden na te gaan.'

Poole dacht even na. 'U zou misschien meer kunnen hebben aan een van onze studenten dan aan mij. Ik had geen idee dat hier een dode in het spel was...'

'Een student?'

'Ja. Ik ken hem maar oppervlakkig. Hij is volgens mij zeer geïnteresseerd in occultisme en heeft er dit jaar zelfs een lange scriptie over geschreven. Hij is nu bezig met een project over geloof in de duivel. Hij is een tweedejaars student, en die moeten 's zomers een project doen. Ja, ik denk dat hij u beter kan helpen dan ik.'

'En zijn naam is...?'

'Tja, zijn achternaam wil me nu even niet te binnen schieten. Hij laat zich door iedereen bij de voornaam noemen. Charles.'

'Charles?'

'Of misschien Charlie. Ja, Charlie, dat is het.'

De naam van Ronnies vriend. Rebus voelde dat zijn nekharen overeind gingen staan.

'Dat klopt. Charlie,' herhaalde Poole nog een keer met een hoofdknikje. 'Een beetje een excentriek type. U vindt hem waarschijnlijk in een van de gebouwen van de studentenvereniging. Ik geloof dat hij verslaafd is aan videospelletjes...'

Nee, niet aan videospelletjes. Aan flipperen. Op flipperkasten met allerlei toeters en bellen, met alle fijne kneepjes die het spel zo boeiend maken. Charlie hield er waanzinnig veel van. En die liefde was des te intenser omdat het een late liefde was. Hij was tenslotte al negentien, het leven vlood langs hem heen, en hij was bereid zich vast te klampen aan elk stuk wrakhout dat langskwam. Flipperen had in zijn puberteitsjaren geen rol gespeeld. Toen waren alleen boeken en muziek belangrijk geweest. En trouwens, op kostschool waren geen flipperkasten geweest.

Nu hij vrij was en aan de universiteit studeerde, wilde hij leven. En flipperen. En al die andere dingen doen die hij zo had gemist op de middelbare school. Diepgravende scripties schrijven en over zichzelf nadenken. Charlie wilde harder lopen dan wie ook. Eén leven was hem niet genoeg, hij wilde twee, drie of vier levens leiden. Toen de zilveren bal op de linkerflipper terechtkwam, schoot hij hem met alle kracht weer omhoog. Even was het stil toen de bal in een van de bonusgaten bleef rusten en de score met nog eens duizend punten omhoogging. Hij pakte zijn bier, nam een teug en zette toen zijn vingers weer aan de knoppen. Nog tien minuten, dan zou hij weer de topscorer van de dag zijn.

'Charlie?'

Hij draaide zich om toen hij zijn naam hoorde. Een lelijke vergissing. Naïef ook. Hij draaide zich weer naar zijn spel, maar het was al te laat. Er kwam een man op hem af. Een ernstige man. Een man die niet glimlachte.

'Kunnen we even een woordje wisselen, Charlie?'

'Okay. Wat dacht u van "koolhydraat"? Dat is altijd een lievelingswoordje van me geweest.'

De glimlach op het gezicht van John Rebus duurde nog geen seconde.

'Heel leuk,' zei hij. 'Ja, dat is wat we noemen een slim antwoord.'

'We?'

'Recherche. Ik ben inspecteur Rebus.'

'Aangenaam kennis te maken.'

'Dat is wederzijds, Charlie.'

'Nee, u vergist zich. Ik ben Charlie niet. Maar ik ken hem wel, hij komt hier weleens. Ik zal tegen hem zeggen dat u naar hem hebt gevraagd.'

Charlie stond net op het punt om de topscore te halen toen Rebus hem bij zijn schouder pakte en hem omdraaide. Er waren geen andere studenten in de spelletjesruimte, dus hij bleef hem in zijn schouder knijpen terwijl hij tegen hem sprak.

'Jij bent ongeveer net zo grappig als een sandwich vol maden, Charlie, en patience is niet bepaald mijn favoriete kaartspel. Je moet me dus maar vergeven als ik wat geïrriteerd of kortaangebonden ben, of zo.'

'Handen thuis.' Er verscheen een andere uitdrukking op het gezicht van Charlie, en het was geen angst.

'Ronnie,' zei Rebus. Hij sprak nu op kalme toon en liet de schouder van de jongeman los.

Alle kleur verdween uit Charlies gezicht. 'Wat is er met hem?' 'Hij is dood.'

'Ja.' Charlie klonk rustig, hij staarde voor zich uit. 'Dat heb ik gehoord.'

Rebus knikte. 'Tracy heeft geprobeerd je te vinden.'

'Tracy.' Hij spuwde de naam uit. 'Ze heeft geen idee, geen flauw idee. Hebt u haar gesproken?' Rebus knikte. 'Dat wijf is een geboren verliezer. Ze heeft nooit iets begrepen van Ronnie. Ze heeft er zelfs nooit moeite voor gedaan.'

Rebus luisterde goed naar Charlie en kwam op die manier het een en ander over hem te weten. Hij had het accent van iemand die op een Schotse privéschool had gezeten, wat de eerste verrassing was. Rebus wist niet wat hij had moeten verwachten, maar dit was wel het laatste. Charlie was bovendien fysiek goed ontwikkeld. Product van de rugbyspelende klasse. Hij had donkerblond krullend haar, niet te lang, en hij was gekleed in de traditionele studentikoze zomerdracht: sportschoenen, een spijkerbroek en een T-shirt. Het T-shirt was zwart en vertoonde scheuren bij de mouwen.

'Ja,' zei Charlie. 'Ronnie is ertussenuit geknepen, hè? Een goede leeftijd om te sterven. Snel leven, jong sterven.'

'Wil jij jong sterven, Charlie?'

'Ik?' Charlie lachte. Het was een hoog gepiep, als van een klein dier. 'Ik wil wel honderd worden. Ik wil nooit sterven.' Hij keek Rebus aan met een soort twinkeling in zijn ogen. 'U wel?'

Rebus dacht over de vraag na, maar wilde geen antwoord geven. Hij was hier voor zijn werk, niet om de doodsdrift te bespreken. De geleerde dr. Poole had daar al het nodige over gezegd.

'Ik wil van jou horen wat je van Ronnie weet.'

'Betekent dat dat u me meeneemt voor een verhoor?'

'Als je dat wilt. Maar we kunnen het ook hier doen, als je dat liever hebt.'

'Nee, nee, ik wíl juist mee naar het bureau. Kom, neemt u me maar mee.' Charlie was ineens zo enthousiast dat hij veel jonger leek dan hij in werkelijkheid was. Wie wilde er in godsnaam vrijwillig mee naar het bureau voor een verhoor?

Onderweg naar de parkeerplaats waar Rebus' auto stond, wilde Charlie per se een paar passen voor Rebus uit lopen, en dat deed hij met de handen op zijn rug en met gebogen hoofd. Het viel Rebus op dat Charlie deed alsof hij handboeien aan had. Hij deed het nog goed ook, en wist de aandacht van anderen te trekken. Er was zelfs iemand die 'schoft' riep naar Rebus. Maar dat woord had door de jaren heen alle betekenis verloren. Het zou hem meer hebben gestoord als ze hem een prettige dag hadden gewenst.

'Kan ik er een paar kopen?' vroeg Charlie terwijl hij de foto's bekeek van zijn kunstwerk, de vijfpuntige ster.

De verhoorkamer zag er troosteloos uit. Een verhoorkamer hoorde er ook troosteloos uit te zien. Maar Charlie had zich erin genesteld alsof hij van plan was er nooit meer weg te gaan.

'Nee,' zei Rebus terwijl hij een sigaret opstak. Hij bood er Charlie geen aan. 'Waarom heb je dat geschilderd?'

'Omdat het zo mooi is.' Hij bleef naar de foto's kijken. 'Vindt u niet? Zo rijk aan betekenissen.'

'Hoe lang kende je Ronnie al?'

Charlie haalde zijn schouders op. Pas toen wierp hij een blik op de cassetterecorder. Rebus had hem gevraagd of hij er bezwaar tegen had dat hun gesprek werd opgenomen, en toen had hij zijn schouders opgehaald. Hij keek nu enigszins nadenkend. 'Een jaar misschien,' zei hij. 'Ja, een jaar. Ik heb hem ontmoet toen ik mijn eerstejaarstentamens moest doen. Dat was in de tijd dat ik belangstelling begon te krijgen voor het echte Edinburgh.'

'Het echte Edinburgh?'

'Ja, niet alleen de fluitspeler op de stadsmuur, de Royal Mile of het monument voor Sir Walter Scott.' Rebus moest denken aan Ronnies foto's van Edinburgh Castle.

'Ik zag bij Ronnie op de kamer een paar foto's hangen.' Charlie trok een vies gezicht.

'O god, die. Hij had het idee dat hij beroepsfotograaf zou worden. Stomme kiekjes nemen en er ansichtkaarten van maken. Maar het heeft niet lang geduurd. Zoals de meeste van Ronnies plannen.'

'Hij had wel een mooie camera.'

'Wat? O ja, zijn camera. Ja, daar was hij heel blij mee, dat was zijn trots.' Charlie sloeg zijn benen over elkaar. Rebus bleef de jongeman in de ogen kijken, maar Charlie was druk doende de foto's van de vijfpuntige ster te bekijken.

'Waar doelde je eigenlijk op toen je het had over het "echte" Edinburgh?'

'Deacon Brodie,' zei Charlie, die meteen weer belangstelling toonde. 'Burke en Hare, rechtvaardige zondaars, allemaal. Maar ter wille van het toerisme wordt daar niet meer over gesproken, weet u. Maar ik dacht, wacht even, dat soort uitschot heb je nog steeds hier in de Laaglanden. Toen ben ik naar die oude volkswijken gegaan. Wester Hailes, Oxgangs, Craigmillar, Pilmuir. En ja hoor, het bestaat allemaal nog steeds. Het verleden herhaalt zichzelf in het heden.'

'Toen ben je dus in Pilmuir gaan rondhangen?'

'Ja.'

'Met andere woorden, je bent zelf een toerist geworden?' Rebus had wel eerder met types als Charlie te maken gehad. Alleen waren ze meestal wat ouder geweest. Rijke zakenlieden die voor de kick het uitschot opzochten om er in smerige kamertjes armzalige pleziertjes mee te beleven. Hij hield niet van dat soort lieden.

'Nee, niet als toerist!' Charlie maakte zich kwaad, een forel die hapte naar de worm aan de haak. 'Ik ben ernaartoe gegaan omdat ik daar graag wilde zijn en omdat zij mij daar graag zagen.' Hij begon verongelijkt te klinken. 'Ik hoor daar thuis.'

'Nee, jij hoort daar niet thuis, jongen. Jij hoort in een groot huis te wonen, bij ouders die graag willen dat je het goed doet op de universiteit.'

'Onzin.' Charlie schoof zijn stoel naar achteren, liep naar de muur en leunde er met zijn voorhoofd tegenaan. Rebus dacht even dat hij op het punt stond zijn hoofd tegen de muur te rammen om dan te kunnen zeggen dat de politie hem had mishandeld. Maar kennelijk wilde hij alleen iets koels aan zijn voorhoofd voelen.

Het was benauwd in de verhoorkamer. Rebus had zijn jasje uitgetrokken en rolde vervolgens ook zijn hemdsmouwen op, waarna hij zijn sigaret uitmaakte.

'Okay, Charlie.' De jongeman was nu boterzacht en plooibaar

geworden. Tijd om een paar vragen te stellen. 'Jij bent bij Ronnie in huis geweest op de avond dat hij die overdosis nam, nietwaar?'

'Dat klopt. Eventjes.'

'Wie waren er toen nog meer?'

'Tracy was er. Zij was er nog toen ik wegging.'

'Verder nog iemand?'

'Eerder op de avond is er nog een of andere vent langs geweest. Hij bleef niet lang. Ik had hem wel een paar keer eerder bij Ronnie gezien. Ze zeiden nooit veel als ze bij elkaar waren.'

'Was deze man zijn dealer, denk je?'

'Nee. Ronnie kon altijd wel aan dope komen. Tenminste, tot voor kort. De laatste paar weken had hij het wat dat betreft moeilijk. Maar ze konden het goed met elkaar vinden, leek het. Heel goed zelfs, als u begrijpt wat ik bedoel.'

'Ga door.'

'Zo goed dat het leek alsof ze wat met elkaar hadden. Dat ze het met elkaar deden.'

'Maar Tracy...'

'Dat bewijst toch niks? U weet hoe de meeste flikkers aan hun geld komen.'

'Hoe dan? Door diefstal?'

'Ja, diefstal, beroving, van alles. En een beetje scharrelen op Calton Hill.'

Calton Hill was een hoge heuvel aan de oostkant van Princes Street. Ja, Rebus wist wat er gebeurde op Calton Hill, hij wist waarom er een groot deel van de avond auto's beneden aan Regent Street geparkeerd stonden. Hij wist wat er op de begraafplaats daar gebeurde...

'Je bedoelt dat Ronnie een schandknaap was?' Het klonk belachelijk als je het hardop zei. Het was een term die thuishoorde in de roddelpers.

'Ik bedoel dat hij daar altijd rondhing met een hoop andere jongens, en ik bedoel dat hij aan het einde van de avond altijd geld had.' Charlie maakte een slikbeweging. 'Geld en soms ook een paar blauwe plekken.'

'Jezus.' Rebus nam de informatie op in het inmiddels al behoorlijk weerzinwekkende dossier dat hij in gedachten aan het vormen was. Hoe diep kon je zinken voor een shot? Tot op de bodem, kennelijk. En liefst nog iets lager. Hij stak weer een sigaret op.

'Weet je dat zeker?' vroeg hij.

'Voor de volle honderd procent.'

'En zijn achternaam was...'

'McGrath, geloof ik.'

'En die vent waar hij zo goed mee op kon schieten? Weet je ook hoe die heette?'

'Hij zei dat hij Neil heette. Ronnie noemde hem Neilly.'

'Neilly? Had je de indruk dat ze elkaar al langer kenden?'

'Ja, al een tijd. Zo'n koosnaam is toch een teken dat je wat met elkaar hebt?' Rebus keek Charlie met enige bewondering aan. 'Ja, ik studeer niet voor niets psychologie, inspecteur.'

'Goed.' Rebus keek even of de band in het opnameapparaat nog niet aan het einde was. 'Vertel me eens hoe deze Neil eruitziet, als je wilt?'

'Lang, mager, kortgeknipt donkerblond haar. Een beetje een vlekkerig gezicht, maar altijd schoongewassen. Meestal had hij een spijkerpak aan. Had altijd een grote, zwarte tas bij zich.'

'Enig idee wat erin zat?'

'Volgens mij alleen kleren.'

'Okay.'

'Verder nog iets?'

'Laten we het eens hebben over de vijfpuntige ster. Nadat deze foto's waren genomen, is er iemand in het huis geweest die er nog iets aan toegevoegd heeft.'

Charlie zei niets, maar toonde geen verbazing.

'Dat was jij, hè?'

Charlie knikte.

'Hoe ben je binnengekomen?'

'Door een raam op de begane grond. Die planken sluiten niet echt af. Het is net een extra ingang. Er kwamen veel mensen op die manier binnen.'

'Waarom ben je teruggegaan?'

'Hij was nog niet af, toch? Ik wilde die astrologische tekens er nog bij zetten.'

'En die boodschap.'

Charlie glimlachte. 'Ja, die boodschap.'

'*Hallo Ronnie*,' citeerde Rebus. 'Wat moest dat betekenen?'

'Precies wat er staat. Zijn geest is nog in het huis, zijn ziel is er nog. Ik wilde hem gewoon groeten. Ik had nog wat verf over. Ik dacht trouwens ook dat ik er misschien iemand mee aan het schrikken kon maken.'

Rebus herinnerde zich hoe geschokt hij was geweest toen hij de tekst zag. Hij voelde dat hij een beetje bloosde en stelde een vraag om dat te verdonkeremanen.

'Je weet dat er ook kaarsen stonden?'

Charlie knikte, maar begon onrustig te worden. De politie helpen bij een onderzoek was niet zo lollig als hij had gehoopt.

'Hoe zit het met je project?' vroeg Rebus, die besloten had van tactiek te veranderen.

'Wat is daarmee?'

'Dat gaat over het geloof in de duivel, is het niet?'

'Zou kunnen. Ik weet het nog niet zeker.'

'Over welke aspecten van het geloof in de duivel?'

'Weet ik niet. Misschien over het volksgeloof. Hoe oude angsten weer actueel kunnen worden, zoiets.'

'Weet je iets van heksensabbats die in Edinburgh worden gehouden?'

'Ik ken mensen die beweren dat ze daar weleens aan meedoen.'

'Maar je bent er zelf nooit bij geweest?'

'Nee, helaas niet.' Charlie leek ineens een stuk levendiger te worden. 'Luister eens, wat heeft dit allemaal te betekenen? Ronnie heeft een overdosis genomen en is de pijp uit. Hij is verleden tijd. Waarom al die vragen?'

'Wat kun je me vertellen over die kaarsen?'

Charlie ontplofte bijna. 'Wat ís er dan met die kaarsen?'

Rebus was de rust zelve en blies een rookwolk uit voordat hij reageerde. 'Er stonden kaarsen in de huiskamer.' Het leek alsof Charlie nog niet wist wat hij wilde gaan vertellen. Gedurende het hele gesprek had hij zich in steeds kleiner wordende cirkels om dit moment heen bewogen.

'Dat klopt, ja. Grote kaarsen. Ronnie had ze uit een speciale kaarsenwinkel. Hij hield van kaarsen. Ze gaven een speciale sfeer in huis.'

'Tracy heeft Ronnie boven op zijn kamer gevonden. Volgens haar was hij toen al dood.' Rebus was nog zachter gaan praten, en zijn stem was even vlak als het bureaublad vóór hem. 'Maar toen ze de politie had gebeld en wij bij het huis kwamen, was Ronnies lichaam naar beneden verplaatst. Het lag daar tussen twee kaarsen, die tot op de grond toe opgebrand waren.'

'Er was al niet veel van die kaarsen over toen ik wegging.'

'En wanneer ben jij weggegaan?'

'Even voor twaalven. Ik had gehoord dat er ergens anders in de wijk een feest was en hoopte dat ik daar naar binnen zou mogen.'

'Hoe lang zouden die kaarsen gebrand hebben?'

'Een uur, twee uur. God mag het weten.'

'Hoeveel horse had Ronnie in huis?'

'Jezus, weet ik dat?'

'Nou, hoeveel gebruikte hij normaal per keer?'

'Ik weet het echt niet. Ik ben zelf geen gebruiker. Ik heb een hekel aan al dat spul. In de zesde klas had ik twee vrienden die gebruikten en die nu allebei in een privékliniek zitten.'

'O, leuk voor ze.'

'Zoals ik al zei, Ronnie had al een paar dagen niet aan dope kunnen komen. Hij was een beetje aan het einde van zijn Latijn en stond op het punt van instorten. Maar toen hij thuiskwam, bleek hij toch gescoord te hebben. Einde verhaal.'

'Is er dan schaarste op het moment?'

'Voorzover ik weet is er genoeg te krijgen, maar vraag me niet bij wie.'

'Maar als er genoeg is, waarom had Ronnie dan zo'n moeite om eraan te komen?'

'God mag het weten. Hij wist het niet. Het was alsof hij een melaatse was. En toen was het ineens over en kon hij dat pakje scoren.'

Nu was het moment daar. Rebus plukte een onzichtbaar pluisje van zijn overhemd.

'Hij is vermoord,' zei hij. 'Tenminste, zo goed als zeker.'

Charlies mond viel open. Het bloed trok weg uit zijn gezicht alsof er ergens een kraantje was opengezet. 'Wat?'

'Hij is vermoord. Zijn lichaam zat vol rattengif. Hij had het zichzelf toegediend, maar het spul was afkomstig van iemand die waarschijnlijk wist dat het dodelijk was. En toen hij dood was, is zijn lichaam in de huiskamer zorgvuldig in een soort rituele positie geplaatst. Vlak bij die vijfpuntige ster van jou.'

'Zeg, wacht eens even...'

'Hoeveel groepen houden in Edinburgh heksensabbats, Charlie?'

'Wat? Zes, zeven, ik weet het niet. Maar...'

'Ken jij ze? Ken je er iemand van? Persoonlijk, bedoel ik?'

'Jezus. Wilt u dit míj in mijn schoenen schuiven?'

'Waarom niet?' Rebus drukte zijn sigaret uit.

'Omdat dat krankzinnig is.'

'Volgens mij klopt het allemaal, Charlie.' Leg hem het vuur na aan de schenen, dacht Rebus. Hij is bijna op zijn breekpunt. 'Tenzij je me van het tegendeel kunt overtuigen.'

Charlie liep recht op de deur af, maar bleef toen staan.

'Ga je gang maar,' zei Rebus. 'Hij is niet op slot. Je kunt zo weg als je wilt. Maar dan weet ik in elk geval zéker dat je er iets mee te maken hebt gehad.'

Charlie draaide zich om. Zijn ogen leken vochtig in het vage licht. Een lichtstraal die door de tralies voor het matglazen raam naar binnen scheen, deed stofdeeltjes oplichten, waardoor ze iets weg hadden van dansers die in slow motion om elkaar heen draaiden. Toen hij terugging naar het bureau, liep Charlie er dwars doorheen.

'Ik had er niks mee te maken, eerlijk waar.'

'Ga zitten,' zei Rebus, die nu iets had van een vriendelijke oom. 'Laten we nog even verder praten.'

Maar Charlie hield niet van vriendelijke ooms. Helemaal niet. Hij legde zijn handen op het bureau en boog zich voorover, zodat hij hoog boven Rebus uittorende. Hij had iets hards over zich. Toen hij sprak, blikkerden zijn tanden van boosaardigheid.

'Loop naar de hel, Rebus. Ik zie waar je heen wilt, maar ik heb geen zin om het spelletje mee te spelen. Arresteer me desnoods, maar beledig me niet met die goedkope trucs. Die had ik in mijn eerste jaar al door.'

Toen kwam hij in beweging. Deze keer opende hij de deur wel, en liet hem openstaan toen hij de gang in liep. Rebus stond op van het bureau, zette de bandrecorder uit, haalde de band eruit en stopte die in zijn zak terwijl hij achter Charlie aan liep. Toen hij in de hal kwam, was Charlie al weg. Hij liep naar de balie. De brigadier van de wacht keek op van zijn administratie.

'Hij is net weg,' zei hij.

Rebus knikte. 'Geeft niet.'

'Hij keek niet bepaald vrolijk.'

'Zou ik mijn werk goed doen als ze allemaal dijen kletsend de deur uit gingen?'

De brigadier glimlachte. 'Nee, waarschijnlijk niet. Maar wat kan ik voor je doen?'

'Het gaat om die drugsdode in Pilmuir. Ik heb inmiddels een naam voor het lijk. Ronnie McGrath. Oorspronkelijk afkomstig uit Stirling. Laten we eens nagaan wie zijn ouders zijn.'

De brigadier noteerde de naam op een blocnote. 'Ze zullen het ongetwijfeld fantastisch vinden om te horen hoe hun zoon het maakt in de grote stad.'

'Ja,' zei Rebus terwijl hij naar de voordeur van het politiebureau keek. 'Vast en zeker.'

John Rebus beschouwde zijn flat als zijn kasteel. Als hij eenmaal binnen was, trok hij de ophaalbrug op en zette hij alles uit zijn hoofd. Dan maakte hij zijn geest leeg voor zolang als hij kon. Dan schonk hij zich een borrel in, zette een bandje op met de een of andere tenorsaxofoon en pakte een boek. Weken geleden had hij in een bui van overdreven werklust een aantal planken aan de muur van de huiskamer bevestigd met de bedoeling daarop zijn door het huis verspreid liggende boeken netjes bij elkaar te zetten, maar om de een of andere reden bleven ze in de weg liggen, zodat hij ertussendoor moest laveren om via de gang naar de slaapkamer te komen.

Hij liep langs de boeken naar de erker, waar hij de bestofte jaloezieën liet zakken. Hij trok ze niet dicht, zodat de aardbeikleurige stralen van de ondergaande zon de kamer binnenstroomden en hem herinnerden aan de situatie in de verhoorkamer...

Nee, nee, nee, dat was niet de bedoeling. Hij voelde hoe zijn werk weer beslag op hem wilde leggen. Hij moest zijn geest leegmaken, een boek pakken dat hem in een eigen wereld zou opslurpen, ver weg van alles wat hem aan Edinburgh kon herinneren. Hij liep naar de keuken, passeerde Tsjechov, Heller, Rimbaud, Kerouac en consorten, en koos een fles wijn uit.

Onder het aanrecht, op de plek waar ooit de wasmachine had gestaan, stonden twee kartonnen dozen. Rhona had de wasmachine meegenomen, maar daar zat hij niet mee. De aldus ontstane ruimte noemde hij zijn wijnkelder, en af en toe liet hij door een goede slijter om de hoek een doos met verschillende wijnen bezorgen. Hij stak zijn hand in een van de dozen en haalde er een fles uit met het opschrift Château Potensac. Ja, die had hij weleens eerder gehad. Die kon ermee door.

Hij schonk een derde van de fles uit in een groot glas, liep ermee naar de huiskamer en raapte onderweg een boek van de vloer. Hij zat al in zijn luie stoel toen hij naar het omslag keek. *The Naked Lunch*. Nee, geen goede keuze. Hij gooide het boek weer op de grond en tastte naar een ander exemplaar. *Dr. Jekyll en Mr. Hyde*. Kon ermee door, hij was al tijden van plan het eens te herlezen, en het was aangenaam kort. Hij nam een slok wijn, liet die in zijn mond rondgaan voordat hij hem doorslikte en sloeg het boek open.

Als in een toneelstuk werd er op dat moment op de voordeur geklopt. Het geluid dat Rebus maakte hield het midden tussen een zucht en een schreeuw. Hij legde het boek opengeslagen over de armleuning van zijn stoel en kwam overeind. Het zou mevrouw Cochrane van beneden wel zijn om hem er opmerkzaam op te maken dat het zijn beurt was om de trap schoon te maken. Ze zou het bordje met de in grote, dwingende letters gestelde tekst HET IS UW BEURT OM DE TRAP SCHOON TE MAKEN wel bij zich hebben. Waarom hing ze het niet gewoon aan zijn deur, zoals alle anderen kennelijk deden?

Toen hij de deur opende, probeerde hij een glimlach op zijn gezicht te toveren die zou getuigen van goed nabuurschap, maar de acteur in hem liet die avond verstek gaan, zodat er een uitdrukking om zijn lippen lag die een soort pijn uitstraalde toen hij de bezoeker op de deurmat aankeek.

Het was Tracy.

Ze had een rood hoofd en er blonken tranen in haar ogen, maar de rode kleur was niet het gevolg van een huilbui. Ze zag er uitgeput uit, en haar haren waren kletsnat van het zweet.

'Mag ik binnenkomen?' De vraag kostte haar duidelijk moeite. Rebus kon het niet opbrengen om nee te zeggen. Hij deed de deur helemaal open, waarna ze struikelend langs hem heen schoot en meteen doorliep naar de woonkamer, alsof ze kind aan huis was.

Rebus keek even of er in het trappenhuis geen nieuwsgierige buren te zien waren en deed toen de deur dicht. Hij voelde een tinteling, maar het was geen prettig gevoel. Hij hield er niet van als mensen hem thuis opzochten.

Vooral niet als het mensen waren die met zijn werk te maken hadden.

Toen hij de huiskamer inkwam, had Tracy zijn glas wijn achterovergeslagen. Nu haar dorst gestild was, slaakte ze een zucht van verlichting. Rebus begon zich steeds ongemakkelijker te voelen, zelfs op het ondraaglijke af.

'Hoe ben je in 's hemelsnaam achter dit adres gekomen?' vroeg hij vanuit de deuropening, alsof hij erop wachtte dat ze zou vertrekken.

'Het viel niet mee,' zei ze. Ze klonk iets kalmer. 'U zei dat u in Marchmont woonde, dus heb ik een tijdje rondgelopen en gekeken of ik uw auto zag. En toen zag ik uw naam beneden bij de bel.'

Hij bedacht dat ze een goede rechercheur zou zijn. Dat draaide tenslotte toch voornamelijk om dit soort voetenwerk.

'Ik werd gevolgd,' vervolgde ze. 'Ik was bang.'

'Gevolgd?' Hij liep de kamer in. Zijn nieuwsgierigheid was gewekt, en het gevoel door haar overvallen te zijn ebde weg.

'Ja, door twee mannen. Ik denk tenminste dat het er twee waren. Ze hebben me al de hele middag gevolgd. Ik liep op Princes Street, gewoon te wandelen, en toen merkte ik het. Ze liepen voortdurend een eindje achter me. Ze moeten gemerkt hebben dat ik hen in de gaten had.'

'En toen?'

'Ik ben ze kwijtgeraakt. Ik ben Marks en Spencer binnengegaan en ben toen als een idioot doorgerend naar de uitgang aan Rose Street, waarna ik in een café de dames-wc in ben gedoken. Ik heb er een uur gezeten, en dat bleek genoeg te zijn. Toen ben ik deze kant op gekomen.'

'Waarom heb je me niet even gebeld?'

'Ik had geen geld. Daarom was ik ook op Princes Street.'

Ze had zich in zijn stoel genesteld en liet haar armen aan de zijkant naar beneden bungelen. Hij knikte in de richting van het lege glas.

'Wil je er nog een?'

'Nee, bedankt. Ik ben eigenlijk niet zo dol op dat spul; ik had alleen een enorme dorst. Maar een kopje thee zou er wel ingaan.'

'Thee, okay.' Dat spul, had ze gezegd! Hij draaide zich om en liep door naar de keuken, afwisselend nadenkend over het zetten van thee en haar verhaal. In een van zijn schaars bevoorrade keukenkastjes vond hij een ongeopend pak theezakjes. Er was geen verse melk in huis, maar uit een oud blikje waren nog wel twee theelepeltjes van een of ander wit poeder te halen. Nu nog suiker... Ineens hoorde hij muziek uit de huiskamer komen, *The White Album*, op volle sterkte. Goeie god, hij was helemaal vergeten dat hij dat oude bandje nog had. Op zoek naar een theelepeltje trok hij de bestekla open, en vond daar ook een aantal suikerzakjes die hij ergens in het verleden uit de kantine had gepikt. Het leven kon toch mooi zijn. Het water raakte aan de kook.

'Wat een enorme flat is dit!'

Hij was zo weinig gewend stemmen in huis te horen dat ze hem aan het schrikken maakte. Hij draaide zich om en zag dat ze tegen de deurpost geleund stond. Ze hield haar hoofd een beetje schuin.

'Ja, vind je?' vroeg hij terwijl hij een beker afwaste.

'Jezus, nou! Kijk eens hoe hoog die plafonds zijn! In het kraakpand van Ronnie kon ik het plafond bijna aanraken.' Ze ging op haar tenen staan, stak haar arm omhoog en zwaaide met haar hand heen en weer. Rebus was bang dat ze iets had ingenomen – een pilletje of een poeder – terwijl hij op zoek was geweest naar een theezakje. Ze leek zijn gedachten te raden en glimlachte.

'Ik voel me alleen opgelucht,' zei ze. 'En ik ben een beetje licht in mijn hoofd door het rennen. En door de angst waarschijnlijk. Maar nu voel ik me veilig.'

'Hoe zagen die mannen eruit?'

'Weet ik niet. Een beetje zoals u, zou ik zeggen.' Ze glimlachte weer. 'De een had een snor. Hij was een beetje dik en kalend, maar niet erg oud. De ander kan ik me niet herinneren. Hij zal er wel niet erg bijzonder hebben uitgezien.'

Rebus schonk water in de beker en deed het theezakje erin. 'Melk?'

'Nee, alleen suiker, als u hebt.'

Hij hield een van de suikerzakjes omhoog.

'Geweldig.'

Toen hij weer in de huiskamer was, draaide hij het geluid zachter.

'Sorry,' zei ze. Ze was weer in de stoel gaan zitten, had haar benen opgetrokken en nipte van haar thee.

'Ik ben nog steeds van plan eens bij mijn buren na te vragen of ze de geluidsinstallatie kunnen horen,' zei Rebus, alsof hij zijn verontschuldigingen aanbood voor wat hij had gedaan. 'De muren zijn redelijk dik, maar het plafond niet.'

Ze knikte en blies over de thee, waardoor een stoomwolkje haar gezicht versluierde.

'Zo,' zei Rebus terwijl hij zijn opvouwbare regisseursstoeltje vanonder de tafel te voorschijn haalde en ging zitten. 'Wat kunnen we ondernemen wat die twee mannen betreft die je hebben gevolgd?'

'Ik weet het niet. U bent politieman.'

'Het klinkt mij een beetje te veel als een scène uit een film. Ik bedoel, waarom zou iemand jou willen volgen?'

'Om me bang te maken?' opperde ze.

'En waarom zou iemand je bang willen maken?'

Ze dacht even na over de vraag en haalde toen haar schouders op.

'Tussen haakjes, ik heb Charlie vandaag gesproken,' zei hij.

'O ja?'

'Vind je hem aardig?'

'Charlie?' Ze lachte schril. 'Hij is afschuwelijk. Een plakker, zelfs als het duidelijk is dat niemand iets van hem moet hebben. Iedereen heeft de pest aan hem.'

'Iedereen?'

'Ja.'

'Had Ronnie de pest aan hem?'

Ze zweeg. 'Nee,' zei ze ten slotte. 'Maar Ronnie was wat dat betreft ook niet zo bij de tijd.'

'En hoe zit het met die andere vriend van Ronnie? Neil, of Neilly. Wat kun je me over hem vertellen?'

'Is dat die vent die er gisteravond was?'

'Ja.'

Ze haalde haar schouders op. 'Ik had hem nooit eerder gezien.' Ze leek ineens geïnteresseerd in het boek dat op de armleuning lag, pakte het op, bladerde erin en deed alsof ze las.

'Heeft Ronnie tegenover jou nooit de naam Neil of Neilly laten vallen?'

'Nee.' Ze hield het boek omhoog in Rebus' richting. 'Maar hij had het weleens over iemand die Edward heette. Het scheen dat hij boos op hem was over het een of ander. Als hij alleen op zijn kamer zat en een shot had genomen, schreeuwde hij zijn naam.'

Rebus knikte langzaam. 'Edward. Is hij misschien zijn dealer geweest?'

'Ik weet het niet. Kan zijn. Ronnie kon soms heel vreemd doen als hij had gebruikt. Dan werd hij een ander mens. Maar andere keren was hij zo lief, zo teder...' Haar stem stierf weg, haar ogen glinsterden.

Rebus keek op zijn horloge. 'Okay. Wat vind je ervan als ik je nu terugbreng naar het kraakpand? Dan kunnen we kijken of er iemand is die de boel in de gaten houdt.'

'Ik weet niet...' Haar gezicht straalde weer angst uit, waardoor de jaren van haar afgenomen leken te worden en ze een kind leek, dat bang was voor schaduwen en spoken.

'Ik ben er bij, hoor,' zei Rebus.

'Ja, eh... mag ik eerst iets anders doen?'

'Wat dan?'

Ze plukte aan haar vochtige kleding. 'Een bad nemen,' zei ze. En toen glimlachte ze. 'Ik weet dat het brutaal klinkt, maar ik snak er echt naar, en in het kraakpand is helemaal geen water.'

Rebus glimlachte ook en knikte langzaam. 'Mijn bad staat tot je beschikking,' zei hij.

Terwijl ze in het bad lag, hing hij haar kleren over de radiator in de gang. Rebus draaide de verwarmingsthermostaat hoog, zodat er in huis een atmosfeer als in een sauna ontstond, en hij probeerde het schuifraam in de huiskamer naar boven te schuiven, zonder succes echter. Hij zette nog wat thee, een pot deze keer, en had die net naar de huiskamer gebracht toen hij haar vanuit de badkamer hoorde roepen. Toen hij de gang in kwam, stond ze daar met grote stoomwolken om zich heen en haar hoofd om de hoek van de deur. Haar haren, gezicht en hals glommen.

'Er zijn geen handdoeken,' verklaarde ze.

'Sorry,' zei Rebus. Hij pakte er een paar uit de kast in zijn slaapkamer, liep ermee naar haar toe en reikte ze haar door de op een kier staande deur aan. Hij wist zichzelf geen houding te geven, merkte hij.

'Bedankt,' riep ze.

Hij verwisselde *The White Album* voor een jazzplaat – die hij heel zacht zette – en zat achter zijn kopje thee toen ze binnenkwam. Ze had een grote rode handdoek kunstig om haar lichaam gedrapeerd, en om haar hoofd zat er ook een. Hij had zich vaak afgevraagd hoe het kwam dat vrouwen zo goed handdoeken droegen... Haar armen en benen waren dun en bleek, maar er was geen twijfel aan dat ze goed gevormd was, en doordat ze net uit het bad kwam, had ze een gloed over zich die haar een soort aura verleende. Hij dacht aan de foto's van haar die hij op Ronnies kamer had gezien, en toen schoot hem weer te binnen dat de camera verdwenen was.

'Was Ronnie nog zo dol op fotograferen? Voordat hij doodging, bedoel ik?' Zijn woordkeuze was opzettelijk weinig subtiel. Hij vertrok zijn gezicht even, maar Tracy leek het niet te merken.

'Ik denk het wel. Hij was best goed, weet u. Hij had er oog voor. Hij heeft alleen de kans niet gekregen.'

'Heeft hij er veel moeite voor gedaan?'

'Verdomd veel.' Er klonk een verwijt in haar stem. Misschien had Rebus te veel beroepsmatige scepsis in zijn woorden door laten klinken.

'Ja, dat wil ik geloven. Het lijkt me niet makkelijk om in dat vak een plaats te veroveren.'

'Dat is het zeker niet. Er waren er wel die wisten dat Ronnie goed was, maar zij wilden geen concurrentie van hem. Ze maakten het hem moeilijk zodra ze daar de kans toe zagen.'

'Andere fotografen, bedoel je?'

'Precies. Weet u, voordat Ronnie teleurgesteld raakte, was hij een tijdlang heel enthousiast. Hij wist alleen niet hoe hij kansen moest scheppen. Daarom is hij naar een paar studio's gegaan om zijn werk te laten zien. Hij had een stel prachtige foto's, vanuit allerlei vreemde hoeken genomen. Van Edinburgh Castle, van het Waverley monument, van Calton Hill.'

'Calton Hill?'

'Ja, van dat ding daar, hoe heet het ook weer?'

'Dat rare gebouwtje?'

'Ja, dat bedoel ik.' De handdoek gleed van haar schouder iets omlaag, en terwijl ze met opgetrokken benen van haar thee zat te nippen, viel ook een heel stuk dij bloot. Rebus probeerde zijn blik op haar gezicht gericht te houden, wat niet meeviel. 'Nou,' zei ze, 'ze hebben een paar ideeën van hem gejat. Hij had een foto zien staan in een blad, en die was precies zo genomen zoals hij het had gedaan: vanuit hetzelfde perspectief, op hetzelfde tijdstip, met dezelfde filters. Die schoften hadden gewoon nagedaan wat hij had bedacht. Hij had hun namen eronder zien staan; de namen van de jongens aan wie hij zijn portfolio had laten zien.'

'Wat waren die namen?'

'Dat weet ik niet meer.' Ze trok de handdoek recht. Ze had iets afwerends, leek het. Was het zo moeilijk om een naam te onthouden? Ze giechelde. 'Hij wilde mij ook laten poseren.'

'Ja, ik heb de resultaten gezien.'

'Nee, niet die. Voor naaktfoto's. Hij zei dat hij ze voor veel geld kon verkopen aan een paar bladen. Maar daar wilde ik niets van weten. Ik bedoel, het geld zou natuurlijk prima zijn geweest, maar die blaadjes gaan natuurlijk van hand tot hand. Ik bedoel, niemand gooit ze ooit weg, dus dan zou ik me voortdurend moeten afvragen of ik op straat niet herkend werd.' Ze wachtte af hoe Rebus hierop zou reageren, en toen dat een verstrooide blik bleek te zijn, lachte ze kirrend. 'Het is kennelijk niet waar wat altijd gezegd wordt. Smerissen kunnen wel degelijk verlegen zijn, merk ik.'

'Soms wel, ja.' Rebus' wangen gloeiden. Hij wist zich met zijn houding niet goed raad en bedekte een van zijn wangen met zijn hand. Dit kon zo niet. 'En,' zei hij, 'was Ronnies camera eigenlijk veel geld waard?'

Ze leek van haar stuk te zijn gebracht door deze wending in het gesprek en trok de handdoek nog wat strakker om zich heen. 'Dat hangt ervan af. Ik bedoel, waarde en prijs zijn niet altijd hetzelfde.'

'O nee?'

'Nou, het zou kunnen dat hij maar tien pond heeft betaald voor die camera, maar dat betekent niet dat hij voor hem ook maar tien pond waard was. Begrijpt u?'

'Dus hij heeft tien pond betaald voor die camera?'

'Nee, nee, nee.' Ze schudde haar hoofd, waardoor de handdoek losraakte. 'Ik dacht dat je slim moest wezen om bij de recherche te kunnen komen. Wat ik bedoel is...' Ze sloeg haar blik naar het plafond, waardoor de handdoek van haar hoofd gleed en haar piekerige lokken over haar voorhoofd vielen. 'Nee, laat maar zitten. De camera heeft ongeveer honderdvijftig pond gekost, okay?'

'Prima.'

'Bent u geïnteresseerd in fotografie?'

'Sinds kort, ja. Wil je nog thee?'

Hij pakte de theepot, schonk haar in en voegde er de inhoud van een zakje suiker bij. Ze hield van veel suiker.

'Bedankt,' zei ze terwijl ze de beker omklemde. 'Luister eens.' Ze baadde haar gezicht in de stoom die uit de beker omhoogrees. 'Mag ik u om een gunst vragen?'

Nou zul je het hebben, dacht Rebus. Geld. Hij had al eerder bedacht dat hij, voordat hij haar straks liet vertrekken, even moest nagaan of hij geen spullen in huis miste. 'Wat dan?'

Ze keek hem nu recht in de ogen. 'Mag ik hier blijven slapen?' Ze had het heel snel gezegd. 'Ik slaap wel op de bank, of op de vloer. Dat maakt me niet uit. Ik wil alleen niet terug naar het kraakpand, vanavond niet. Het is daar de laatste tijd een beetje een krankzinnige boel, en met die twee kerels die me volgden...' Ze huiverde. Rebus moest erkennen dat ze, als dit een toneelstukje was, in de wieg gelegd was om een topactrice te worden. Hij haalde zijn schouders op, wilde wat zeggen, maar besloot nog even geen beslissing te nemen, stond op en liep naar het raam.

De oranje straatlantaarns waren inmiddels aangegaan en wierpen een schijnsel op het trottoir dat gedachten opriep aan filmopnames in Hollywood. Buiten stond een auto, recht tegenover de ingang van de flat. Vanaf de tweede verdieping kon hij niet in de auto kijken, maar het raampje aan de kant van de bestuurder was naar beneden gedraaid en er kringelde rook uit omhoog.

'Nou?' zei de stem achter hem, inmiddels gespeend van iedere hoop.

'Wat?' vroeg Rebus verstrooid.

'Mag het?' Hij draaide zich naar haar toe. 'Mag ik blijven slapen?' herhaalde ze haar vraag.

'Ja hoor,' zei Rebus terwijl hij naar de deur liep. 'Blijf maar zo lang als je wilt.'

Hij was al halverwege de wenteltrap naar beneden toen hij zich realiseerde dat hij geen schoenen aanhad. Hij bleef staan en dacht na. Nee, het kan me geen ruk schelen. Zijn moeder had hem altijd gewaarschuwd voor wintervoeten, maar die had hij nooit gehad. Nu moest hij het er maar eens op laten aankomen en kijken of hij inderdaad zo'n medisch wonder was.

Toen hij een deur op de eerste verdieping passeerde, werd die met veel misbaar geopend en mevrouw Cochrane posteerde haar volumineuze gestalte op de overloop, zodat Rebus er niet langs kon.

'Mevrouw Cochrane,' zei hij toen hij over de eerste schrik heen was.

'Hier.' Ze stak iets in zijn richting, en hij kon weinig anders dan het van haar aanpakken. Het was een kartonnen bordje van ongeveer vijfentwintig bij vijftien centimeter. Rebus las wat erop stond: HET IS UW BEURT OM DE TRAP SCHOON TE MAKEN. Toen hij opkeek, was mevrouw Cochranes deur alweer bijna dicht. Hij hoorde haar op haar pantoffels teruglopen naar haar tv en haar kat. Muffe ouwe trut.

Rebus nam met het bordje mee naar beneden. De kou van de traptreden drong door zijn kousenvoeten in zijn voetzolen. Die kat rook trouwens ook niet al te best, bedacht hij kwaadaardig.

De buitendeur was op de klink. Hij deed hem langzaam en voorzichtig open, zodat het oude sluitingsmechaniek niet al te veel herrie zou maken. De auto stond er nog toen hij naar buiten stapte. Recht tegenover hem. Maar de chauffeur had hem al gezien. De sigarettenpeuk werd op straat gegooid en de motor gestart. Rebus liep op zijn tenen. Plotseling werden de koplampen van de auto aangezet, de stralenbundels priemden in het donker als zoeklichten van een concentratiekamp. Rebus bleef even staan en knipperde met zijn ogen, en onderwijl schoot de auto naar voren, draaide naar links en reed op volle snelheid de heuvel af en de straat uit. Rebus rende erachteraan en probeerde het kenteken te lezen, maar hij zag alleen witte vlekken voor zijn ogen. Het was een Ford Escort geweest, dat wist hij wel.

Toen hij de straat in keek, zag hij dat de auto was gestopt op het kruispunt met de hoofdweg en wachtte op een gaatje om af te slaan. Het was nog geen honderd meter bij hem vandaan. Rebus nam een besluit. Hij was in zijn jonge jaren een redelijk goede sprinter geweest, in elk geval zo goed dat hij in het schoolteam werd opgenomen als ze een man te kort kwamen. Hij rende in een soort dronken euforie de straat door en dacht onderweg aan de fles wijn die hij had opengetrokken. Bij de gedachte alleen al draaide zijn maag zich om en hij minderde vaart. Net op dat moment trapte hij op iets glads op het trottoir en gleed uit. Voor zich zag hij de auto de kruising op draaien en met gierende motor wegrijden. Het gaf niet. Die eerste blik, toen hij de deur opendeed, was genoeg geweest. Hij had het politie-uniform gezien. Het gezicht van de bestuurder niet, maar het uniform wel degelijk. Een politieman, een agent, achter het stuur van een Escort. Op het trottoir kwamen hem twee meisjes tegemoet. Ze giechelden toen ze hem passeerden, en ineens drong het tot Rebus door dat hij zonder schoenen stond te hijgen en in zijn hand nog steeds een bordje hield met de opdracht de trap schoon te maken. Toen hij naar beneden keek, zag hij waar hij op uitgegleden was.

Zachtjes vloekend trok hij zijn sokken uit, gooide ze in de goot en liep op blote voeten in de richting van de flat.

Rechercheur Brian Holmes zat thee te drinken. Hij maakte er een ritueeltje van, hield het kopje vlak voor zijn gezicht, blies erin en nam dan een slokje. Even blazen en dan een slokje. Doorslikken. En dan zijn warme adem uitblazen. Hij had het die avond koud, zo koud als een zwerver die zich op een bankje in het park te rusten had gelegd. Hij had niet eens een krant, en de thee smaakte weerzinwekkend. Hij was afkomstig uit een of andere thermosfles, was gloeiend heet en rook naar plastic. De melk was niet erg vers meer, maar goed, het geheel was in elk geval warm. Alleen niet warm genoeg om zijn tenen te bereiken, als hij tenminste nog tenen had.

'Gebeurt er nog wat?' fluisterde hij tegen de beambte van de dierenbescherming, die een verrekijker voor zijn ogen hield alsof hij daarmee zijn gêne wilde verbergen.

'Niks,' zei de man. Het was een anonieme tip geweest. De derde deze maand, en de eerste die niets leek op te leveren. Hondengevechten waren weer in de mode. In de afgelopen drie maanden waren verscheidene 'arena's' ontdekt, kleine terreintjes afgeschoten met stukken metaal. Meestal was de lokatie op of bij een schroothoop, wat een nieuwe betekenis gaf aan het woord schroothoop.

Vanavond stonden ze echter te posten op een braakliggend stuk land. Niet ver van hen vandaan denderden goederentreinen voorbij in de richting van het stadscentrum, maar afgezien daarvan en van het zachte gonzen van het verkeer in de verte was het stil. Er was inderdaad een geïmproviseerde arena. Ze hadden er overdag een kijkje genomen en net gedaan alsof ze er hun herdershonden uitlieten. In feite waren het politiehonden geweest. Pitbullterriërs, dat was het soort honden dat ze daar lieten vechten. Brian Holmes had er weleens slachtoffers van gezien, beesten met grote ogen van angst en pijn. Hij had de dodelijke injecties van de dierenarts niet afgewacht.

'Wacht even.'

Twee mannen liepen met de handen in de zakken over het ruwe, ongelijkmatige terrein en keken goed uit dat ze niet misstapten. Ze leken precies te weten waar ze moesten zijn en gingen recht op de ondiepe uitholling af waar de arena was. Toen ze er aankwamen, keken ze nog een keer goed om zich heen. Brian Holmes verborg zich niet. Ze konden hem toch niet zien. Net als de beambte van de dierenbescherming stond hij achter hoogopschietende varens. Achter hem bevond zich de enige nog resterende muur van wat ooit een gebouw was geweest. De kuil van de arena was nog enigszins verlicht, maar waar zij stonden was het pikkedonker, waardoor hij, net als bij een doorkijkspiegel, kon zien zonder zelf gezien te worden.

'Hebbes,' zei de man van de dierenbescherming toen de twee mannen in de kuil sprongen.

'Wacht...' zei Holmes, wie het ineens vreemd te moede werd. De twee mannen begonnen elkaar te omhelzen en hun gezichten smolten samen terwijl ze elkaar kusten en zich langzaam op de grond lieten zakken.

'Jezus!' riep de man van de dierenbescherming.

Holmes zuchtte, richtte zijn blik omlaag en keek naar de vochtige, keiharde aarde tussen zijn knieën.

'Volgens mij zijn hier geen pitbulls bij betrokken,' zei hij. 'En mocht dat wel het geval zijn, dan zal de aanklacht eerder bestialiteit luiden dan dierenmishandeling.'

De man van de dierenbescherming was verbijsterd en bleef, met de verrekijker nog voor zijn ogen, als aan de grond genageld staan.

'Je hoort er weleens verhalen over,' zei hij, 'maar nooit... nou ja...
je begrijpt wel wat ik bedoel.'
'Nooit zie je het in het echt?' opperde Holmes terwijl hij traag
en moeizaam overeind kwam.

Hij stond met de brigadier van de wacht te praten toen de boodschap doorkwam. Inspecteur Rebus wilde met hem praten.
'Rebus? Wat wil hij?' Brian Holmes keek op zijn horloge. Het
was kwart over twee 's nachts. Rebus zat thuis, en hij had opdracht
om hem daar te bellen. Hij pakte de hoorn van het toestel van de
brigadier van de wacht.
'Hallo?' Hij kende John Rebus natuurlijk wel en had bij verschillende zaken met hem samengewerkt. Maar hem midden in de
nacht op moeten bellen was wel zeer ongewoon.
'Ben jij dat, Brian?'
'Ja, inspecteur.'
'Heb je een stukje papier bij de hand? Want je moet wat op-
schrijven.' Terwijl hij blocnote en balpen pakte, constateerde Holmes dat hij via de hoorn muziek hoorde. Het was iets wat hij kende. *The White Album* van de Beatles. 'Klaar?'
'Ja, inspecteur.'
'Mooi. Er is gisteren in Pilmuir een dode junk gevonden, of eigenlijk moet ik nu eergisteren zeggen. Een overdosis. Zoek uit wie
de agenten zijn die hem hebben gevonden en zeg tegen hen dat ze
morgenochtend om tien uur bij mij op de kamer komen. Heb je
dat?'
'Ja, inspecteur.'
'Mooi. En als je het adres hebt van het pand waar het lijk gevonden is, moet je de sleutels gaan halen bij degene die ze in zijn
bezit heeft en ernaartoe gaan. Boven in een van de slaapkamers is
een muur bedekt met foto's, waaronder een paar van Edinburgh
Castle. Neem die mee en ga naar de documentatieafdeling van de
krant. Daar hebben ze dossiers vol foto's, en als het meezit zelfs nog
een oude baas met een geheugen als een olifant. Ik wil dat je op
zoek gaat naar foto's die de afgelopen tijd in de krant hebben gestaan en die vanuit hetzelfde perspectief zijn genomen als de foto's
aan de muur in die kamer. Heb je dat?'
'Ja, inspecteur,' zei Holmes terwijl hij als een gek zat te pennen.

'Mooi. Ik wil weten wie die krantenfoto's heeft genomen. Als het goed is, staat er achter op elke foto een naam en een adres.'

'Verder nog iets, inspecteur?' Bedoeld of onbedoeld, het klonk sarcastisch.

'Ja.' Rebus' stem leek een decibel zachter te klinken. 'Aan de muur van die kamer zul je ook een aantal foto's van een meisje zien hangen. Ik wil meer van haar weten. Ze zegt dat haar tweede voornaam Tracy is, en zo laat ze zich ook noemen. Doe hier en daar navraag, laat die foto aan iedereen zien van wie je denkt dat hij je verder kan helpen.'

'Goed, inspecteur. Eén vraag.'

'Ga je gang.'

'Waarom ik? Waarom nu? Waar dient dit allemaal voor?'

'Dat zijn drie vragen. Ik zal ze morgenmiddag als ik je zie zo goed mogelijk proberen te beantwoorden. Zorg dat je om drie uur op mijn kamer bent.'

Na die mededeling werd de verbinding verbroken. Brian Holmes staarde naar de hanenpoten op zijn blocnote. Het waren niet meer dan enkele, door hemzelf in een paar minuten neergekrabbelde trefwoorden, maar ze stonden voor ongeveer een hele week werk. De brigadier van de wacht las over zijn schouder mee.

'Jij liever dan ik,' zei hij uit de grond van zijn hart.

John Rebus had een aantal redenen gehad om Holmes te kiezen, maar de belangrijkste was dat Holmes niet veel van hem wist. Hij wilde iemand hebben die efficiënt en methodisch te werk zou gaan en niet te veel ophef zou maken. Iemand die hem onvoldoende kende om te gaan klagen dat hij geen nadere informatie kreeg en gebruikt werd om het vuile werk op te knappen. Als boodschappenjongen, manusje-van-alles en duvelstoejager. Rebus wist dat Holmes langzamerhand een reputatie van doelmatigheid kreeg en geen zeurkous was. Dat was voor hem voldoende.

Hij liep met de telefoon terug van de gang naar de huiskamer, legde het apparaat in de boekenkast en ging vervolgens naar de stereo-installatie, waarvan hij eerst de bandrecorder uitzette en toen de versterker. Hij ging naar het raam en keek naar buiten. Er was niemand op straat en het lamplicht had de kleur van Leicesterkaas. Het uitzicht herinnerde hem eraan dat hij zichzelf een paar uur geleden nog een hapje had beloofd, en hij besloot naar de keuken te gaan en iets te maken. Tracy zou geen trek hebben. Daar was hij zeker van. Hij keek hoe ze erbij lag op de bank. Haar hoofd hing iets schuin naar beneden, ze had één hand op haar buik, terwijl de andere losjes naar beneden hing en bijna het wollen vloerkleed raakte. Haar ogen waren nietsziende streepjes, haar mond stond een beetje open, waardoor het spleetje tussen haar voortanden te zien was. Ze was diep in slaap. Hij legde een deken over haar heen. Ze werd niet wakker en ademde heel regelmatig. Er knaagde iets aan hem, maar hij kon niet bedenken wat het was. Honger misschien. Hij hoopte dat de vrieskast nog een plezierige verrassing voor hem in petto had. Maar eerst liep hij nog een keer naar het raam en keek naar buiten. Op straat was het doodstil. Zo voelde Rebus zich ook, doodstil maar wel actief. Hij raapte *Dr. Jekyll en Mr. Hyde* op van de vloer en liep ermee naar de keuken.

WOENSDAG

Hoe vreemder het lijkt, des te minder vragen
stel ik.

De agenten Harry Todd en Francis O'Rourke stonden voor de deur van de kamer van Rebus toen hij de volgende ochtend op het bureau kwam. Ze stonden tegen de muur geleund met elkaar te babbelen en leken zich er weinig van aan te trekken dat Rebus twintig minuten te laat was. Hij piekerde er niet over om zich te verontschuldigen. Toen hij boven aan de trap kwam, constateerde hij met voldoening dat ze zich van de muur losmaakten en hun mond hielden.

Het begon goed.

Hij deed de deur open, liep de kamer in en sloot de deur achter zich. Laat ze nog maar even in hun sop gaar koken. Nu hebben ze echt iets om over te praten. Hij had bij de brigadier van de wacht nagevraagd of Brian Holmes op het bureau was, maar dat bleek niet het geval. Hij haalde een velletje papier uit zijn zak en belde naar Holmes' huis. De telefoon ging over, maar er werd niet opgenomen. Holmes was zeker aan het werk.

Het ging nog steeds goed.

Er lag post op zijn bureau. Hij keek het stapeltje even door en haalde er alleen een notitie van commissaris Watson uit. Het was een uitnodiging om met hem te lunchen. Vandaag. Om halfeen. Verdomme. Hij had om drie uur een afspraak met Holmes. Het was een lunch met een paar van de zakenlieden die de poen leverden voor de drugsbestrijdingscampagne. Verdomme. En het was in The Eyrie, wat betekende dat hij een das en een schoon overhemd aan moest. Rebus keek naar het overhemd dat hij aanhad. Dat kon ermee door. Maar de das niet. Verdomme.

Zijn zonnige humeur verdween op slag.

Het zou ook te mooi zijn geweest om te blijven duren. Tracy had hem gewekt met een ontbijt op bed. Sinaasappelsap, toost met honing, sterke koffie. Ze was vroeg de deur uitgegaan, had ze gezegd, en ze had het kleine beetje geld dat ze in de kast in de huiskamer had gevonden gepakt. Ze hoopte dat hij het niet erg zou vinden. Ze had in de buurt een winkel gevonden die al open was, had daar het een en ander gekocht, was weer teruggegaan naar de flat en had ontbijt voor hem gemaakt.

'Het verbaast me dat u niet wakker bent geworden van de geur van verbrande toost,' zei ze.

'Och, je hebt te maken met iemand die zelfs tijdens *Towering Inferno* heeft zitten slapen,' had hij gezegd. Ze had gelachen en zittend op de rand van zijn bed met haar vooruitstekende tanden beschaafde hapjes van haar toost genomen. Rebus had bedachtzaam zijn sneetjes naar binnen gewerkt. Het was een luxe, had hij gedacht. Hoe lang was het geleden dat iemand hem ontbijt op bed had gebracht? Hij moest er niet aan denken hoe...

'Binnen!' bulderde hij ineens, hoewel er niet was geklopt.

Tracy was zonder morren vertrokken. Het was in orde, had ze gezegd. Ze kon tenslotte toch niet voor altijd ondergedoken blijven. Hij had haar weer naar Pilmuir gereden, en toen had hij iets stoms gedaan. Hij had haar tien pond gegeven. Hij had zich meteen gerealiseerd dat hij meer deed dan haar alleen geld geven, hij ging daardoor ook een band met haar aan, een band die hij niet zou moeten aangaan. Hij had de neiging gehad het geld terug te pakken uit haar geopende hand, maar toen was ze snel uitgestapt en weggelopen. Ze had er fragiel uitgezien, maar haar pas was ferm geweest, krachtig. Soms deed ze hem aan zijn dochter Sammy denken, maar soms...

Soms deed ze hem denken aan Gill Templer, zijn vroegere vriendin.

'Binnen!' bulderde hij nog een keer. Deze keer ging de deur enkele centimeters open, en toen nog een centimeter of dertig. Er werd een hoofd om de hoek gestoken dat de kamer in keek.

'We hebben niet geklopt, inspecteur,' zei het hoofd zenuwachtig.

'O nee?' zei Rebus met zijn beste toneelstem. 'Nou, dan heb ik mooi even de tijd voor jullie. Kom maar binnen.'

Ze schuifelden allebei gedwee door de deuropening. Rebus wees naar de twee stoelen aan de andere kant van het bureau. Een van hen ging onmiddellijk zitten, de ander bleef in de houding staan.

'Ik blijf liever staan, inspecteur,' zei hij. De ander was ineens bang dat hij een of andere beleefdheidsvorm niet in acht genomen zou hebben en begon angstig te kijken.

'Zeg, we zitten hier niet in het leger!' zei Rebus tegen de agent die was blijven staan terwijl de ander net overeind kwam. 'Dus ga zitten!'

Ze gingen beiden zitten. Rebus deed alsof hij hoofdpijn had en wreef over zijn voorhoofd. In feite wist hij niet eens meer wie deze agenten waren en waarom ze er waren.

'Juist,' zei hij. 'Waarom denken jullie dat ik je heb gevraagd vanochtend hier te komen?' Afgezaagd maar effectief.

'Heeft het te maken met die heksen, inspecteur?'

'Heksen?' Rebus keek de agent aan die dit had gezegd en herinnerde zich de alerte jongeman die hem op de vijfpuntige ster had gewezen. 'Precies. Heksen. En drugs.'

Ze keken hem met knipperende ogen aan. Hij deed verwoede pogingen een ingang voor het verhoor te vinden, als je het al een verhoor mocht noemen. Hij had er meer over na moeten denken voordat hij naar het bureau was gekomen.

Hij had in elk geval moeten bedenken dat hij deze afspraak had. Hij zag een briefje van tien pond voor zich, een glimlach, hij rook aangebrande toost... Hij keek naar de vijfpuntige ster op de das van de agent.

'Hoe heet je, jongeman?'

'Todd, inspecteur.'

'Todd? Dat is Duits voor dood, wist je dat, Todd?'

'Ja, inspecteur. Ik heb op school Duits gehad, in de onderbouw.'

Rebus knikte en deed alsof hij onder de indruk was. Wat nou, hij wás onder de indruk! Het leek wel alsof ze tegenwoordig allemaal een middelbare schoolopleiding hadden, die piepjonge agentjes. Sommigen waren zelfs doorgegaan naar hoger beroepsonderwijs en universiteit. Hij had het gevoel dat Holmes misschien op de universiteit had gezeten. Hopelijk had hij zich niet verzekerd van de diensten van de een of andere wijsneus...

Rebus wees naar de das.

'Zeg, Todd, is die niet een beetje typisch?'

Todd keek meteen naar beneden, naar zijn das. Hij knikte zijn hoofd zo ver voorover dat Rebus bang was dat hij zijn nek zou breken.

'Hoe bedoelt u, inspecteur?'

'Die das. Draag je die altijd?'

'Ja, inspecteur.'

'Dus je had niet onlangs een kapotte das?'

'Een kapotte das, inspecteur?'

'Een das met een kapot klemmetje,' legde Rebus uit.

'Nee, inspecteur.'

'En hoe heet jij, jongeman?' vroeg Rebus plotseling terwijl hij zich naar de andere agent draaide. Deze leek volkomen verbijsterd door de gang van zaken.

'O'Rourke, inspecteur.'

'Een Ierse naam,' constateerde Rebus.

'Ja, inspecteur.'

'Hoe staat het met jouw das, O'Rourke? Is dat een nieuwe?'

'Niet echt, inspecteur. Ik bedoel, ik heb thuis een stuk of wat van die dingen liggen.'

Rebus knikte. Hij pakte een potlood op, bekeek het en legde het toen weer neer. Hij was zijn tijd aan het verspillen.

'Ik zou graag het proces-verbaal willen zien dat jullie hebben gemaakt van de vondst van de dode.'

'Jawel, inspecteur,' zeiden ze.

'Was er niks bijzonders te merken in het huis? Toen jullie aankwamen, bedoel ik? Niks ongewoons?'

'Alleen dat er een dode was, inspecteur,' zei O'Rourke.

'En wat er op de muur geschilderd was,' zei Todd.

'Heeft een van jullie nog de moeite genomen om boven te gaan kijken?'

'Nee, inspecteur.'

'Waar lag het lijk toen jullie binnenkwamen?'

'In de kamer beneden, inspecteur.'

'En jullie zijn niet naar boven gegaan?'

Todd keek O'Rourke aan. 'Volgens mij hebben we wel geroepen of er iemand boven was. Maar we zijn niet naar boven gegaan.'

Hoe kan die dasklem dan boven zijn gekomen? Rebus blies de lucht uit zijn longen en schraapte toen zijn keel. 'In wat voor auto rijd je, Todd?'

'Dienstwagen, bedoelt u, inspecteur?'

'Nee, die bedoel ik godverdomme niet!' Rebus gooide het potlood neer op het bureau. 'Ik bedoel privé.'

84

Todd leek nu helemaal de kluts kwijt. 'Een Metro, inspecteur.'
'Kleur?'
'Wit.'
Rebus richtte zijn blik naar O'Rourke.
'Ik heb geen auto,' zei O'Rourke. 'Ik hou meer van motorfietsen.
Op het ogenblik heb ik een Honda zeven-vijftig.'
Rebus knikte. Geen Ford Escorts dus. Geen van beiden was midden in de nacht bij hem voor de deur met een rotgang weggereden.
'Nou, dat is dan in orde, hè?' Met een glimlach zei hij dat ze konden gaan. Hij pakte het potlood weer op, bekeek de punt en brak die toen zeer moedwillig af tegen de rand van zijn bureau.

Rebus dacht aan Charlie toen hij zijn auto tot stilstand bracht voor de kleine, ouderwetse herenkledingzaak in een zijstraat van George Street. Hij dacht aan Charlie toen hij de das uitzocht en betaalde. Hij dacht aan Charlie toen hij weer in de auto zat en de das strikte, de motor startte en wegreed. Op weg naar zijn lunchafspraak met enkele van de rijkste zakenlieden uit de stad kon hij alleen aan Charlie denken, kon hij alleen maar bedenken dat voor Charlie waarschijnlijk alle wegen nog openstonden om later precies zo te worden als deze zakenlieden. Als hij afgestudeerd was, zou hij zijn familierelaties gebruiken om een goede baan in de wacht te slepen en zou hij waarschijnlijk binnen een jaar of twee zonder problemen in de directie worden opgenomen. Dan zou hij al zijn belangstelling voor decadentie vergeten en zelf decadent worden, en dat op een manier die alleen is weggelegd voor wie rijk en succesvol is... De echte decadentie, niet die afgeleide onzin van hekserij en geloof in de duivel, van drugs en geweld. Zouden die blauwe plekken van Ronnie werkelijk veroorzaakt zijn door een ruw spelletje? Een uit de hand gelopen sadomasochistisch spelletje? Een spelletje met de geheimzinnige Edward wellicht, de man wiens naam Ronnie had geroepen?
Of tijdens een uit de hand gelopen ritueel?
Had hij te snel geconcludeerd dat het satanische element geen rol speelde? Behoorde hij als politieman niet alle mogelijkheden open te houden? Dat kon zijn, maar voor satanisme was hij absoluut niet toegankelijk. Hij was tenslotte een christen. Hij ging misschien niet vaak naar de kerk, hij had een hekel aan samenzang en gepreek,

maar dat betekende niet dat hij niet geloofde in die kleine, duistere, persoonlijke God van hem. Iedereen sleepte een God met zich mee. En de God van de Schotten was een van de meest onheilspellende.

Midden op de dag leek Edinburgh donkerder dan anders, maar misschien kwam dat door zijn stemming. Edinburgh Castle wierp een schaduw over New Town, maar die schaduw reikte niet tot aan The Eyrie; dat was onmogelijk. The Eyrie was het duurste restaurant van de stad, en ook het meest exclusieve. Er werd gezegd dat het voor lunchafspraken minstens een jaar van tevoren was volgeboekt, terwijl voor een diner een wachttijd van slechts acht tot tien weken gold. Het restaurant lag buiten het drukke stadscentrum en was gevestigd in een achttiende-eeuws hotel midden in New Town, waarvan het de hele bovenste verdieping in beslag nam.

Niet dat het in de buurt eromheen zo stil was; er was zoveel verkeer dat parkeren een probleem was. Maar niet voor een politieman. Rebus zette zijn auto op de dubbele gele streep langs het trottoir pal voor de ingang van het hotel en liet hem daar, de waarschuwingen van de portier negerend dat er veel gecontroleerd werd en dat hij zeker een bekeuring zou krijgen. Hij ging het hotel in, voelde hoe zijn maag ineenkromp toen hij met de lift vier verdiepingen omhoogging en constateerde dat hij honger had. Misschien waren die zakenlieden stomvervelend, en de gedachte dat hij twee uur moest doorbrengen in het gezelschap van Boer Watson was bijna onverdraaglijk, maar hij was wel van plan om goed te eten. Ja, hij zou het zich goed laten smaken.

En met zijn voorliefde voor uitgelezen wijnen zou hij die schooiers bovendien een flinke poot uitdraaien.

Brian Holmes verliet de snackbar met een piepschuimen bekertje grijze thee. Hij keek ernaar en probeerde te bedenken wanneer hij voor het laatst een goede kop thee had gehad, echte thee, zelf gezet. Zijn leven leek te draaien om piepschuimen bekertjes en thermosflessen, muf smakende broodjes en chocoladekoekjes. Blazen, een slokje, blazen, een slokje. Doorslikken.

Daar had hij nou zijn academische loopbaan voor opgegeven.

Dat wil zeggen, die loopbaan had eruit bestaan dat hij acht maanden geschiedenis had gestudeerd aan de Universiteit van Londen.

De eerste maand had hij met ogen op steeltjes rondgelopen en geprobeerd uit te vinden hoe hij in zo'n gigantische stad met enige waardigheid zou kunnen overleven. De tweede en derde maand waren heengegaan met het op orde brengen van zijn universitaire leven, het zoeken van nieuwe vrienden, het aangaan van allerlei discussies en het proberen opgenomen te worden in enkele groepjes. Iedere keer was het weer voorzichtig uitproberen geweest, en steeds weer was iedereen zo zenuwachtig geweest als een schoolkind op de eerste zwemles. In de vierde en vijfde maand was hij een echte Londenaar geworden en reisde hij dagelijks heen en weer tussen zijn kamer in Battersea en de universiteit. Zijn leven werd beheerst door getallen, door vertrektijden van de treinen, bussen en metro's, plus die van de nachtbussen, die hem losrukten van de koffiebarpolitiek en hem dwongen terug te gaan naar zijn gehorige studentenkamertje. Het missen van een aansluiting was een lijdensweg, een reisje tijdens het spitsuur een tocht door de hel. De zesde en zevende maand had hij in zijn eentje studerend doorgebracht op zijn kamer in Battersea. Colleges liep hij toen nauwelijks meer. En in de achtste maand, toen het zonnetje weer doorbrak, was hij uit Londen vertrokken en teruggegaan naar het noorden, naar zijn oude vrienden en naar een plotselinge leegte, die gevuld moest worden met werk.

Maar waarom had hij in godsnaam voor de politie gekozen?

Hij kneep het piepschuimen bekertje fijn en gooide het in de richting van een afvalbak. Hij miste. Wat maakte het uit, dacht hij. Maar hij vermande zich, liep naar het bekertje, bukte zich, raapte het op en deponeerde het in de bak. Je bent nu niet meer in Londen, Brian, zei hij tegen zichzelf. Een oudere vrouw keek hem glimlachend aan.

Zo zie je maar: een goede daad is een lichtstraaltje in een wereld die niet deugt.

Een wereld die niet deugt, dat kon je wel zeggen. Rebus had hem op een soepzooitje van menselijk verval afgestuurd. Pilmuir was een Hiroshima van de ziel, waar hij zo snel mogelijk uit weg wilde. Opgepast, radioactieve straling. Hij haalde een lijstje uit zijn zak, netjes overgeschreven van de inderhaast neergekrabbelde notitie tijdens het telefoongesprek van de afgelopen nacht, en bekeek het. Hij had geen moeite gehad te achterhalen wie de agenten geweest waren en hij veronderstelde dat ze inmiddels bij Rebus langs waren geweest. Toen was hij naar het huis in Pilmuir gegaan. De foto's had hij in zijn binnenzak. Van Edinburgh Castle. Goede foto's trouwens. Vanuit een bijzonder perspectief. En van het meisje. Zag er heel aardig uit, leek hem. Moeilijk om de leeftijd te schatten, en haar gezicht droeg de sporen van een hard leven, maar ondanks haar wat grove en ongeciviliseerde uiterlijk was ze best leuk. Hij had geen idee hoe hij iets over haar te weten moest zien te komen. Hij wist niets anders van haar dan haar naam. Tracy. Natuurlijk, hij kon hier en daar navragen. Edinburgh was zijn geboortestad, dat was een groot voordeel in dit vak. Hij had contacten genoeg: oude vrienden en vrienden van vrienden. Na zijn mislukte uitstap naar Londen had hij zijn oude contacten weer hersteld. Ze hadden allemaal tegen hem gezegd dat hij het niet moest doen. Ze waren allemaal blij geweest hem al zo snel na hun waarschuwing weer terug te zien. Blij, omdat ze zich konden beroemen op hun vooruitziende blik. Het was pas vijf jaar geleden... Op de een of andere manier leek het langer.

Waarom was hij bij de politie gegaan? Zijn eerste keuze was de journalistiek geweest. Dat had hij al heel lang gewild, al toen hij nog op school zat. Maar ja, jeugddromen werden soms pas later gerealiseerd. Misschien zo meteen al. Zijn volgende doel was namelijk de redactie van de krant. Zien of er nog meer foto's van Edinburgh Castle vanuit een bijzonder perspectief te vinden waren. Met een beetje geluk gaven ze hem ook nog een fatsoenlijke kop thee.

Hij wilde net doorlopen toen hij aan de overkant van de straat de etalage van een makelaarskantoor zag. Het had hem – door de naam – altijd een heel duur kantoor geleken. Maar wat kon het hem schelen, hij moest toch wat! Hij zocht zich een weg tussen de rijen stilstaande auto's en bleef staan voor de etalage van de firma Bowyer Carew. Even later draaide hij zich om, trok zijn schouders iets op en beende weg in de richting van The Bridges.

'En dit is James Carew, van Bowyer Carew.'

James Carew verhief zijn vlezige achterwerk een centimeter van de fraaie zetel, schudde Rebus de hand en ging toen weer zitten. Tijdens het voorstellen had hij voortdurend naar Rebus' das gekeken.

'Finlay Andrews,' vervolgde commissaris Watson, waarna Rebus nog een vrijmetselaar de hand drukte. Hij hoefde de geheime drukpunten niet te kennen om te weten wanneer hij met een vrijmetselaar te maken had. De manier waarop ze je hand vastpakten, zei al genoeg. Ze hielden hem altijd iets langer vast dan normaal omdat ze de tijd nodig hadden om vast te stellen of je ook lid was van de broederschap.

'Je kent meneer Andrews misschien wel. Hij heeft een gokclub aan Duke Terrace. Hoe heet de zaak ook weer?' Watson deed te veel zijn best. Hij wilde te graag gastheer zijn, te graag goede maatjes zijn met deze mannen. Het lag er voor iedereen te dik bovenop.

'Gewoon Finlay's Club,' antwoordde Finlay Andrews terwijl hij Rebus' hand losliet.

'Tommy McCall,' zei de laatste gast. Hij stelde zichzelf voor en drukte Rebus snel en zonder misbaar de hand. Rebus glimlachte en nam bij de mannen aan tafel plaats, blij dat hij eindelijk kon gaan zitten.

'Toch geen broer van Tony McCall?' vroeg hij, om maar wat te zeggen.

'Jazeker.' McCall glimlachte. 'Dus u kent Tony?'

'Redelijk goed, ja,' zei Rebus. Watson keek verwonderd.

'Inspecteur McCall,' verklaarde Rebus. Watson knikte heftig.

'Zo,' zei Carew terwijl hij ging verzitten. 'Wat drinkt u, inspecteur Rebus?'

'Niet onder diensttijd, dank u,' zei Rebus terwijl hij zijn fraai opgevouwen servet openvouwde. Hij glimlachte toen hij de uitdrukking op het gezicht van Carew zag. 'Het was maar een grapje. Een gin-tonic, alstublieft.'

Ze glimlachten allemaal. Een politieman met gevoel voor humor, daar verbaasden mensen zich vaak over. Het zou ze nog meer verbazen als ze zouden weten hoe zelden Rebus grappen maakte. Maar hij voelde de behoefte zich aan het gezelschap te conformeren, om te 'mixen', zoals dat met een ongelukkig gekozen woord genoemd werd.

Achter hem was een kelner opgedoken.

'Nog een gin-tonic, Ronald,' zei Carew tegen de man, die zich met een buiging verwijderde. Hij werd afgelost door een andere kelner, die enorme, in leer gebonden menu's begon uit te delen. Het dikke, katoenen servet woog zwaar op Rebus' schoot.

'Waar woont u, inspecteur?' Het was Carew die de vraag stelde. Zijn glimlach leek meer dan alleen een glimlach, en Rebus was op zijn hoede.

'In Marchmont,' zei hij.

'O.' Carew was meteen enthousiast. 'Dat is altijd een heel goede buurt geweest. Daar heeft in de goede ouwe tijd een boerderij gestaan, wist u dat?'

'O ja?'

'Mmm. Prachtige buurt.'

'Wat James bedoelt,' onderbrak Tommy McCall hem, 'is dat de huizen er flink wat waard zijn.'

'Dat is ook zo,' zei Carew verontwaardigd. 'Je bent vandaar zo in het centrum, het ligt dicht bij The Meadows en de universiteit en...'

'James,' zei Finlay Andrews vermanend, 'je doet alsof je meneer een huis wilt verkopen.'

'Ja, doe ik dat?' Carew leek oprecht verbaasd dit te horen. Hij glimlachte nog een keer naar Rebus. 'Het spijt me.'

'Ik kan de ossenhaas aanbevelen,' zei Andrews. Toen de kelner terugkwam om de bestelling op te nemen, vroeg Rebus uitdrukkelijk om tong.

Hij deed zijn best om zo ontspannen mogelijk over te komen, de andere gasten niet aan te staren, niet te veel aandacht te besteden aan de details in het tafellaken, de hem onbekende stukken eetgerei, de vingerkommen en het van keurmerkjes voorziene bestek. Dit maakte hij immers niet iedere dag mee. Waarom dan niet staren? Hij keek om zich heen en zag een stuk of vijftig weldoorvoede, tevreden gezichten. Over het algemeen waren het mannen, met hier en daar, ter wille van fatsoen en goede smaak, een enkele elegante vrouw. Ze leken allemáál ossenhaas voor zich te hebben. En wijn.

'Wie wil de wijn uitkiezen?' vroeg McCall terwijl hij zijn blik over de kaart liet gaan. Carew leek hem uit zijn handen te willen grissen, en Rebus hield zich in. Dat kon toch niet? De kaart uit zijn handen pakken en ik-ik-ik roepen. Met een hongerige blik de prijzen te bekijken en te hopen...

'Mag ik?' zei Finlay Andrews terwijl hij McCall de wijnkaart uit handen nam. Rebus keek naar het keurmerk op zijn vork.

'Zo,' zei McCall terwijl hij Rebus aankeek, 'dus inspecteur Watson heeft u weten te vangen voor ons clubje, begrijp ik?'

'Och, vangen was niet nodig,' zei Rebus. 'Ik ben blij dat ik mijn steentje kan bijdragen waar dat mogelijk is.'

'Ik ben ervan overtuigd dat jij met jouw ervaring voor ons van grote waarde zal zijn,' zei Watson stralend. Rebus keek hem met een uitdrukkingsloos gezicht aan, maar zei niets.

Het gelukkige toeval wilde dat Andrews wel enig verstand had van wijn en een bordeaux van een goed jaar en een frisse chablis bestelde. Rebus leefde op toen Andrews zijn bestelling plaatste. Hoe heette die gokclub ook alweer? Andrews Club? Finlay's Club? Ja, dat was het. Finlay's Club. Hij had ervan gehoord. Een kleine speelgelegenheid, rustig. Er was voor Rebus nooit een aanleiding geweest erheen te gaan, zakelijk noch voor zijn plezier. Wat was er voor lol aan om geld te verliezen?

'Heb je nog steeds last van die Chinees, Finlay?' vroeg McCall terwijl twee kelners bezig waren Victoriaanse soepborden met brede randen met een dun laagje soep te bedekken.

'Hij komt er niet meer in. De directie behoudt zich het recht voor cliënten zonder opgaaf van redenen de toegang te weigeren, etcetera, etcetera.'

McCall grinnikte en draaide zich weer naar Rebus.

'Finlay is behoorlijk de boot ingegaan. Die Chinezen zijn grote gokkers, weet u. Nou, deze ene Chinees had Finlay goed te pakken.'

'Ik had een onervaren croupier,' verklaarde Andrews. 'Iemand met een geoefend oog – en dan bedoel ik écht geoefend – kon door te kijken hoe die knaap het balletje wegschoot zien waar het op de roulette terecht zou komen.'

'Dat is wel heel bijzonder,' zei Watson en hij blies in zijn lepel met soep.

'Niet echt,' zei Andrews. 'Ik heb het wel vaker gezien. Het is een kwestie van goed kijken wie je in huis hebt, zodat ze niet onverwachts een groot bedrag inzetten. Maar goed, je moet ook af en toe je verlies kunnen nemen. Dit jaar is tot dusver goed geweest. Er komt nogal wat geld naar het noorden, en als ze merken dat er hier niet zoveel te doen is, komen ze al snel op het idee om het te gaan vergokken.'

'Komt er geld naar het noorden?' Rebus raakte geïnteresseerd.

'Ja, nieuwe mensen, nieuwe banen. Directeuren uit Londen, met salarissen die ze daar gewend zijn, en die nemen ook hun gewoontes mee. Nooit iets van gemerkt?'

'Nee, dat kan ik niet zeggen,' moest Rebus erkennen. 'Niet in Pilmuir, in elk geval.'

Zijn antwoord bracht bij enkelen een glimlach teweeg.

'Bij mijn makelaardij merken ze het wel degelijk,' zei Carew. 'Er is veel vraag naar grotere panden. Ook voor bedrijven. Die verhuizen naar het noorden en willen hier een kantoor. Ze hebben een goed oog voor kwaliteit, en Edinburgh heeft kwaliteit. De huizenprijzen zijn gigantisch omhooggegaan, en ik zie die ontwikkeling voorlopig nog niet ophouden.' Hij keek Rebus even aan. 'Ze zijn nu zelfs in Pilmuir huizen aan het bouwen.'

'Finlay,' onderbrak McCall hem, 'vertel inspecteur Rebus eens waar die Chinezen hun geld bewaren.'

'Niet terwijl we zitten te eten, alsjeblieft,' zei Watson, en toen McCall grinnikend zijn ogen neersloeg en in zijn soep keek, zag Rebus dat Andrews de man een venijnige blik toewierp.

De wijn werd gebracht. Hij was koud en had de kleur van honing. Rebus nam een slokje. Carew informeerde bij Andrews hoe het ervoor stond met zijn aanvraag voor wijziging van het bestemmingsplan om het casino te kunnen uitbreiden.

'Volgens mij zit het wel goed.' Andrews probeerde niet al te zelfverzekerd over te komen. Tommy McCall lachte.

'Dat wil ik wel geloven, ja,' zei hij. 'Zou het voor je buren ook zo makkelijk zijn als zíj aan de achterkant van hun pand een knots van een aanbouw zouden willen neerzetten?'

Andrews keek de man aan met een glimlach zo koud als de chablis. 'Elke aanvraag wordt voorzover ik weet grondig en op zijn eigen merites beoordeeld, Tommy. Maar misschien weet jij meer?'

'Nee, nee.' McCall had zijn eerste glas wijn op en stak zijn hand uit om zijn glas weer te vullen. 'Ik ben ervan overtuigd dat het allemaal volgens de regels is gegaan, Finlay.' Hij keek Rebus aan met een samenzweerderige blik. 'Ik hoop dat jij niet uit de school gaat klappen, John.'

'Nee.' Rebus keek even naar Andrews, die zijn soep bijna op had. 'Tijdens deze lunch zijn mijn oren gesloten.'

Watson knikte instemmend.

'Hé, hallo, Finlay.' Een grote man, zwaargebouwd maar ook zeer gespierd, kwam naar de tafel toe. Hij droeg het chicste kostuum dat Rebus ooit had gezien. Het had een blauwe, zijdeachtige glans, en er was iets zilverkleurigs in geweven. Ook het haar van de man was zilvergrijs, al leek hij hooguit veertig. Naast hem, een beetje tegen hem aan, stond een frêle oosterse vrouw, meer een meisje dan een vrouw eigenlijk. Ze zag er prachtig uit, en iedereen aan tafel stond met een soort ontzag op. De man vroeg met een elegant handgebaar iedereen weer te gaan zitten. De vrouw verborg haar plezier in de situatie onder haar lange wimpers.

'Hallo, Malcolm.' Finlay Andrews gebaarde naar de man. 'Dit is Malcolm Lanyon, de advocaat.' Dat laatste was overbodig, want iedereen kende Malcolm Lanyon, die kind aan huis was in elke roddelrubriek. Zijn opzichtige manier van leven riep zowel afkeer als afgunst op. Hij vertegenwoordigde datgene in het advocatenberoep wat de meeste verachting oproept, maar was tegelijkertijd een wandelende soapserie. Zijn manier van leven was op het obscene af, maar voorzag anderzijds in allerlei diepgevoelde behoeften van de lezers van de roddelbladen. Daarbij was hij een zeer goede advocaat, daarvan was Rebus overtuigd. Dat moest ook wel, want anders zou zijn hele imago maar bordkarton zijn geweest. En het was geen bordkarton. Het was solide metselwerk.

'Dit zijn de actieve leden van het comité waar ik je laatst van heb verteld,' zei Andrews met een armzwaai.

'Aha.' Lanyon knikte. 'De drugsbestrijdingscampagne. Een uitstekend idee, commissaris.'

Watson bloosde bijna bij het compliment (het compliment was dat Lanyon wist wie Watson was).

'Finlay,' vervolgde Lanyon, 'je bent morgenavond toch niet vergeten, hè?'

'Het staat met koeienletters in mijn agenda, Malcolm.'

'Uitstekend.' Lanyon liet zijn blik rond de tafel gaan. 'Ik zou het eigenlijk op prijs stellen als u allemaal zou komen. Een klein partijtje bij mij thuis. Zomaar, ik had gewoon zin in een feestje. Acht uur. Geen speciale kleding of zo.' Hij liep al weg voordat hij was uitgesproken, met zijn arm om het porseleinen middel van zijn gezellin. Rebus kon zijn laatste woorden nog net opvangen. Hij noemde zijn adres. Heriot Row. Een van de meest exclusieve straten in New Town. Een andere wereld. Rebus wist niet zeker of de uitnodiging serieus bedoeld was, maar hij had wel zin om erheen te gaan. Zoiets overkwam je tenslotte niet elke dag, of woorden van gelijke strekking.

Even later kwamen ze over de drugsbestrijdingscampagne te spreken, net toen de kelner nog wat brood kwam brengen.

'Brood,' zei de nerveuze jongeman terwijl hij met weer een nieuwe krantenlegger naar de balie liep, waar Holmes stond. 'Dat is waar ik me zorgen over maak. Ze denken er alleen nog maar aan hoe ze meer dan een ander kunnen vergaren. Ze vergeten helemaal dat je niet bij brood alleen kunt leven. Ik heb met jongens op school gezeten die op hun veertiende al wisten dat ze bankier, accountant of econoom wilden worden. Levens die al voorbij waren voordat ze goed en wel begonnen waren. Deze is van mei.'

'Hoe bedoel je?' Holmes verplaatste zijn gewicht van het ene been naar het andere. Waarom hadden ze hier geen stoelen? Hij was hier al meer dan een uur, en zijn vingers waren zwart van het bladeren in de kranten, twee exemplaren per dag, een ochtendblad en een avondblad. Af en toe was zijn aandacht getrokken geweest door een kop of een verslag van een voetbalwedstrijd die hij had gemist, maar algauw was het hem gaan vervelen, en inmiddels werkte hij de leggers alleen nog plichtmatig door. Hij begon trouwens pijn in zijn armen te krijgen van het omslaan van de pagina's.

'De maand mei,' verklaarde de jongeman. 'In deze legger zitten de nummers van mei.'

'Mooi. Bedankt.'

'Klaar met juni?'

'Ja, bedankt.'

De jongeman knikte, gespte de twee leren riemen aan het open einde van de gebonden legger dicht, tilde het gevaarte op en schuifelde er de kamer mee uit. Daar gaan we weer, dacht Holmes terwijl hij de verse stapel oud nieuws en bladvulling opensloeg.

Rebus had het bij het verkeerde eind gehad. Er was geen oude baas die als wandelend computergeheugen dienst had kunnen doen, en ook geen computer. Het kwam dus neer op ouderwets handwerk: bladzijden omslaan en zoeken naar foto's van vertrouwde plekjes maar dan vanuit een nieuw perspectief. Waarom? Zelfs dat wist hij nog niet, en dat frustreerde hem. Hopelijk zou hij het later die middag te horen krijgen, tijdens zijn afspraak met Rebus. Er klonk weer geschuifel, en weer kwam de jongeman binnen, nu met de armen losjes langs zijn lichaam en met openhangende mond.

'Waarom ben je niet hetzelfde gaan doen als je vrienden?' vroeg Holmes om het gesprek voort te zetten.

'Bij de bank gaan werken, bedoel je?' De jongeman trok zijn neus op. 'Ik wilde wat anders. Ik ben leerling-journalist. Je moet ergens beginnen, nietwaar?'

Dat is zeker waar, dacht Holmes terwijl hij weer een bladzijde omsloeg. Je moet ergens beginnen.

'Nou, het is een begin,' zei McCall terwijl hij opstond. Ze verfrommelden hun servetten en gooiden die op het rommelige tafellaken. Het aanvankelijk smetteloze laken lag nu bezaaid met broodkruimels. Bovendien zaten er wijnvlekken in, een donkere vetvlek en een vlek van gemorste koffie. Rebus was wat wankel op de benen toen hij overeind kwam. En volgegeten. Zijn tong voelde door alle wijn en koffie en cognac aan als een leren lap! Die mannen gingen nu weer aan het werk! Dat zeiden ze tenminste. Rebus ook. Hij had om drie uur een afspraak met Holmes, ja toch? Maar het was al over drieën. Nou ja, Holmes zou niet klagen. Hij kon niet klagen, bedacht Rebus zelfvoldaan.

'Nou, daar mogen we niet over mopperen,' zei Carew terwijl hij op zijn forse buik klopte. Rebus wist niet of hij op de buik of op het eten doelde.

'En we hebben veel besproken,' zei Watson. 'Laten we dat niet vergeten.'

'Zeker,' zei McCall. 'Een zeer nuttige bijeenkomst.'

Andrews had erop gestaan de rekening te betalen. In de orde van tweehonderd pond, had Rebus even snel berekend. Andrews bestudeerde de rekening en leek elk bedrag te vergelijken met een eigen, gememoriseerde prijslijst. Niet alleen een goede zakenman, maar ook een echte Schot, dacht Rebus boosaardig. Toen riep Andrews de alerte gerant en vertelde hem op gedempte toon dat er voor één gerecht te veel in rekening was gebracht. De man nam onmiddellijk aan dat Andrews gelijk had en verbeterde de rekening ter plaatse met zijn balpen onder het uiten van zijn welgemeende verontschuldigingen.

Het begon langzaam leeg te worden in het restaurant. Iedereen had goed en aangenaam gegeten. Ineens voelde Rebus zich overmand door schuldgevoel. Tweehonderd pond met z'n vijven, dat betekende dat hij in zijn eentje voor veertig pond had gegeten en gedronken. Er waren gasten die zich nog uitgebreider te goed hadden gedaan en die luidruchtig lachend de eetzaal uitliepen. Oude herinneringen, sigaren, rode hoofden. McCall legde zijn arm om Rebus' middel – zeer tegen diens zin – en knikte naar de vertrekkenden.

'John, wanneer er in Schotland nog maar vijftig conservatieven over zijn, vind je ze allemaal in deze zaal.'

'Dat wil ik best geloven,' zei Rebus.

Andrews, die zich afwendde van de gerant, had hen gehoord. 'Ik dacht dat er in Schotland nú al niet meer dan vijftig conservatieven waren,' zei hij.

Weer die ingehouden, zelfverzekerde glimlachen, constateerde Rebus. Ik dacht dat ik brood at, maar het was slechts as, dacht Rebus. As in plaats van brood. Overal om zich heen zag hij sigarenas branden, en even dacht hij dat hij moest overgeven. Maar toen struikelde McCall, en moest Rebus hem vasthouden totdat hij zijn evenwicht had hervonden.

'Beetje te veel gedronken, Tommy?' vroeg Carew.

'Ik moet alleen wat frisse lucht hebben,' zei McCall. 'John helpt me wel, hè John?'

'Natuurlijk,' zei Rebus, blij dat hij een excuus had voor exact hetzelfde als de ander wilde.

McCall draaide zich weer naar Carew. 'Ben je met je nieuwe auto?'

Carew schudde zijn hoofd. 'Die heb ik in de garage laten staan.'

McCall knikte en draaide zich naar Rebus. 'Snelle jongen. Heeft net een twaalfcilinder Jag gekocht,' verklaarde hij. 'Bijna veertigduizend, en dan heb ik het niet over het aantal mijlen op de teller.'

Een van de kelners was bij de lift gaan staan.

'En weer bedankt voor uw bezoek, heren,' zei hij. Zijn stem klonk net zo mechanisch als het geluid van de liftdeuren die achter Rebus en McCall dichtgingen toen ze waren ingestapt.

'Hij vergist zich,' zei Rebus. 'Ik ben hier nooit eerder geweest, dus misschien is hij weleens bij míj geweest. In een cel op het bureau.'

'Dit is niks, hier,' zei McCall met een minachtende uitdrukking op zijn gezicht. 'Echt niks. Als je een beetje lol wilt hebben, moet je eens een avond meegaan naar de club. Je zegt gewoon dat je een vriend van Finlay bent. Dan laten ze je zo binnen. Daar is het pas leuk.'

'Misschien doe ik dat wel,' zei Rebus terwijl de liftdeuren opengingen. 'Zodra de sjerp van mijn smoking terug is van de stomerij.'

McCall hield pas op met lachen toen hij het gebouw uit was.

Holmes voelde zich stijf toen hij het gebouw via de dienstingang verliet. De jongeman, die hem via de wirwar van gangen naar de uitgang had gebracht, had zich weer omgedraaid en liep fluitend weg. Holmes vroeg zich af of hij echt ooit in de journalistiek terecht zou komen. Maar er gebeurden wel vreemder dingen.

Hij had de foto's gevonden waarnaar hij op zoek was geweest: in de ochtendedities van drie opeenvolgende woensdagen. De fotoredactie had de originelen opgespoord, en op alle drie bleek dezelfde goudkleurige, rechthoekige sticker te zitten waarop stond dat de foto eigendom was van Fotostudio Jimmy Hutton. De fotograaf was zelfs zo voorkomend geweest om op de stickers een adres en een telefoonnummer te vermelden. Holmes had zich tevreden uitgerekt en zijn wervelkolom in een wat normalere positie teruggebracht. Hij had overwogen om zichzelf op een biertje te trakteren, maar nu hij zowat twee uur lang over een balie geleund had gestaan, was aan een bar hangen wel het laatste wat hij wilde. Het was trouwens al kwart over drie. Dankzij de slimme maar trage fotoredactie was hij nu al te laat voor zijn afspraak – zijn eerste – met inspecteur Rebus. Hij kende het standpunt van Rebus inzake punctualiteit niet, maar hij vreesde dat het een duidelijk standpunt zou zijn. Nou ja, in dat geval moest het resultaat van zijn arbeid hem opvrolijken, anders was hij geen echt mens.

Het gerucht deed tenminste de ronde dat hij daar zwaar aan tilde.

Niet dat Holmes veel waarde hechtte aan geruchten. Niet altijd, tenminste.

Het bleek echter dat Rebus nóg later was. Hij had wel gebeld om zich te verontschuldigen, en dat was tenminste iets. Holmes zat voor Rebus' bureau toen deze ten slotte binnenkwam en zijn nogal opzichtige das afdeed en in een la stopte. Pas toen draaide hij zich naar Holmes, keek hem aan, glimlachte en stak zijn hand uit. Holmes schudde hem de hand.

Nou, dat valt alweer mee, dacht Rebus, hij is ook geen vrijmetselaar.

'Je voornaam is Brian, hè?' zei Rebus terwijl hij ging zitten.

'Dat klopt, inspecteur.'

'Mooi. Dan zal ik jou voortaan Brian noemen, en jij blijft tegen mij gewoon inspecteur zeggen. Dat is toch redelijk, hè?'

Holmes glimlachte. 'Heel redelijk, inspecteur.'

'Goed zo. Nog vooruitgang geboekt?'

Holmes begon bij het begin. Terwijl hij zijn verhaal deed, merkte hij dat Rebus wat zat te soezen, hoewel hij zijn uiterste best deed om zijn hoofd erbij te houden. Zijn adem rook zwaar. Hij had kennelijk copieus geluncht. Toen hij zijn verslag had gedaan, wachtte hij op een reactie van Rebus.

Maar Rebus knikte slechts, en zweeg toen enige tijd. Dacht hij na? Holmes had het gevoel dat hij de stilte moest vullen.

'Wat is het probleem, inspecteur, als ik vragen mag?'

'Je hebt er alle recht toe om het te vragen,' zei Rebus ten slotte. Maar daar liet hij het bij.

'Nou, inspecteur?'

'Ik weet het niet, Brian. Dat is de waarheid. Goed, ik zal je zeggen wat ik weet – en dan zeg ik met nadruk "weet", want ik "denk" een heleboel, en dat is in deze zaak niet hetzelfde.'

'Er is dus wel sprake van een zaak?'

'Dat wil ik graag van jou horen, nadat je hebt geluisterd naar wat ik te zeggen heb.' En toen was het Rebus' beurt om 'verslag' uit te brengen, waarbij hij al pratend alles opnieuw op een rijtje probeerde te zetten. Maar het was te fragmentarisch, te speculatief. Hij zag hoe Holmes met de brokstukken in de weer was en er een sluitend beeld van probeerde te vormen. Maar was er wel een sluitend beeld te vormen?

'Dus je ziet,' zei Rebus. 'We hebben een junkie vol gif. Zelf toegediend. Blauwe plekken op het lichaam, en een soort heksencultus. Er is een fototoestel zoek, en we hebben een dasklem en een paar foto's. En een vriendin van de dode wordt geschaduwd. Zie je wat mijn probleem is?'

'Te veel aanwijzingen.'

'Precies.'

'Dus wat doen we nu?'

Het woordje 'we' viel Rebus op. Hij realiseerde zich dat hij er ineens niet meer alleen voor stond, wat dat 'er' ook mocht inhouden. Deze gedachte maakte hem wat vrolijker, maar tegelijkertijd kwam de kater opzetten en voelde hij een traag en dof bonzen in zijn slapen.

Hij wist nu hoe het verder moest. 'Ik ga met iemand praten over heksen,' zei hij, 'en jij gaat een bezoek brengen aan Fotostudio Hutton.'

'Dat klinkt redelijk,' zei Holmes.

'Dat dacht ik ook,' zei Rebus. 'Ik ben de man met de hersens, Brian. Jij bent ervoor om je schoenzolen te verslijten. Bel me straks om te vertellen hoe het gaat. En nu opgesodemieterd.'

Rebus had het niet onvriendelijk bedoeld, maar de toon van de jongeman was hem iets te gezellig, iets te samenzweerderig geweest, en hij had grenzen willen trekken. Het was zijn eigen schuld, besefte hij toen hij de deur achter Holmes dichtdeed. Het kwam omdat hij zo babbelziek was geweest, omdat hij hem alles had verteld, hem in vertrouwen had genomen en hem bij zijn voornaam had genoemd. Het lag allemaal aan die stomme lunch. Zeg maar Finlay, zeg maar James, zeg maar Tommy... Nou ja, het zou allemaal wel goed komen. Ze waren goed begonnen, redelijk goed tenminste. Het kon slechter. Rebus vond het prima. Hij hield wel van een beetje strijd, van rivaliteit. Dit soort werk had toch duidelijk zijn voordelen.

Rebus was dus inderdaad een rotzak.

Brian Holmes beende met gebalde vuisten in zijn zakken het bureau uit. Zijn knokkels waren rood. *Jij bent ervoor om je schoenzolen te verslijten.* Dat had hem echt een knauw gegeven, net op het moment dat hij vond dat ze het zo goed met elkaar konden vinden. Net alsof ze echte mensen waren, en geen smerissen. Je had beter moeten weten, Brian. En wat de noodzaak van al dat werk betrof... Nou, daar hoefde je niet lang over na te denken. Het stelde niks voor, het was maar een ideetje van Rebus. Het was feitelijk helemaal geen politiewerk. Gewoon omdat een inspecteur die te weinig om handen had zijn tijd vulde door te doen alsof hij Philip Marlowe was. Jezus, ze hadden allebei wel wat beters te doen. Nou ja, Holmes in elk geval wel. Hij hoefde niet een of andere halfzachte drugsbestrijdingscampagne te gaan leiden. En dat ze daar Rebus voor gevraagd hadden! Met een broer in de lik, veroordeeld wegens drugshandel. Nota bene de grootste dealer in Fife. Dat had het definitieve einde van de carrière van Rebus moeten betekenen, maar in plaats daarvan hadden ze hem bevorderd. De wereld deugde beslist niet.

Hij moest bij een fotograaf op bezoek. Misschien kon hij gelijk een paar pasfoto's laten maken. En dan zijn koffers pakken en 'm smeren naar Canada, Australië of Amerika. Laat die nieuwe woning maar zitten. Laat de politie maar zitten. En laat inspecteur John Rebus en zijn heksenjacht maar zitten.

Zo, dat luchtte op.

Rebus rommelde in zijn la en haalde er een paar aspirines uit. Terwijl hij de trap afliep, maalde hij ze tussen zijn kiezen fijn tot een bitter smakend poeder. Dat had hij beter niet kunnen doen. Het spul zoog alle speeksel in zijn mond op, zodat hij het niet eens door kon slikken en ook niks meer kon zeggen. De brigadier van de wacht zat aan een piepschuimen bekertje thee te nippen. Rebus pakte het uit zijn handen en goot de lauwe vloeistof achterover. Hij rilde.

'Hoeveel suiker zat daar in godsnaam in, Jack?'

'Als ik had geweten dat je op theevisite zou komen, had ik de thee precies zo gemaakt als jij hem graag drinkt, John.'

De brigadier van de wacht had zijn antwoord altijd klaar, en het lukte Rebus nooit om hem van repliek te dienen. Hij reikte hem het bekertje weer aan en liep weg, nog walgend van de zoete smaak.

God, ik stop met drinken, dacht hij terwijl hij de auto startte. Ik zweer het, God, misschien alleen nog af en toe een glaasje wijn. Mag dat nog wel? Maar niet meer achter elkaar doordrinken, en geen wijn en sterke drank meer door elkaar. Okay? Lieve Heer, mag dan die kater van me weggenomen worden? Ik heb alleen dat ene glas cognac gedronken, misschien twee glazen bordeaux en één chablis. En nog een gin-tonic. Dat kun je toch geen zuipen noemen, daar hoef je toch niet van af te kicken?

Het was wel stil op straat, dat was een meevaller. Geen buitengewone meevaller, maar toch een meevaller. Het duurde daardoor niet lang voordat hij in Pilmuir was, maar toen schoot hem te binnen dat hij niet wist waar de jongeheer Charlie woonde. Charlie was de figuur die hij nodig had als hij nader contact wilde met mensen die in heksen geloofden. Witte magie. Hij wilde het heksenverhaal checken. En hij wilde bovendien nagaan wat voor vlees hij met Charlie in de kuip had. Hij wilde alleen niet dat Charlie dat zou weten.

Die heksencultus zat hem dwars. Rebus geloofde in het bestaan van goed en kwaad, en hij geloofde dat domme mensen zich tot het laatste aangetrokken konden voelen. Hij begreep hoe heidense religies in elkaar staken, had er dikke, zwaarwichtige pillen over gelezen. Hij had er geen bezwaar tegen dat mensen de aarde aanbaden of wat dan ook. Het kwam uiteindelijk allemaal op hetzelfde neer. Waar hij wel bezwaar tegen had, was dat mensen het Kwaad aanbaden als een macht, als meer dan een macht: een wezen. En helemaal verkeerd vond hij het als mensen dit soort dingen deden om er een kick van te krijgen, zonder te weten waar ze mee bezig waren of zich daar zelfs maar om te bekommeren.

Mensen als Charlie. Hij herinnerde zich ineens weer het boek met de prenten van Giger. Een duivel met een weegschaal, geflankeerd door twee naakte vrouwen. De vrouwen werden gepenetreerd door enorme boren. Een Satan met een gemaskerde geitenkop...

Waar kon Charlie op dat moment zijn? Hij zou er wel achter komen. Hier en daar navragen. Zinspelen op vervelende gevolgen als informatie werd achtergehouden. Hij kon als politieman heel vervelend zijn als dat nodig was.

Maar dat was niet nodig. Het was al voldoende de twee agenten te vinden die rondhingen voor een van de dichtgetimmerde huizen, niet al te ver van de plek waar Ronnie was overleden. Een van de twee had een radiomicrofoon voor zijn mond. De ander stond iets te noteren in een opschrijfboekje. Rebus bracht zijn auto tot stilstand en stapte uit. Toen bedacht hij iets, bukte en haalde zijn sleuteltjes uit het contactslot. Je kon hier niet voorzichtig genoeg zijn.

Vervolgens deed hij ook het portier aan de bestuurderskant maar op slot.

Eén agent kende hij. Harry Todd, een van de mannen die Ronnie hadden gevonden. Todd rechtte zijn rug toen hij Rebus zag, maar Rebus gebaarde dat hij door kon gaan, zodat Todd zijn gesprek via de radio voortzette. Rebus richtte zijn aandacht op de andere agent.

'Hoe is de stand van zaken hier?' De agent keek op van zijn boekje en draaide zich naar Rebus met een achterdochtige, bijna vijandige blik zoals je die maar zelden zag bij een politieman. 'Inspecteur Rebus,' stelde Rebus zich voor. Hij vroeg zich af waar Todds Ierse maat O'Rourke was.

'O,' zei de agent. 'Nou...' Hij begon zijn pen op te bergen. 'We zijn hiernaartoe geroepen voor een huiselijke ruzie, inspecteur. Een hoop geschreeuw. Maar toen we hier aankwamen, was de man weg. De vrouw is nog binnen. Ze heeft een blauw oog opgelopen, meer niet. Voor u niet echt interessant, inspecteur.'

'Is dat zo?' vroeg Rebus. 'Nou, leuk om dat van jou te horen, jongen. Dat heb ik graag, dat mensen me vertellen wat ik wel en niet interessant moet vinden. Bedankt. Maar hopelijk heb ik toch je toestemming om naar binnen te gaan?'

De agent bloosde van oor tot oor, zijn wangen staken knalrood af tegen zijn bloedeloze hals en de rest van zijn gezicht. Nee, hij bloosde inmiddels tot in zijn hals. Rebus genoot ervan. Zozeer zelfs dat het hem niet kon schelen dat Todd achter de rug van zijn collega, maar voor Rebus duidelijk zichtbaar, stond te grijnzen om het voorval.

'Nou?' drong Rebus aan.

'Neemt u me niet kwalijk, inspecteur,' zei de agent.

'Goed zo,' zei Rebus en hij liep naar de voordeur. Voordat hij de deur kon openen werd deze echter van binnenuit opengedaan. Daar stond Tracy, met rode ogen van het huilen, één oog bovendien donkerblauw van kleur. Ze leek niet verbaasd Rebus ineens voor zich te zien, eerder opgelucht. Ze rende op hem af, sloeg haar armen om hem heen en drukte haar gezicht tegen zijn borst. Haar tranen begonnen opnieuw te stromen.

Rebus die verbaasd en verlegen met de situatie was, reageerde stijfjes en klopte haar onder het uiten van sussende woorden op de rug, als een vader die zijn verdrietige kind troost. Hij draaide zich even om en keek naar de agenten, maar zij deden alsof ze niets merkten. Toen stopte er een auto naast de zijne. Tony McCall trok de handrem aan, opende het portier, en merkte toen Rebus en het meisje op.

Rebus legde zijn handen op Tracy's armen, duwde haar iets van zich af, maar liet haar niet los. Zijn handen lagen op haar armen. Ze keek hem aan en moest moeite doen om haar tranen te bedwingen. Ten slotte trok ze één arm weg, zodat ze haar ogen kon afvegen. Toen liet ze de andere arm zakken, waardoor Rebus' hand ervan afgleed en het contact verbroken werd. Voorlopig althans.

'John?' McCall was vlak achter hem komen staan.

'Ja, Tony?'

'Hoe komt het dat mijn wijk ineens jouw wijk geworden is?'

'Ik kwam toevallig langs,' zei Rebus.

Binnen in het huis zag het er verrassend netjes en opgeruimd uit. Er stond een allegaartje van meubels – twee behoorlijk versleten banken, een paar eetkamerstoelen, een houten tafel, een stuk of vijf poefs met loszittende naden waardoor de vulling naar buiten kwam – en er was stroom, wat misschien nog het meest verbazingwekkende was.

'Ik vraag me af of ze hiervan bij de elektriciteitsmaatschappij op de hoogte zijn,' zei McCall terwijl Rebus de lichten beneden aanknipte.

Ondanks de aanwezigheid van allerlei huisraad hing er in huis een sfeer van tijdelijkheid. Op de vloer in de huiskamer lagen slaapzakken, alsof er altijd zwervers en daklozen binnen konden komen. Tracy liep naar een van de banken, ging zitten en sloeg haar armen om haar knieën.

'Woon jij hier, Tracy?' vroeg Rebus, die het antwoord al wist.

'Nee, Charlie.'

'Hoe lang weet je dat al?'

'Ik ben er vandaag pas achter gekomen. Hij verhuist voortdurend. Het viel niet mee om hem te vinden.'

'Je had er anders weinig tijd voor nodig.' Ze haalde haar schouders op. 'Wat is er gebeurd?'

'Ik wilde alleen met hem praten.'

'Over Ronnie?' McCall keek Rebus aan. Hij begreep dat Rebus, door de vragen die hij aan Tracy stelde, hem op de hoogte probeerde te brengen van de situatie, en luisterde aandachtig. Tracy knikte.

'Stom misschien, maar ik moest met iemand praten.'

'En?'

'Toen kregen we ruzie. Hij begon. Hij zei dat het mijn schuld was dat Ronnie dood is.' Ze keek naar hen op, niet met een schuldige uitdrukking, maar alleen om te tonen dat ze het eerlijk meende. 'Het is niet waar. Maar Charlie zei dat ik op Ronnie had moeten passen, dat ik erop had moeten letten dat hij geen dope nam en dat ik hem uit Pilmuir weg had moeten halen. Maar hoe had ik dat moeten doen? Hij zou toch niet naar me geluisterd hebben. Ik dacht dat hij wel wist wat hij deed. Hij liet zich door niemand iets zeggen.'

'Heb je dat ook tegen Charlie gezegd?'

Ze glimlachte. 'Nee, dat heb ik net pas bedacht. Zo gaat het toch altijd? Pas als de ruzie voorbij is, bedenk je wat je eigenlijk had moeten zeggen.'

'Ik weet er alles van, kind,' zei McCall.

'Dus toen begonnen jullie tegen elkaar te schelden...'

'Ik ben niet begonnen met schelden!' voer ze tegen Rebus uit.

'Okay,' zei hij kalm. 'Charlie begon tegen jou te schreeuwen, en jij schreeuwde terug, en toen heeft hij je een klap gegeven. Ja?'

'Ja.' Ze reageerde heel gedwee.

'En misschien heb jij hem toen ook een klap gegeven?' informeerde Rebus.

'Ik heb hem zo goed mogelijk proberen te raken.'

'Goed zo, meid,' zei McCall. Hij liep de kamer rond, keek onder de kussens op de bank, sloeg hier en daar een oud tijdschrift open en hurkte neer om de slaapzakken te bekloppen.

'Doe niet zo neerbuigend, schoft die je bent,' zei Tracy.

McCall keek verbaasd op, maar begon toen te glimlachen en ging door met het inspecteren van de slaapzakken. 'Aha!' zei hij toen hij een slaapzak optilde en uitschudde. Er viel een plastic zakje op de vloer. Met een tevreden gezicht raapte hij het op. 'Af en toe een beetje blowen voor de gezelligheid?'

'Daar weet ik niks van,' zei Tracy terwijl ze naar het zakje keek.

'Dat geloven we van je,' zei Rebus. 'Dus Charlie is 'm gesmeerd?'
'Ja. De buren moeten de russen gebeld hebben... de politie, bedoel ik.' Ze keek van hen weg.
'We zijn wel voor ergere dingen uitgemaakt, hè John?'
'Nou en of. Dus toen die agenten bij de ene deur aanklopten, is Charlie via een andere deur weggegaan, klopt dat?'
'Via de achterdeur, ja.'
'Nou,' zei Rebus, 'nu we toch hier zijn, kunnen we gelijk eens even rondkijken op zijn kamer. Als hij tenminste een kamer heeft.'
'Goed idee,' zei McCall terwijl hij het plastic zakje opborg. 'Waar rook is, is vuur.'

Charlie had wel degelijk een kamer in het huis. In de kamer bevonden zich één enkele slaapzak, een bureau, een verstelbare bureaulamp en meer boeken dan Rebus ooit in zo'n kleine ruimte bij elkaar had gezien. Ze stonden in tot het plafond reikende stapels tegen de muren, als grote, wankele pilaren. Er zaten veel bibliotheekboeken tussen waarvan de uitleentermijn reeds lang verstreken was.
'Hij moet de gemeente een kapitaal schuldig zijn,' zei McCall.
Er lagen boeken over economie, politiek en geschiedenis, maar ook geleerde en minder geleerde werken over duivels, duivelaanbidding en hekserij. Romans waren er niet veel. De meeste boeken zagen eruit alsof ze intensief waren gelezen; met potlood waren tal van regels onderstreept en notities in de marge geschreven. Op het bureau lag een artikel waaraan nog gewerkt werd, waarschijnlijk een scriptie van Charlie. Zo te zien werd er geprobeerd een verband te leggen tussen 'tovenarij' en de hedendaagse samenleving. In Rebus' ogen was het allemaal wartaal.
'Hallo!'
De kreet kwam van beneden en was afkomstig van de twee agenten die de trap op kwamen.
'Ja, we zijn hier,' riep McCall terug. Toen schudde hij een grote supermarkttas leeg op de vloer. Er vielen pennen, speelgoedautotjes, sigarettenvloeitjes, een houten ei, een klosje garen, een cassettespeler en een camera uit. McCall bukte zich en raapte tussen duim en wijsvinger de camera op. Mooi ding, kleinbeeld SLR. Goed merk. Hij hief het toestel op in Rebus' richting, die het met een zakdoek

die hij uit zijn zak had gehaald van hem aanpakte. Rebus draaide zich naar Tracy, die met haar armen over elkaar tegen de deur geleund stond. Ze knikte bevestigend.

'Ja,' zei ze, 'dat is Ronnies camera.'

De agenten waren inmiddels boven aan de trap gekomen. Rebus pakte de supermarkttas van McCall aan en deed de camera erin, ervoor oppassend geen eventuele vingerafdrukken te beschadigen.

'Todd,' zei hij tegen de agent die hij kende. 'Breng deze dame naar bureau Great London Road.' Tracy deed haar mond open om wat te zeggen. 'Het is voor je eigen veiligheid,' zei Rebus. 'Ga maar met hen mee. Ik zie je straks. Zodra ik klaar ben.'

Ze leek te willen protesteren, maar toen bedacht ze zich. Ze knikte, draaide zich om en ging de kamer uit. Rebus hoorde haar in het gezelschap van de agenten de trap afgaan. McCall was nog bezig de kamer te doorzoeken, maar zonder veel enthousiasme. Met de twee dingen die hij gevonden had, konden ze voorlopig vooruit.

'Waar rook is, is vuur,' zei hij.

'Ik heb vanmiddag nog met Tommy geluncht,' zei Rebus.

'Met mijn broer Tommy?' McCall keek op. Rebus knikte. 'Dan lig je op me voor. De afgelopen vijftien jaar heeft hij míj geen enkele keer uitgenodigd om te gaan lunchen.'

'Bij The Eyrie.' McCall floot. 'In verband met die drugscampagne van Watson.'

'Ja. Tommy betaalt eraan mee, is het niet? Ach, ik zou hem er niet al te hard over vallen. Hij heeft vroeger weleens het een en ander voor me gedaan.'

'Tommy had een glaasje te veel op.'

McCall lachte vertederd. 'Dan is hij niet veel veranderd. Maar goed, hij kan het zich ook veroorloven. Dat transportbedrijf van hem, daar heeft hij geen omkijken naar. Vroeger was hij vierentwintig uur per dag in touw, en dat tweeënvijftig weken per jaar, maar nu kan hij vrij nemen zo lang als hij wil. Zijn boekhouder heeft weleens tegen hem gezegd dat hij een heel jaar vrij moest nemen. Moet je je indenken. Om belastingtechnische redenen. Hadden wij dat soort problemen maar, hè John?'

'Wat je zegt, Tony.' Rebus had de supermarkttas nog in zijn handen. McCall maakte een hoofdknikje in de richting van de tas.

'Geeft dat de doorslag?'

'Het maakt de zaak een beetje duidelijker,' zei Rebus. 'Ik denk dat ik hem laat onderzoeken op vingerafdrukken.'

'Ik kan je wel zeggen wat je zult vinden,' zei McCall. 'Die van de overledene en die van deze Charlie.'

'Je vergeet nog iemand.'

'Wie dan?'

'Die van jou, Tony. Jij hebt die camera net opgeraapt, weet je nog?'

'O, sorry. Daar heb ik niet bij nagedacht.'

'Geeft niet.'

'Maar het is wel iets, vind je niet? Iets om te vieren, bedoel ik. Ik weet niet hoe het met jou is, maar ik verga van de honger.'

Toen ze de kamer uitgingen, viel alsnog een van de torenhoge boekenstapels om. De boeken verspreidden zich over de vloer als dominostenen die geschud moesten worden. Rebus deed de deur weer open en keek de kamer in.

'Spoken,' zei McCall. 'Dat is alles. Gewoon spoken.'

Het was niet veel zaaks. Niet wat hij verwacht had. Goed, er stond een potplant in de ene hoek, en voor de ramen hingen zwarte rolgordijnen, en op een redelijk nieuw plastic bureau stond een stoffige tekstverwerker. Het was een woning op de tweede verdieping van een flatgebouw. Een gewone woning, geen ruimte die bedoeld was om te dienen als kantoor, studio of werkplaats. Holmes maakte een ronde door de kamer – het zogenaamde kantoor – terwijl het leuke schoolverlatertje 'zijne hoogheid' ging halen. Zo had ze hem genoemd. Als je personeel geen achting voor je heeft, of niet op z'n minst een op angst gebaseerd ontzag, is er iets mis met je. Toen de deur openging en 'zijne hoogheid' de kamer binnenkwam, was het Holmes in elk geval meteen duidelijk dat er iets mis was met Jimmy Hutton.

Om te beginnen zat hij qua leeftijd aan de verkeerde kant van de vijftig, terwijl het weinige haar dat hij nog bezat in dunne slierten over zijn voorhoofd, bijna tot over zijn ogen was gedrapeerd. Hij droeg een spijkerbroek, een vergissing die lieden die er ten onrechte jeugdig uit willen zien makkelijk maken. En hij was klein van stuk. Een meter vijfenvijftig, zestig hooguit. Nu pas begreep Holmes de ironie van de bijnaam die zijn secretaresse hem had gegeven. Zijne hoogheid, een goede grap.

Hutton had een geërgerde blik op zijn gezicht, maar was toch vanuit de achterkamer, de rommelkamer of welke kamer het dan ook was die dienst deed als zijn studio naar voren gekomen. Hij stak zijn hand uit en Holmes schudde hem.

'Holmes, van de recherche,' stelde hij zich voor. Hutton knikte, haalde een sigaret uit het pakje op het bureau van zijn secretaresse en stak hem aan. Ze fronste demonstratief haar wenkbrauwen om deze handeling, ging weer zitten en trok haar rok glad. Hutton had Holmes nog niet aangekeken. Zijn ogen leken binnenwaarts gekeerd, naar iets wat hem in beslag nam. Hij liep naar het raam, keek naar buiten, boog zijn hoofd achterover en blies een rookpluim in de richting van het hoge, donkere plafond, waarna hij het hoofd liet hangen en tegen de muur leunde.

'Haal eens koffie voor me, Christine.' Even keek hij Holmes aan. 'Wilt u ook?' Holmes schudde zijn hoofd.

'Weet u het zeker?' vroeg Christine vriendelijk terwijl ze weer overeind kwam van haar stoel.

'Okay dan, graag.'

Met een glimlach ging ze de kamer uit om in de keuken of de donkere kamer water op te zetten.

'Zo,' zei Hutton. 'Wat kan ik voor u doen?'

Er was nog iets met de man. Hij had een hoge stem, niet schril of meisjesachtig, gewoon hoog. Een beetje krakend bovendien, alsof hij in zijn jeugd aan zijn stembanden een beschadiging had opgelopen die nooit genezen was.

'U bent de heer Hutton?' Holmes wilde er zeker van zijn dat hij de juiste voor zich had. Hutton knikte.

'Jimmy Hutton, vakfotograaf, om u te dienen. U gaat trouwen en u wilt een reportage met korting?'

'Nee, daar gaat het niet om.'

'Een portretfoto dan? Een foto van een vriendin? Van vader en moeder?'

'Nee, nee, ik ben hier beroepshalve. Van mij uit gezien, bedoel ik.'

'Maar voor mij geen nieuwe business, begrijp ik?' Hutton glimlachte, keek Holmes nog even aan en trok weer aan zijn sigaret. 'Ik zou een mooie portretfoto van u kunnen maken, weet u. Mooie, sterke kin, goede jukbeenderen. Met de juiste belichting...'

'Nee, bedankt. Ik hou er niet van als er plaatjes van me geschoten worden.'

'Ik heb het niet over plaatjes. Ik heb het over kunst.'

'Dat is ook de reden dat ik hier ben.'

'Wat?'

'Kunst. Ik was onder de indruk van een paar foto's van u die ik in de krant heb gezien. Ik vroeg me af of u me zou kunnen helpen.'

'Hoe dan?'

'Het gaat om iemand die vermist wordt.' Holmes was geen geboren leugenaar. Hij kreeg altijd rode oren als hij loog. Geen geboren leugenaar, maar wel een goede. 'Het gaat om een jongeman die Ronnie McGrath heet.'

'De naam zegt me niks.'

'Hij wilde fotograaf worden, daarom dacht ik dat u me misschien zou kunnen helpen.'

'Hoe dan?'

'Ik vroeg me af of hij ooit bij u was geweest. U weet wel, advies vragen en zo. U bent tenslotte een gevestigde fotograaf.' Hij legde het er bijna te dik bovenop. Holmes merkte het, hij zag dat Hutton zich even afvroeg of er een spelletje met hem werd gespeeld. Maar zijn ijdelheid won het uiteindelijk.

'Tja,' zei de fotograaf terwijl hij tegen het bureau leunde, zijn armen over elkaar sloeg en zijn benen kruiste. 'Hoe zag hij eruit, deze Ronnie?'

'Nogal lang. Kort, donkerblond haar. Experimenteerde graag. U kent ze wel, foto's van Edinburgh Castle, Calton Hill...'

'Fotografeert u zelf, inspecteur?'

'Ik ben maar gewoon rechercheur, hoor.' Holmes moest glimlachen om de vergissing. Toen schoot het ineens door hem heen dat Hutton misschien zíjn ijdelheid probeerde te bespelen. 'Maar nee, ik heb nooit veel gefotografeerd. Alleen vakantiekiekjes, dat soort dingen.'

'Wilt u suiker?' vroeg Christine, die haar hoofd om de hoek van de deur stak en weer naar Holmes lachte.

'Nee, bedankt,' zei hij. 'Alleen melk.'

'Doe er voor mij maar een scheutje whisky in, meid,' zei Hutton. Hij knipoogde in de richting van de deur terwijl deze dichtging.

'Klinkt bekend, dat moet ik wel zeggen. Ronnie... Experimentele foto's van Edinburgh Castle. Ja, ja, ik herinner me inderdaad een knaap die hier langskwam. Hij kwam verdomd ongelegen. Ik was bezig een portfolio samen te stellen. Iets waar ik een tijdje mee vooruit kon. Ik moest me er voor de volle honderd procent op concentreren, maar hij kwam steeds langs, vroeg altijd naar me en wilde me voortdurend zijn werk laten zien.' Hutton hief verontschuldigend zijn handen op. 'Ik bedoel, we zijn allemaal jong geweest. Ik wou dat ik hem had kunnen helpen, maar ik had er geen tijd voor. Niet op dat moment tenminste.'

'U hebt niet naar zijn werk gekeken?'

'Nee. Ik had geen tijd, zoals ik al zei. Na een paar weken bleef hij weg.'

'Hoe lang is dat geleden?'

'Een paar maanden. Drie of vier.'

De secretaresse kwam binnen met de koffie. Holmes rook de whiskygeur uit de beker van Hutton en voelde een mengeling van jaloezie en weerzin. Maar goed, het gesprek verliep tenminste naar wens. Even tijd voor een zijpad.

'Bedankt, Christine,' zei hij. Zijn vertrouwelijkheid leek haar plezier te doen. Ze had voor zichzelf niets ingeschonken. Ze ging zitten en stak een sigaret op. Hij overwoog even om zijn hand uit te strekken en haar een vuurtje te geven, maar deed het niet.

'Luister eens,' zei Hutton. 'Ik wil u graag van dienst zijn, maar...'

'U hebt het druk.' Holmes knikte instemmend. 'Ik stel het zeer op prijs dat u me überhaupt hebt willen ontvangen. Maar goed, ik weet ongeveer wat ik weten wilde.' Hij nam een slok van de gloeiend hete koffie, maar durfde die niet terug in de beker te laten vloeien en slikte moeizaam.

'Mooi,' zei Hutton terwijl hij opstond van de rand van het bureau.

'O ja,' zei Holmes. 'Nog één ding. Alleen uit nieuwsgierigheid, hoor. Maar ik vroeg me af of er een kansje was dat ik even uw studio zou mogen zien. Ik ben nog nooit in een echte fotostudio geweest.'

Hutton keek naar Christine, die een glimlach achter haar hand probeerde te verbergen en deed alsof ze een trek nam van haar sigaret.

'Natuurlijk,' zei hij, zelf ook glimlachend. 'Waarom niet? Komt u maar mee.'

De kamer was groot, maar zag er verder wel ongeveer zo uit als Holmes had verwacht, op één belangrijk punt na. Er stonden een stuk of vijf fototoestellen op even zovele statieven. Drie van de vier muren waren bedekt met foto's, en voor de vierde hing een grote zwarte doek, die verdacht veel leek op een beddenlaken. Dat was allemaal heel gewoon. Wat ongewoon was, was dat voor het laken een opstelling gemaakt was voor de serie waar Hutton op dat moment aan werkte, twee grote, losstaande, roze geverfde vormen, met daarvoor, tegen een stoel geleund, een jonge, verveeld kijkende man met zijn armen over elkaar.

Een naakte man.

'Rechercheur Holmes, dit is Arnold,' stelde Hutton de man voor. 'Arnold is model. Daar is toch niks verkeerds aan, hè?'

Holmes staarde de man aan en deed vervolgens zijn best om niet naar hem te kijken. Hij voelde dat hij het warm kreeg. Hij draaide zich naar Hutton.

'Nee, nee, niks aan de hand.'

Hutton liep naar de camera, boog zich voorover en keek door de zoeker. Het toestel was op Arnold gericht, maar niet op zijn hoofd.

'Mannelijk naakt kan van een grote schoonheid zijn,' zei Hutton. 'Er is geen onderwerp zo dankbaar om te fotograferen als het menselijk lichaam.' Hij drukte af, spoelde de film door, drukte nog een keer af en keek toen Holmes aan. Hij glimlachte om diens verlegenheid met de situatie.

'Wat doet u met die...' Holmes zocht naar een betamelijke term. 'Ik bedoel, waar zijn ze voor?'

'Mijn portfolio, dat zei ik toch al. Om aan potentiële klanten te laten zien.'

'Juist, ja.' Holmes knikte ten teken dat hij het had begrepen.

'Ik ben ook kunstenaar, begrijpt u. Niet alleen portretfotograaf.'

'Juist,' zei Holmes nog een keer en hij knikte weer.

'Dat is toch niet bij de wet verboden, hè?'

'Ik dacht van niet.' Hij liep naar het raam, waar zware gordijnen voor hingen, en gluurde door een spleet naar buiten. 'Tenminste niet als je je buren er niet lastig mee valt.'

Hutton lachte. Zelfs op het sombere gezicht van het model verscheen even een grijns.

'Ze staan ervoor in de rij,' zei Hutton terwijl hij naar het raam kwam en naar buiten gluurde. 'Daarom heb ik die gordijnen laten ophangen. Viezeriken zijn het. Vrouwen én mannen verdrongen zich daar voor het raam.' Hij wees naar een raam op de bovenste verdieping van de flat aan de overkant. 'Maar ik had ze een keer te pakken. Toen heb ik met de motordrive een aantal foto's van ze gemaakt. Dat vonden ze niet leuk.' Hij keerde zich van het raam af.

Holmes liet zijn blik langs de muren gaan, wees af en toe een foto aan en knikte goedkeurend naar Hutton, die op een gegeven moment naar hem toe kwam en opmerkingen begon te maken over het perspectief in sommige foto's en de trucs die hij had gebruikt.

'Die is goed,' zei Holmes terwijl hij een foto van Edinburgh Castle in de mist aanwees. Hij was bijna identiek aan de foto die hij in de krant had gezien, een tweelingbroertje van de foto in Ronnies kamer. Hutton haalde zijn schouders op.

'Dat is niks,' zei hij terwijl hij zijn hand op Holmes' schouder legde. 'Hier, moet u mijn naaktfoto's eens zien.'

In een hoek van de kamer was een serie zwart-witfoto's van achttien bij vierentwintig aan de muur geprikt. Mannen en vrouwen, niet allemaal even jong of mooi. Maar niet slecht. Artistiek zelfs, meende Holmes.

'Dit is topkwaliteit,' zei Hutton.

'Topkwaliteit of gewoon heel smaakvol?' Holmes deed zijn best om zijn opmerking niet negatief te laten klinken, maar Hutton was meteen zijn goede humeur kwijt. Hij liep naar een grote ladekast, trok de onderste la open, pakte er met beide handen een stapel foto's uit en gooide die op de grond.

'Kijk dan,' zei hij. 'Het is geen porno. Het is helemaal niet smerig of weerzinwekkend of obsceen. Het zijn lichamen. Lichamen van mensen die voor mij geposeerd hebben.'

Holmes bleef voor de foto's op de grond staan zonder er ogenschijnlijk aandacht aan te besteden.

'Het spijt me,' zei hij. 'Het was niet mijn bedoeling om...'

'Laat maar zitten.' Hutton draaide zich om, zodat zijn gezicht naar het model was gekeerd. Hij wreef in zijn ogen. Zijn schouders hingen. 'Ik ben moe. Sorry dat ik zo uitviel, maar ik ben gewoon moe.'

Holmes keek over Huttons schouder naar Arnold, bukte zich, raapte een foto uit de over de vloer verspreid liggende verzameling en stak die in zijn zak. Omdat het niet anders kon, had hij het heel openlijk gedaan. Arnold had het natuurlijk gezien, en Holmes had nog net de tijd om samenzweerderig naar hem te knipogen voordat Hutton zich weer omdraaide en hem aankeek.

'De mensen denken dat het makkelijk is, gewoon de hele dag foto's nemen,' zei Hutton. Holmes waagde de gok en keek over zijn schouder, en zag toen dat Arnold vermanend zijn vinger naar hem opstak. Hij glimlachte er echter breeduit bij. Hij zou hem niet verraden. 'Maar je denkt er voortdurend over na,' vervolgde Hutton. 'Iedere minuut van de dag ben je ermee bezig. Iedere keer als je ergens naar kijkt, iedere keer als je je ogen gebruikt. Alles is materiaal voor je, begrijpt u?'

Holmes had geen zin om langer te blijven en was naar de deur gelopen.

'Ja. Nou, ik ga maar eens. Dan kunt u weer aan het werk,' zei hij.

'Ja, ja,' zei Hutton, alsof hij uit een droom ontwaakte. 'Goed.'

'Bedankt voor alle medewerking.'

'Graag gedaan.'

'Dag, Arnold,' riep Holmes nog, en hij trok toen de deur achter zich dicht.

'Kom, we gaan weer aan het werk,' zei Hutton. Hij keek naar de foto's op de vloer. 'Help me eens even deze op te ruimen, Arnold.'

'Je zegt het maar, jij bent de baas.'

'Best een aardige kerel voor een smeris,' zei Hutton terwijl ze de foto's van de grond raapten en weer in de la legden.

'Ja,' zei Arnold, die met zijn handen vol foto's naakt midden in de kamer stond. 'Hij is tenminste geen lid van de smoezelige regenjassenbrigade.'

Hutton vroeg nog wat hij daarmee bedoelde, maar Arnold haalde alleen zijn schouders op. Het ging hem tenslotte niet aan. Toch spijtig dat de politieman meer belangstelling had voor vrouwen. Jammer van zo'n knappe man.

Holmes bleef buiten even staan. Om de een of andere reden beefde hij, alsof ergens in zijn binnenste een motortje was aangeslagen. Hij bracht zijn hand naar zijn borst. Een kleine hartritmestoornis, meer niet. Dat had iedereen toch weleens? Hij voelde zich net een kleine crimineel. Misschien was dat ook wel terecht, bedacht hij. Hij had iets van iemand afgenomen zonder dat die persoon dat wist of er toestemming voor had gegeven. Was dat geen diefstal? Als kind had hij weleens uit winkels gestolen, maar toen had hij het gestolene altijd weggegooid. Ach, alle kinderen deden dat, ja toch?... Ja, toch?

Hij haalde de foto die hij zojuist had gepikt uit zijn zak. Hij was nu enigszins omgekruld, maar hij streek hem tussen zijn handen plat. Een vrouw die achter een kinderwagen langsliep, keek even naar de foto, wierp hem een minachtende blik toe en haastte zich verder. Het is in orde, hoor, mevrouw; ik ben van de politie. Hij moest glimlachen bij de gedachte en bestudeerde de naaktfoto nog eens. Het was soft porno, op zijn hoogst. Een jonge vrouw strekte haar armen uit op een zijden of satijnen doek. Ze lag met haar benen gespreid en was van bovenaf gefotografeerd. Haar mond stond een beetje open en ze trok op amateuristische wijze een pruillipje. In gespeelde extase had ze haar ogen tot spleetjes toegeknepen. Dat was allemaal niet zo bijzonder. Van meer belang was de identiteit van het model.

Holmes was er namelijk zeker van dat het Tracy was, van wie hij uit het kraakpand al een foto had. Het meisje van wie hij meer te weten wilde komen. De vriendin van de overledene. Voor de camera, bloot, helemaal niet verlegen. Ze leek het nog leuk te vinden ook.

Waarom ging hij steeds terug naar het huis? Rebus wist het niet. Hij knipte zijn zaklantaarn aan en bekeek Charlies muurschildering nog eens, probeerde na te gaan wat er in de geest van de maker was omgegaan. Maar waarom zou hij eigenlijk de moeite nemen te proberen een stuk wrakhout als Charlie te begrijpen? Misschien vanwege het gevoel dat hem niet losliet dat hij wezenlijk bij de zaak betrokken was.

'De zaak? Welke zaak?'

Zo, nu had hij het eindelijk eens hardop uitgesproken. Welke zaak? Er was geen 'zaak', althans niet in de zin waarin de rechtbank de term zou opvatten. Er was sprake van personen, wandaden, vragen zonder antwoord. Van onrechtmatigheden zelfs. Maar een zaak was er niet. Dat was het ergerlijke. Was er maar een zaak, iets met voldoende structuur, iets tastbaars waaraan hij zich kon vastklampen, desnoods een paar notities die hij kon laten zien en waarvan hij kon zeggen, hier, kijk maar. Maar dat had hij niet. Het was allemaal zo ongrijpbaar als kaarsvet. Maar kaarsvet liet vlekken achter, nietwaar? En het was toch ook zo dat niets ooit helemaal verdween? De dingen veranderden van vorm, van structuur, van betekenis. Een vijfpuntige ster met twee concentrische cirkels eromheen stelde op zich niks voor. Rebus had er hooguit associaties bij aan een blikken sheriffsinsigne uit zijn kindertijd. De orde handhaven in Texas, de staat van de blikken insignes, met een klapperpistool in zijn plastic holster.

Maar voor anderen was het het kwaad zelf.

Hij keerde de schildering de rug toe, dacht eraan terug hoe trots hij was geweest op zijn insigne en liep naar boven. Hij liep langs de plek waar de dasklem had gelegen, ging Ronnies kamer in, liep naar het raam en gluurde door een spleet in het houten schot voor het raam naar buiten. De auto stond nu stil, niet ver van zijn eigen auto. De auto die hem vanaf het station had gevolgd. De auto die hij meteen had herkend als de Ford Escort die bij hem thuis voor de deur had gestaan en zo snel was weggereden. Nu stond hij hier, naast de uitgebrande Cortina. Hij was hier. De bestuurder was hier. In de auto zat niemand.

Hij hoorde de vloer één enkele keer kraken en begreep dat de man zich achter hem moest bevinden.

'U bent hier zeker vaak geweest,' zei hij. 'U weet de krakende plekken tenminste goed te vermijden.'

Hij keerde zich om en richtte de zaklantaarn op het gezicht van een jongeman met kortgeknipt, donker haar. De man schermde zijn ogen af van het licht. Rebus liet de lichtbundel zakken.

De jongeman droeg het uniform van een politieagent.

'Jij bent zeker Neil,' zei Rebus kalm. 'Of wil je liever Neilly genoemd worden?'

Hij richtte de zaklantaarn op de vloer. Op die manier was er voldoende licht om hem te zien en zelf gezien te worden. De jongeman knikte.

'Neil. Alleen mijn vrienden noemen me Neilly.'

'En ik ben geen vriend van jou,' knikte Rebus de jongeman toe.

'Maar Ronnie wel, hè?'

'Hij was meer dan een vriend, inspecteur Rebus,' zei de agent terwijl hij de kamer in liep. 'Hij was mijn broer.'

Er was in Ronnies kamer geen plek om te zitten, maar dat was niet erg want ze konden het toch geen van beiden opbrengen om langer dan twee seconden achter elkaar stil te zitten. Ze waren allebei onrustig: Neil omdat hij zijn verhaal graag kwijt wilde, Rebus omdat hij het graag wilde horen. Rebus had de ruimte voor het raam als zijn territorium gekozen en beende ervoor heen en weer, zonder overigens die indruk te wekken. Hij had zijn hoofd gebogen en hield af en toe stil om des te geconcentreerder naar Neil te kunnen luisteren. Neil was in de deuropening blijven staan, bewoog de deur heen en weer en probeerde vast te stellen wat de positie was waarin de hengsels begonnen te kraken, waarna hij hem langzaam naar zich toe trok of van zich af duwde om het geluid des te doordringender te laten klinken. Het licht van de zaklantaarn paste goed bij de sfeer. Het wierp flakkerende schaduwen en silhouetten van de hoofden van de mannen op de muren, van de spreker zowel als van de luisteraar.

'Natuurlijk wist ik waar hij zich mee bezighield,' zei Neil. 'Hij was wel ouder dan ik, maar ik wist altijd meer van hem dan hij van mij. Ik wist hoe hij dacht, bedoel ik.'

'Dus je wist dat hij een junkie was?'

'Ik wist dat hij drugs gebruikte. Hij is ermee begonnen toen hij nog op school zat. Hij is één keer gepakt en is toen bijna van school gestuurd. Na drie maanden hebben ze hem weer toegelaten, zodat hij toch examen kon doen. Hij is overal voor geslaagd. Dat kan ik van mezelf niet zeggen.'

Ja, dacht Rebus, als je iemand bewondert, zie je soms veel door de vingers...

'Na het examen is hij ervandoor gegaan. We hoorden maandenlang niets van hem. Mijn pa en ma werden er bijna gek van. En toen hebben ze voor zichzelf de knop omgedraaid en hem opgegeven. Het was alsof hij nooit had bestaan. Ik mocht thuis zijn naam niet eens meer noemen.'

'Maar hij nam contact op met jou?'

'Ja. Hij heeft me via een vriend van me een brief geschreven. Slim van hem. Daardoor kreeg ik de brief zonder dat pa en ma ervan wisten. Hij schreef dat hij naar Edinburgh was gegaan. Dat het hem daar beter beviel dan in Stirling. Dat hij een baan had en een vriendin. Dat was alles. Geen adres, geen telefoonnummer.'

'Heeft hij vaker geschreven?'

'Af en toe. Veel leugens. Hij maakte de zaken mooier dan ze waren. Hij schreef dat hij zich pas weer in Stirling wilde laten zien als hij een Porsche en een eigen flat had, om zich tegenover pa en ma te bewijzen. Daarna is hij opgehouden met schrijven. Ik ben van school gegaan en bij de politie gekomen.'

'En naar Edinburgh gegaan?'

'Niet meteen. Pas later, ja.'

'Met de bedoeling hem terug te vinden?'

Neil glimlachte.

'Nee, helemaal niet. Ik dacht niet meer zo vaak aan hem. Ik moest aan mezelf denken.'

'Wat is er toen gebeurd?'

'Ik heb hem een keer gesnapt. Op een nacht, toen ik mijn normale ronde deed.'

'Waar is je normale ronde eigenlijk?'

'Ik zit in Musselburgh.'

'Musselburgh? Niet bepaald naast de deur. Maar wat bedoel je met "gesnapt"?'

'Nou, echt gesnapt niet, want hij deed eigenlijk niets. Maar hij was zo stoned als wat en was ook in elkaar geslagen.'

'Heeft hij je verteld wat er was gebeurd?'

'Nee, maar dat kon ik wel raden.'

'Wat dan?'

'Als boksbal gefungeerd voor een of andere ruigpoot op Calton Hill.'

'Gek, daar had iemand anders het ook al over.'

'Die dingen gebeuren. Het is snel verdiend als het je niks kan schelen.'

'En Ronnie kon het niks schelen?'

'Soms wel. Maar andere keren... Ik weet het niet, misschien wist ik toch niet zo goed wat er in hem omging als ik dacht.'

'En vanaf die tijd ben je regelmatig bij hem langsgegaan?'

'Die eerste nacht heb ik hem naar huis moeten brengen. De volgende dag ben ik weer bij hem langsgegaan. Hij was verbaasd om me te zien, kon zich niet eens herinneren dat ik hem de nacht daarvoor thuis had gebracht.'

'Heb je geprobeerd hem van de drugs af te helpen?'

Neil zweeg. De deur kraakte in zijn hengsels.

'In het begin wel,' zei hij ten slotte. 'Maar het leek alsof hij het goed in de hand had. Ik weet dat het idioot klinkt nu ik net heb verteld in wat voor een situatie ik hem de eerste keer had aangetroffen, maar het was tenslotte zíjn keuze. Dat zei hij ook steeds tegen me.'

'Wat vond hij ervan dat zijn broer bij de politie zat?'

'Hij vond het grappig. Maar ik moet wel zeggen dat ik hier nooit in uniform naartoe ben gekomen.'

'Vanavond voor het eerst.'

'Juist. Maar goed, het is waar, ik ben hier een paar keer op bezoek geweest. Meestal gingen we hier boven zitten. Hij wilde niet dat de anderen me zagen. Hij was bang dat ze er lucht van zouden krijgen dat ik een smeris was.'

Nu was het Rebus' beurt om te glimlachen. 'Je hebt Tracy toch niet gevolgd, hè?'

'Wie is Tracy?'

'Ronnies vriendin. Ze kwam gisteravond ineens bij mij langs. Ze werd gevolgd door een paar mannen.'

Neil schudde zijn hoofd. 'Niet door mij.'

'Maar je stond gisteravond wel bij mij voor de deur?'

'Ja.'

'En je bent hier geweest op de avond dat Ronnie stierf.' Het was hard, maar het kon niet anders. Neil liet de deurknop los, zweeg twintig of dertig seconden lang en haalde toen diep adem.

'Een tijdje wel, ja. Dat klopt.'

'En je hebt dit hier achtergelaten.' Rebus haalde de glimmende dasklem te voorschijn. Neil zag hem niet goed in het licht van de zaklantaarn, maar dat was ook niet echt nodig. Hij kon wel raden wat het was.

'Mijn dasklem? Ik vroeg me al af waar hij was. Mijn das was die dag losgeraakt. Ik had hem in mijn zak.'

Rebus was niet van plan hem de klem te geven en stopte hem weer in zijn zak. Neil knikte begrijpend.

'Waarom ben je me gaan volgen?'

'Ik wilde met u praten. Ik kon alleen de moed niet opbrengen.'

'Je wilde niet dat je ouders te weten zouden komen dat Ronnie dood is?'

'Nee. Ik dacht dat het u misschien niet zou lukken te achterhalen wie hij was, maar zo liep het niet. Ik weet niet hoe het bij mijn pa en ma aan zal komen. Ik denk dat ze er in het ergste geval blij om zullen zijn, omdat ze dan zullen denken dat ze het altijd al geweten hadden, dat ze gelijk hebben gehad om zich verder niet meer om hem te bekommeren.'

'En in het beste geval?'

'Het beste geval?' Neil keek in het halfduister of hij Rebus' ogen kon zien. 'Het beste geval bestaat niet.'

'Nee, dat kan ik me indenken,' zei Rebus. 'Toch moet iemand het hun vertellen.'

'Ik weet het. Dat heb ik me steeds gerealiseerd.'

'Waarom mij dan achtervolgen?'

'Omdat u dichter bij Ronnie staat dan ik. Ik weet niet waarom u zo in hem geïnteresseerd bent, maar het is wel duidelijk dat u het bent. En dat interesseert mij weer. Ik wil graag dat u degene opspoort die hem dat vergif heeft verkocht.'

'Dat ben ik ook zeker van plan, jongen. Maak je geen zorgen.'

'Ik wil daarbij helpen.'

'Dat is de eerste domme opmerking die je maakt, maar dat is helemaal niet slecht voor een agent. Waar het op neerkomt, Neil, is dat ik alleen maar vreselijke last van je zou hebben. Ik heb op het ogenblik alle hulp die ik maar kan wensen.'

'Dan wordt het een rotzooitje, bedoelt u?'

'Die kans is er.' Rebus besloot dat de biecht ten einde was, dat er verder weinig te zeggen viel. Hij ging bij het raam weg en liep naar de deur, waar hij voor Neil bleef staan. 'Ik heb al meer last van je gehad dan me lief is. Weet je wat voor effect je daarmee op me hebt?'

'Nee. Wat voor effect dan?'

'Als een rode lap op een stier, jongen. Als een rode lap op een stier.'

Van beneden klonk gerucht. Iemand stapte op een krakend vloerdeel. Altijd te prefereren boven een infraroodalarm. Rebus knipte de zaklantaarn uit.

'Blijf hier,' fluisterde hij. Toen liep hij naar de trap en riep naar beneden: 'Wie is daar?' Onder hem verscheen een donkere figuur. Hij knipte de zaklantaarn aan en scheen daarmee Tony McCall in zijn knipperende ogen.

'Jezus, Tony.' Rebus begon de trap af te lopen. 'Wat laat je me schrikken.'

'Ik wist wel dat ik je hier kon vinden,' zei McCall. 'Ik wist het.' Zijn stem klonk nasaal. Rebus bedacht dat McCall, sinds ze een uur of drie daarvoor uit elkaar gingen, waarschijnlijk gewoon doorgedronken had. Midden op de trap bleef hij staan, draaide zich toen om en liep weer naar boven.

'Waar ga je nou weer heen?' vroeg McCall.

'Even de deur dichtdoen,' zei Rebus terwijl hij de deur van de kamer waar Neil nog was dichtdeed. 'En de spoken hoeven toch geen kou te vatten, hè?'

McCall grinnikte terwijl Rebus de trap weer afliep.

'Ik dacht dat we misschien nog een slokje konden gaan drinken,' zei hij. 'En dan bedoel ik niet van die alcoholvrije troep.'

'Een goed idee,' zei Rebus terwijl hij McCall door de voordeur naar buiten loodste. 'Laten we dat doen.' Hij deed de deur achter zich op slot in het vertrouwen dat Ronnies broer wel op de hoogte zou zijn van de vele makkelijke manieren om het huis in en uit te gaan. Iedereen scheen die tenminste te kennen.

Iedereen.

'Waar gaan we heen?' vroeg Rebus. 'Ik hoop wel dat je niet met de auto bent, Tony.'

'Ik heb me hier door een politieauto laten afzetten.'

'Mooi. Dan nemen we mijn auto.'

'We zouden naar Leith kunnen rijden.'

'Nee, ik zit liever een beetje centraal. Er zijn een paar goede cafés aan Regent Road.'

'Bij Calton Hill?' McCall keek verbaasd. 'Jezus, John. Ik kan me wel betere lokalen voorstellen om een neut te pakken.'

'Ik niet,' zei Rebus. 'Kom op.'

Nell Stapleton was de vriendin van Holmes. Holmes had altijd een voorkeur gehad voor lange vrouwen, een fixatie die hij toeschreef aan het feit dat zijn moeder een meter tachtig lang was geweest. Nell was nog een centimeter of twee langer dan de moeder van Holmes, maar toch hield hij van haar. Nell was intelligenter dan Holmes. Of, zoals hij het zelf liever stelde, ze overtroffen elkaar in intelligentie op verschillende terreinen. Als Nell haar dag had, had ze het cryptogram in de *Guardian* binnen een kwartier opgelost. Ze had daarentegen moeite met rekenen en ze kon geen namen onthouden, dingen waar Holmes wel goed in was. Men zei dat ze bij elkaar pasten, dat ze zich in elkaars gezelschap op hun gemak voelden, en zo was het waarschijnlijk ook. Ze voelden zich lekker bij elkaar en hielden dat zo door zich aan een paar eenvoudige regels te houden, te weten: geen gepraat over trouwen, niet denken aan kinderen krijgen, niet zinspelen op samenwonen, en beslist niet vreemdgaan.

Nell werkte als bibliothecaresse bij de universiteit van Edinburgh, een roeping die Holmes goed uitkwam. Die dag had hij haar bijvoorbeeld gevraagd een paar boeken over occultisme voor hem op te zoeken. Ze had meer gedaan, ze had zelfs een paar dissertaties over het onderwerp opgezocht, die hij ter plaatse kon raadplegen als hij wilde. Ze had ook een officiële bibliografie over relevante literatuur gevonden, die ze hem die avond in het café overhandigde waar ze hadden afgesproken.

Het aantal bezoekers in de Bridge of Sighs was op dat moment, midden in de week en midden op de avond, op een dieptepunt, zoals in de meeste cafés in de stad. De leden van de één-glaasje-na-het-werkbrigade waren met hun jasjes over de arm richting huis vertrokken, terwijl het langzaam weer tot leven komende vaste publiek van de late avond de bus nog moesten nemen om de stad in te gaan. Nell en Holmes zaten aan een tafeltje in een hoek, uit de buurt van de videospelletjes, maar iets te dicht bij de luidsprekers van de geluidsinstallatie. Holmes, die bij de bar stond om voor zichzelf nog een biertje en voor Nell een sinaasappelsap met Perrier te bestellen, vroeg of het geluid wat zachter gezet kon worden.

'Sorry, dat kan niet. De gasten willen het graag zo.'

'Maar wij zijn toch gasten,' zei Holmes, die zich niet wilde laten afschepen.

'Dat moet u maar aan de baas vragen.'

'Okay.'

'Hij is er nog niet.'

Holmes keek het barmeisje kwaad aan, liep terug naar zijn tafeltje, maar bleef stilstaan toen hij zag wat Nell deed. Ze had zijn aktetas opengemaakt en zat de foto van Tracy te bekijken.

'Wie is dat?' vroeg Nell terwijl ze de tas dichtdeed en hij de consumpties op tafel zette.

'Ze is betrokken bij een zaak waar ik aan werk,' zei hij ijzig terwijl hij ging zitten. 'Wie heeft er gezegd dat je mijn tas open mocht maken?'

'Regel zeven, Brian. Geen geheimen voor elkaar.'

'Ja, maar toch...'

'Ze is wel mooi, hè?'

'Wat? Ik heb er echt niet...'

'Ik heb haar weleens op de universiteit gezien.'

Zijn belangstelling was ineens gewekt. 'O ja?'

'Ja. In de koffiekamer van de bibliotheek. Ik herinner me haar omdat ik vond dat ze er iets ouder uitzag dan de andere studenten met wie ze omging.'

'Studeert ze dan?'

'Dat hoeft niet. De koffiekamer is voor iedereen toegankelijk. In de bibliotheek zelf komen alleen studenten, maar ik kan me niet herinneren dat ik haar daar ooit heb gezien. Alleen in de koffiekamer. Wat heeft ze eigenlijk gedaan?'

'Niets, voorzover ik weet.'

'Waarom heb je dan een naaktfoto van haar in je tas?'

'Dat heeft te maken met iets wat ik voor inspecteur Rebus doe.'

'Je verzamelt naaktfoto's voor hem?'

Ze begon te glimlachen, en ook hij glimlachte. Maar die glimlach verdween op slag toen hij Rebus en McCall het café binnen zag komen. Ze lachten om een grap die een van hen had gemaakt en liepen op de bar af. Holmes wilde niet dat Rebus en Nell elkaar zouden ontmoeten. Hij deed zijn uiterste best om zijn werk bij de politie gescheiden te houden van zijn leven met haar – afgezien van diensten die ze hem bewees als de levering van de boekenlijst over occultisme. Hij was ook van plan om geen ruchtbaarheid te geven aan zijn relatie met Nell, zodat hij snel over een boekenlijst kon beschikken, mocht Rebus er ooit om vragen.

Nu zag het ernaar uit dat Rebus de hele boel in de war zou schoppen. En er was nog iets, hij had nog een reden om niet te willen dat Rebus naar hun tafeltje zou stappen. Hij was bang dat Rebus weer over schoenzolen zou beginnen.

Hij keek niet op toen Rebus met één enkele hoofdbeweging het hele café in zich opnam en voelde zich opgelucht toen de twee politieofficieren met hun glazen naar de pooltafel achter in de zaak liepen, waar ze onenigheid kregen over de vraag wie de twee voor het spel benodigde twintigpence-munten diende te leveren.

'Wat is er?'

Nell keek hem aan, en om dat te kunnen doen, hield ze haar hoofd tegen de tafel aan.

'Niets.' Hij schermde zijn gezicht af van de rest van de zaak en keek haar aan. 'Heb je honger?'

'Ja, ik geloof van wel.'

'Mooi. Ik ook.'

'Ik dacht dat je zei dat je al gegeten had?'

'Niet voldoende. Kom mee, dan gaan we naar de Indiër. Ik trakteer.'

'Mag ik even mijn glas leegdrinken?' Ze deed het in drie slokken, waarna ze samen de zaak verlieten en de deur achter hun rug zachtjes dicht lieten vallen.

'Kruis of munt?' vroeg Rebus aan McCall terwijl hij een muntje opwierp.

'Munt.'

Rebus keek welke kant boven lag. 'Het is munt. Jij mag beginnen.'

Terwijl McCall zich vooroverboog, zijn keu op de in een driehoek aan de andere kant van de tafel verzamelde ballen richtte en daarbij één oog dichtkneep, keek Rebus naar de deur van het café. Moest kunnen, dacht hij. Holmes had geen dienst, en bovendien had hij een meisje bij zich. Dat zouden wel zijn redenen zijn geweest om zijn superieur te negeren. En misschien was hij weinig opgeschoten en had hij niets te melden. Ook voorstelbaar. Maar Rebus kon zich niet aan het gevoel onttrekken dat zijn handelwijze iets agressiefs had gehad. Hij had Holmes eerder op de dag de oren gewassen, en nu was Holmes chagrijnig.

'Jouw beurt, John,' zei McCall, die de ballen op tafel uit elkaar had gespeeld, maar geen bal in een van de pockets had geschoten. 'Ik kom eraan, Tony,' zei Rebus terwijl hij zijn keu krijtte. 'Ik kom eraan.'

McCall kwam naast Rebus staan terwijl hij aanlegde.

'Dit is vast de enige heterokroeg in de hele straat,' zei hij zachtjes.

'Je bent toch geen homohater, Tony?'

'Begrijp me niet verkeerd, John,' zei McCall terwijl hij zijn rug rechtte en keek hoe de bal waarop Rebus had gericht de pocket miste. 'Ik bedoel, ieder het zijne en zo. Maar sommige van die cafés en clubs...'

'Je schijnt er meer van te weten.'

'Nee, niet echt. Ik heb het alleen van horen zeggen.'

'Van wie?'

McCall schoot een gestreepte bal in een van de pockets, en toen nog een. 'Kom nou, John. Jij kent Edinburgh net zo goed als ik. Iedereen kent de homoscene hier.'

'Het is net wat je zegt, Tony: ieder het zijne.' In gedachten hoorde Rebus ineens een stem. *Jij bent de broer die ik nooit heb gehad.* Nee, nee, daar wilde hij niet aan denken. Daar had hij vaak genoeg aan teruggedacht. McCall miste zijn bal, en Rebus liep weer naar de tafel.

'Hoe kan het eigenlijk dat jij zoveel drinkt en toch zo goed speelt?' vroeg hij.

McCall grinnikte. 'Ik beef niet zo als ik drink,' zei hij. 'Dus drink je glas leeg, dan haal ik een rondje.'

James Carew vond dat hij het had verdiend. Hij had een groot huis aan de rand van Edinburgh verkocht aan de financieel directeur van een bedrijf dat zich pas in Schotland had gevestigd en een ander huis aan een architectenechtpaar – Schotten van geboorte, en nu terugkerend vanuit Sevenoaks in Kent – en bovendien had hij een beter bod gekregen op een landgoed van enkele hectaren in de Borders. Een goede dag. Zeker geen topdag, maar toch een dag dat er iets te vieren was.

Carew bezat een pied-à-terre in een van de mooiste achttiende-eeuwse buurten van New Town en een boerderij met een lap grond op het eiland Skye. Het waren goede tijden voor hem. Bedrijven uit Londen trokken en masse naar het noorden, leek het wel, en de nieuwkomers bulkten van het geld dat ze in het zuidoosten van het land voor hun huizen hadden gekregen. Nu wilden ze iets groters, en daarvoor waren ze graag bereid te betalen.

Hij verliet zijn kantoor aan George Street om halfzeven en ging op weg naar zijn split-levelflat. Flat? Dat leek nauwelijks het goede woord ervoor. Het was een woning met vijf slaapkamers, een woonkamer, een eetkamer, twee badkamers, een van alle gemakken voorziene keuken, kasten ter grootte van een eenkamerwoning in Hammersmith... Carew was de juiste man op de juiste plek, en op het juiste moment bovendien. Dit was een jaar dat hij moest uitbuiten, een uniek jaar. In de grote slaapkamer trok hij zijn pak uit, nam een douche en trok iets aan wat gemakkelijker zat maar evengoed getuigde van zijn welstand. Hij was naar huis gelopen, maar die avond zou hij de auto nodig hebben, en deze stond in een garage aan de achterkant van zijn huis. De sleutels hingen op hun plaats aan het haakje in de keuken. Was hij zich met de aankoop van de Jaguar te buiten gegaan? Hij glimlachte terwijl hij zijn voordeur op slot deed en naar buiten ging. Misschien wel. Ach, de lijst van dingen waaraan hij zich te buiten ging was lang, en werd nog steeds langer.

Rebus wachtte in het gezelschap van McCall totdat de taxi er was. Hij gaf de chauffeur McCalls adres en keek de auto na toen hij wegreed. Verdomme, hij voelde zich ook een beetje aangeschoten. Hij ging het café weer in en liep naar de wc's. Het was inmiddels wat drukker geworden aan de bar en de jukebox stond harder. Het aantal barkeepers was uitgebreid van één naar drie, en ze moesten hard werken om alles bij te kunnen benen. De toiletruimte was een koel, betegeld toevluchtsoord, waar geen zware walm van sigarettenrook hing zoals in het café. Rebus snoof een geur van dennennaalden op toen hij zich over een van de wasbakken boog. Met twee vingers tastte hij naar zijn amandelen, liet ze achter in de keel even rusten, en begon toen te kokhalzen. Hij spuugde een biertje uit, en toen nog een. Hij voelde zich meteen al iets beter en haalde diep adem. Toen spoelde hij zijn gezicht goed af met koud water en droogde zich met een handvol papieren handdoekjes.

'Voelt u zich wel goed?' Er klonk geen echte sympathie in de stem. De spreker was de heren-wc binnengekomen en liep naar het dichtstbijzijnde urinoir.

'Beter dan ooit,' zei Rebus.

'Mooi zo.'

Mooi? Dat viel nog te bezien, maar zijn hoofd voelde in elk geval helderder aan, en de wereld om hem heen was scherper afgetekend. Hij betwijfelde zelfs of hij door de mand zou vallen als hij moest blazen, en dat was maar goed ook, want hij ging nu op weg naar zijn auto, die aan de donkere kant van de straat geparkeerd stond. Hij vroeg zich nog steeds af hoe Tony McCall, die met vijf of zes halve liters op behoorlijk wankel op de benen had gestaan, toch met een scherp oog en een vaste hand pool had kunnen spelen. De man was uniek. Hij had Rebus zes spellen achter elkaar verslagen. En Rebus had zijn best gedaan. Tegen het einde had hij écht zijn best gedaan. Het was tenslotte geen gezicht: een man die nauwelijks op zijn benen kon staan, maar de ballen achter elkaar in de pockets schoot en triomf na triomf vierde. Het was geen gezicht geweest. En het gaf een rotgevoel.

Het was elf uur, misschien nog aan de vroege kant. In zijn auto gunde hij zich een sigaretje voordat hij wegreed. Hij had het raampje opengedraaid en luisterde naar de geluiden om zich heen. De eerlijke geluiden van de late avond: het verkeer, luide stemmen, gelach, geklepper van schoenen op de keien. Eén sigaretje, meer niet. Toen startte hij de auto en legde langzaam de afstand van ongeveer een kilometer af naar zijn plaats van bestemming. De hemel was nog niet helemaal donker, typisch een zomeravond in Edinburgh. Als je nog verder naar het noorden ging, werd het in deze tijd van het jaar nooit echt helemaal donker, bedacht hij.

Maar de nacht kon op andere manieren ook donker zijn.

De eerste zag hij op het trottoir voor het gebouw van de Scottish Assembly staan. Er viel geen reden te bedenken voor de aanwezigheid van de knaap op die plek. Het was geen tijdstip om met je vrienden af te spreken, en de dichtstbijzijnde bushalte was honderd meter verderop bij Waterloo Place. De jongen stond met één voet opgetrokken tegen een muur geleund te roken. Hij keek naar Rebus toen deze langzaam voorbijreed en boog zich zelfs enigszins voorover om in de auto te kunnen kijken, alsof hij de bestuurder goed wilde kunnen zien. Rebus dacht even dat hij hem zag glimlachen, maar dat wist hij niet zeker. Verderop keerde hij en reed terug. Een andere auto had stilgehouden bij de jongen, en er werd een gesprek gevoerd. Rebus reed door. Aan zijn kant van de straat stonden voor het gebouw van de Scottish Assembly twee jongens met elkaar te praten. Even verderop, voor de ingang van de begraafplaats op Calton Hill, stonden drie auto's achter elkaar geparkeerd. Rebus reed nog een keer heen en weer, zette toen zijn auto bij de andere en stapte uit.

De nachtlucht was fris. Er waren geen wolken. Er stond een zacht briesje, meer niet. De knaap die voor het gebouw van de Assembly had gestaan, was ingestapt en vertrokken. Nu stond er niemand. Rebus stak over, bleef bij de muur staan en wachtte. Af en toe passeerde er een auto, de bestuurders draaiden hun hoofd en keken naar hem. Maar niemand stopte. Hij probeerde de kentekens te onthouden, al wist hij niet goed waarom.

'Hebt u een vuurtje voor me?'

De knaap was nog jong, hooguit achttien of negentien. Hij droeg jeans, sportschoenen, een vormloos T-shirtje en een spijkerjasje. Zijn haar was gemillimeterd en zijn gezicht was gladgeschoren, maar zat onder de littekens van puistjes. In zijn linkeroor had hij twee gouden ringen.

'Bedankt,' zei hij toen Rebus hem een doosje lucifers aanreikte. En met een geamuseerde blik op Rebus, voordat hij de sigaret aanstak: 'Valt er nog wat te beleven?'

'Niet veel,' zei Rebus terwijl hij het doosje weer aannam. De jongeman blies rook uit door zijn neus. Hij leek niet van plan om door te lopen. Rebus vroeg zich af of er een bepaalde gedragscode was waaraan hij zich zou moeten houden. Hij had een dun overhemd aan en had kippenvel, maar desondanks had hij een klam gevoel.

'Nee, er gebeurt hier eigenlijk nooit wat. Heb je zin om wat te gaan drinken?'

'Op dit tijdstip? Waar dan?'

De jongeman knikte vaag voor zich uit. 'Op de begraafplaats. Daar is altijd wel een borrel te krijgen.'

'Nee. Maar evengoed bedankt.' Rebus merkte tot zijn verbijstering dat hij bloosde. Hij hoopte dat het in het licht van de straatlantaarns niet zichtbaar zou zijn.

'Ook goed. Tot ziens dan maar.' De jongeman liep weg.

'En bedankt voor het vuurtje.'

Rebus keek hem na. Hij slenterde langzaam en zelfbewust verder, draaide zich af en toe om als er een auto naderde. Ongeveer honderd meter verderop stak hij de straat over en liep terug. Aan Rebus besteedde hij geen aandacht, hij dacht aan andere dingen. Het viel Rebus op dat de jongen een trieste en eenzame indruk maakte; hij was zeker geen misdadiger. Maar ook geen slachtoffer.

Rebus wierp een blik op de muur van de begraafplaats, die slechts onderbroken werd door het toegangshek. Hij had zijn dochter er weleens mee naartoe genomen om haar de graven van beroemdheden te laten zien – de filosoof David Hume, de uitgever Constable, de schilder David Allen – en het standbeeld van Abraham Lincoln. Ze had hem gevraagd wat de mannen deden die schielijk en met gebogen hoofd de begraafplaats verlieten. Een oudere man en twee tieners. Rebus had het zich ook afgevraagd, maar had er niet lang bij stilgestaan.

Nee, hij kon het niet opbrengen. Hij kon de begraafplaats niet op. Niet omdat hij bang was. God, nee, dat was het niet. Geen moment. Het was alleen dat... hij wist het niet. Maar hij voelde zich weer een beetje duizelig, een beetje wankel op de benen. Ik ga maar terug naar de auto, dacht hij.

Hij ging terug naar de auto.

Hij was achter het stuur gaan zitten en had ongeveer een minuut lang in gedachten verzonken een sigaret zitten roken toen hij uit zijn ooghoeken een figuur zag. Hij draaide zijn hoofd om en keek naar de plaats waar de jongen zat – nee, hij zat niet, hij lag tegen een muurtje aan. Rebus draaide zich weer om en rookte door. Pas toen kwam de jongen overeind en liep naar de auto. Hij tikte op het raampje aan de passagierskant. Rebus haalde diep adem en deed toen de deur van het slot. De jongen stapte zonder een woord te zeggen in en sloeg de deur met een klap dicht. Hij bleef stil zitten en keek door de voorruit naar buiten. Rebus wist geen zinnig woord te bedenken en zweeg ook. De jongen verbrak als eerste de stilte.

'Hoi.'

De stem van een man. Rebus draaide zijn hoofd om de jongen te bekijken. Hij was misschien zestien. Hij had een leren jasje aan en een overhemd met een open boord. En een gescheurde spijker-broek.

'Hallo,' antwoordde hij.

'Heb je een sigaret voor me?'

Rebus reikte hem het pakje aan. De jongen haalde er een uit, gaf het terug en pakte het doosje lucifers. Hij inhaleerde diep en hield even zijn adem in. Toen hij ten slotte uitademde, kwam er nauwelijks nog rook uit zijn mond. Wel nemen, maar niets teruggeven, dacht Rebus. Het credo van de straat.

'Wat doe je vanavond?' De vraag had Rebus zelf op de lippen gelegen, maar de jongen sprak hem uit.

'Gewoon wat rondhangen,' zei Rebus. 'Ik kon niet slapen.'

De jongen lachte schel. 'Ja, ja. Je kon niet slapen, dus toen ben je een eindje gaan rijden. Je werd moe van het rijden, en toen ben je toevallig hier gestopt. Uitgerekend in deze straat. Op dit tijdstip. Toen ben je een wandelingetje gaan maken, even de benen strekken, en ben je weer in je auto gaan zitten. Ja, hè?'

'Je hebt me zeker in de gaten gehouden,' zei Rebus.

'Dat was helemaal niet nodig. Ik heb het al zo vaak gezien.'

'Hoe vaak?'

'Vaak genoeg, James.'

Wat hij zei klonk hard. De stem klonk hard. Rebus had geen reden om te twijfelen aan de woorden van de knaap. Hij leek absoluut niet op de jongen die hij even daarvoor had gesproken.

'Ik heet geen James,' zei hij.

'Jawel, je heet wel James. Iedereen heet James. Zo is het makkelijker om te onthouden hoe iemand heet, ook al kun je je het gezicht niet meer herinneren.'

'Ja, ja.'

De jongen rookte de sigaret zwijgend op en gooide hem toen uit het raampje.

'Nou, wat gaan we doen?'

'Ik weet het niet,' zei Rebus oprecht. 'Een eindje rijden misschien?'

'Rot op.' Hij zweeg even en leek toen van gedachten te veranderen. 'Okay, laten we dan Calton Hill oprijden. Kunnen we genieten van het uitzicht over het water.'

'Prima,' zei Rebus en hij startte de auto.

Ze reden de steile, kronkelige weg naar de top van de heuvel op, waar de sterrenwacht en de merkwaardige kopie van het Griekse Parthenon zich tegen de avondhemel aftekenden. Ze waren boven op de heuvel niet alleen. Er stonden nog andere auto's, met gedoofde lichten en geparkeerd met de neus naar de Firth of Forth en de zwakverlichte kust van Fife aan de overkant. Rebus probeerde niet al te opvallend naar de andere auto's te kijken en wilde op enige afstand ervandaan stilhouden, maar de jongen had andere ideeën.

'Ga maar naast die Jag staan,' commandeerde hij. 'Wat een mooie kar, zeg!'

Rebus voelde hoe zijn auto de belediging hooghartig incasseerde. De remmen piepten toen de wagen tot stilstand kwam. Hij zette de motor af.

'Wat nu?' vroeg hij.

'Wat jij wilt,' zei de jongen. 'Maar wel eerst betalen, natuurlijk.'

'Natuurlijk. En als we alleen praten?'

'Hangt ervan af wat voor soort praten je bedoelt. Hoe smeriger, des duurder het is.'

'Ik zat net te denken aan een knaap die ik hier ooit heb ontmoet. Niet zo lang geleden. Ik heb hem niet meer gezien. Ik vroeg me af wat er met hem gebeurd is.'

Plotseling legde de jongen zijn hand op Rebus' kruis en begon hard en snel over zijn broek te wrijven. Rebus keek een volle seconde lang naar de hand en trok hem toen kalm maar beslist weg. De jongen grijnsde en leunde achterover in zijn stoel.

'Hoe heet hij, James?'

Rebus voelde dat hij beefde en probeerde dat te onderdrukken. Zijn gal speelde op. 'Ronnie,' zei hij ten slotte, nadat hij zijn keel had geschraapt. 'Niet al te lang, donker haar, heel kort geknipt. Nam vaak foto's. Je weet wel, fotografeerde graag.'

De jongen trok zijn wenkbrauwen op. 'Je bent zeker fotograaf, hè? Je wilt een paar kiekjes maken, ik snap het al.' Hij knikte. Rebus betwijfelde of hij het snapte, maar was niet van plan om meer te zeggen dan noodzakelijk was. En ja, de Jag was inderdaad mooi. Zag er nieuw uit. Mooie, glimmende lak. Iemand met geld. Maar waarom had hij in 's hemelsnaam een erectie?

'Ik geloof dat ik die Ronnie wel ken, die jij bedoelt,' zei de jongen. 'Ik heb hem zelf ook al een tijdje niet gezien.'

'Kun je me iets meer over hem vertellen?'

De jongen staarde weer door de voorruit naar buiten. 'Mooi uitzicht hier, hè?' zei hij. 'Zelfs als het donker is. Voorál als het donker is. Gek eigenlijk, overdag kom ik hier bijna nooit. Dan ziet het er allemaal zo saai uit. Jij bent een smeris, hè?'

Rebus keek zijn kant op. De jongen zat nog steeds naar buiten te kijken. Hij glimlachte en leek zich niet druk te maken.

'Ik dacht al dat je dat was,' zei hij. 'Ik dacht het meteen al.'

'Waarom ben je dan ingestapt?'

'Uit nieuwsgierigheid, denk ik. En trouwens...' – hij keek Rebus aan – '... sommige van mijn beste klanten zijn bij de politie.'

'Dat zijn mijn zaken niet.'

'O nee? Dat zou wel moeten. Ik ben nog minderjarig, weet je.'

'Dat dacht ik al.'

'Ja, nou...' De jongen zakte onderuit in de stoel en legde zijn voeten op het dashboard. Rebus vreesde even dat hij iets van plan was en schoot overeind. Maar de jongen lachte alleen.

'Wat dacht je? Dat ik je weer ging aanraken? Ja? Nee, James, pech gehad.'

'Maar vertel eens over Ronnie.' Rebus vroeg zich af of die kleine etter een pak slaag verdiende of juist met veel liefde omringd moest worden. Maar wat hij wel wist, was dat hij antwoord wilde hebben op zijn vragen.

'Geef me nog eens een saffie.' Rebus deed wat hij vroeg. 'Bedankt. Waarom ben je zo in hem geïnteresseerd?'

'Omdat hij dood is.'

'Gebeurt zo vaak.'

'Overleden aan een overdosis.'

'Gebeurt ook vaak.'

'Het was puur vergif.'

De jongen zweeg even.

'Dat is wél slecht nieuws.'

'Is er de laatste tijd wel meer vergif op de markt geweest?'

'Nee.' Hij glimlachte weer. 'Alleen goeie shit. Heb je toevallig wat bij je?' Rebus schudde zijn hoofd en bedacht dat hij hem bij nader inzien toch het liefst een pak slaag zou geven. 'Jammer,' zei de jongen.

'Hoe heet je trouwens?'

'We noemen geen namen, James. En voor niks gaat alleen de zon op.' Hij hield zijn hand op. 'Ik moet geld hebben.'

'Je moet eerst een paar vragen beantwoorden.'

'Stel die vragen dan. Maar eerst wat handgeld, ja?' Hij hield zijn hand nog steeds op, vol verwachting. Rebus haalde een verkreukeld briefje van tien pond uit zijn zak en gaf het hem. De jongen leek er tevreden mee. 'Hiervoor krijg je op twee vragen antwoord.'

Rebus voelde zichzelf boos worden. 'Daarvoor krijg ik zoveel vragen beantwoord als ík wil, anders...'

'Gaan we slaan? Vind je dat lekker?' De jongen leek zich niet druk te maken. Misschien had hij het allemaal al eerder meegemaakt, bedacht Rebus.

'Maken jullie het vaak mee dat er geweld wordt gebruikt?' vroeg hij.

'Niet zo vaak.' De jongen zweeg even. 'Maar toch nog té vaak.'

'Ronnie was daar wel voor in, hè?'

'Dat is je tweede vraag,' constateerde de jongen. 'En het antwoord is dat ik het niet weet.'

'Als je het niet weet, telt het niet,' zei Rebus. 'En ik heb nog genoeg vragen over.'

'Okay, als het zo moet...' De jongen maakte aanstalten om ervandoor te gaan en tastte naar de deurknop, maar Rebus pakte hem bij zijn nek en duwde zijn hoofd tegen het dashboard, tussen zijn voeten die er nog op lagen.

'Jezus Christus!' De jongen streek langs zijn voorhoofd om te kijken of hij niet bloedde, maar dat was niet het geval. Rebus was tevreden over zijn actie. Maximaal effect, minimale schade. 'Je kunt me...'

'Ik kan precies doen waar ik zin in heb, jongen. Ik kan je zelfs hier op het hoogste punt van de stad een duwtje over de rand geven. Vertel me nu wat je van Ronnie weet.'

'Ik weet bijna niks van Ronnie.' Er stonden tranen in zijn ogen. Hij wreef over zijn voorhoofd om de pijn te verdrijven. 'Daarvoor kende ik hem niet goed genoeg.'

'Vertel me dan wat je wél weet.'

'Okay, okay.' Hij snoof en veegde zijn neus af aan de mouw van zijn jack. 'Het enige wat ik weet, is dat een paar vrienden van me bij een of ander gedoe betrokken waren.'

'Wat voor gedoe?'

'Weet ik niet. Heavy. Ze praten er niet over, maar het is aan ze te zien. Blauwe plekken, wonden. Een van hen heeft een week in het ziekenhuis gelegen. Hij zei dat hij van de trap was gevallen. Jezus, hij zag eruit alsof hij alle trappen van een torenflat had gezien.'

'Maar niemand doet zijn mond open?'

'Het betaalt waarschijnlijk heel goed.'

'En verder?'

'Misschien is het niet belangrijk...' De knaap was aan het doorslaan. Rebus hoorde het aan zijn stem. Hij kon niet meer ophouden met praten. Dat kwam goed uit; Rebus had niet veel informanten in dit deel van de stad. Eentje extra was nooit weg.

'Wat dan?' blafte hij. Hij begon van zijn nieuwe rol te genieten.

'Foto's. Iemand verspreidt het gerucht dat er belangstelling is voor foto's. En dan bedoel ik geen flauwekul, maar het echte werk.'

'Harde porno?'

'Ik denk het. De geruchten zijn nogal vaag. Zo gaat dat met geruchten als je ze niet uit de eerste hand hebt.'

'Een geruchtenmachine,' zei Rebus. Als een soort fluistercampagne, dacht hij. Je hoort alles alleen maar uit de tweede of derde hand, je kunt van niets echt zeker zijn.

'Wat?'

'Laat maar. Verder nog iets?'

De jongen schudde zijn hoofd. Rebus tastte in zijn zak en vond daar tot zijn verbazing nog een briefje van tien, maar toen herinnerde hij zich ineens dat hij geld uit de muur had gehaald toen hij met McCall aan het stappen was. Hij gaf de jongen het geld.

'Hier. En ik zal je mijn naam en telefoonnummer geven. Ik sta altijd open voor informatie, hoe onbetekenend ook. Sorry dat ik je pijn heb gedaan, trouwens.'

De jongen nam het geld aan. 'Dat geeft niet. Ik ben weleens slechter betaald.' Toen glimlachte hij.

'Kan ik je ergens afzetten?'

'Bij The Bridges. Kan dat?'

'Prima. Hoe heet je?'

'James.'

'Echt waar?' Rebus glimlachte.

'Ja, echt waar.' Nu glimlachte de jongen ook. 'Luister eens. Er is nog één ding.'

'Ga je gang, James.'

'Het gaat om een naam die ik af en toe heb horen noemen. Maar misschien betekent het niets.'

'Welke naam?'

'Hyde.'

Rebus fronste zijn voorhoofd. 'Hyde? Nog een voornaam?'

'Nee. Weet ik niet. Alleen Hyde. Gewoon de naam Hyde.'

Rebus omklemde het stuur. Hyde? Hyde? Was dat niet de naam die Ronnie tegen Tracy had genoemd? Terwijl hij nadacht, merkte hij dat hij weer naar de Jaguar zat te kijken. Of liever gezegd, naar het profiel van de man achter het stuur. De man had zijn arm om de hals van iemand naast hem die veel jonger was. Hij aaide hem over zijn hoofd en praatte tegen hem. Aaien en praten, heel onschuldig.

Des te vreemder was het daarom dat James Carew van makelaardij Bowyer Carew zo schrok toen hij, omdat hij het gevoel had dat iemand naar hem zat te kijken, terugkeek en toen ineens inspecteur John Rebus in het gezicht staarde.

Rebus keek hoe Carew zijn hand zenuwachtig uitstak naar het contactsleuteltje, de nieuwe v12-motor liet loeien, achteruitschoot en ervandoor ging met een vaart alsof hij op de hielen werd gezeten.

'Hij heeft haast,' zei James.

'Had je hem weleens eerder gezien?'

'Ik heb zijn gezicht eigenlijk niet gezien. Maar de auto heb ik nog nooit gezien.'

'Tja, maar het is ook een nieuwe, hè,' zei Rebus terwijl hij met trage gebaren zijn auto startte.

In huis rook het naar Tracy. Haar geur hing nog in de woonkamer en de slaapkamer. Hij zag weer voor zich hoe de handdoek van haar hoofd gleed, hoe ze met gevouwen benen tegenover hem had gezeten, hoe ze hem ontbijt had gebracht. Het vuile bord stond nog naast zijn onopgemaakte bed. Ze had gelachen toen ze merkte dat hij op een matras op de vloer sliep. 'Je lijkt wel een kraker,' had ze gezegd. Het was ineens leeg in huis, vond hij, en dat was een betrekkelijk nieuw gevoel. Hij kon wel een bad gebruiken, dus liep hij weer naar de badkamer en zette de warmwaterkraan open. Hij voelde James' hand nog op zijn been... Hij ging weer naar de huiskamer en bleef daar een volle minuut naar een fles whisky staan kijken, maar toen draaide hij zich om, liep naar de keuken en pakte een flesje alcoholarm bier uit de koelkast.

Het bad liep langzaam vol. Was er niet iets te bedenken waardoor dat sneller zou kunnen? Aan de andere kant had hij daardoor even de tijd om naar het bureau te bellen en te vragen hoe het met Tracy was. Dat viel tegen. Ze was geïrriteerd, weigerde te eten en klaagde over pijn in haar buik. Een blindedarmontsteking? Onthoudingsverschijnselen leken hem waarschijnlijker. Hij voelde zich redelijk schuldig dat hij niet naar haar toe was gegaan. Nog een extra laagje schuldgevoel op zijn ziel kon echter geen kwaad, bedacht hij, en hij besloot haar de volgende dag pas te bezoeken. Hij had er behoefte aan om een paar uur afstand te nemen van alles, niet te hoeven denken aan alle vuiligheid die mensen met elkaar uithalen. Thuis had hij niet meer het gevoel van veiligheid dat hij tot een dag of twee daarvoor wel had gehad. Het had niet alleen met de buitenwereld te maken, ook met hemzelf. Hij had het gevoel dat hij tot in zijn kern was aangetast door de smerigheid, alsof de stad de vuiligheid van zich af had geschraapt en hem door de strot had geduwd.

Weg ermee.

Het zat hem dwars. Hij woonde in de fraaiste, meest beschaafde stad van Noord-Europa, maar iedere dag moest hij zich bezighouden met de zelfkant, met de ondergeschikte anima ervan. *Anima*? Een woord dat al een tijdlang niet in hem was opgekomen. Hij wist niet eens precies meer wat het betekende. Maar het klonk goed. Hij zette het bierflesje aan zijn mond, maar slikte niet. Hij was als een kind met een mond vol tandpastaschuim. Het was maar schuim. Het betekende niets.

Het was maar schuim. Dat was een idee. Badschuim in het water, zodat het ging schuimen. Een bubbelbad. Van wie had hij dat spul ook alweer? O ja, van Gill Templer. Dat was waar ook. De gelegenheid schoot hem ook weer te binnen. Ze had hem er voorzichtig op gewezen dat hij zijn bad nooit schoonmaakte. En toen had ze hem dit badschuim gegeven.

'Daar word jij niet alleen schoon van, maar het bad ook,' had ze gezegd terwijl ze het opschrift op het flesje las. 'En het maakt baden ook weer tot een genoegen.'

Hij had geopperd dat ze dat met z'n tweeën zouden uitproberen, en toen waren ze... Jezus, John, wat laat je jezelf weer gaan. Dat ze ervandoor is met een leeghoofdige diskjockey met de onwaarschijnlijke naam Calum McCallum betekent nog niet dat het leven geen waarde meer heeft. Het was geen oorlog. Er klonk geen luchtalarm.

Het was alleen dat... Ronnie, Tracy, Charlie, James en al die anderen. En nu was daar nog Hyde bij gekomen. Rebus bedacht dat hij nu pas de betekenis begreep van het woord 'doodmoe'. Hij liet zijn blote lijf in het gloeiend hete water zakken en sloot zijn ogen.

DONDERDAG

Dat huis van vrijwillige slavernij... met die ondoorgrondelijke kluizenaar.

Doodmoe. Holmes geeuwde nog een keer en wankelde. Bij wijze van uitzondering was hij de wekkerradio eens voor geweest, zodat hij met kopjes instantkoffie alweer op weg was naar zijn bed toen het ding met veel herrie aanging. Wat een manier om wakker te worden! Als hij eens een halfuurtje de tijd had, zou hij het rotding weer instellen op de klassieke zender, bedacht hij. Al wist hij dat hij bij de klassieke zender meteen weer in slaap viel, terwijl het stem-geluid van Calum McCallum en de irritante platen die de man tus-sen de toeters en jingles en enthousiast gebrachte slechte moppen draaide altijd het effect hadden dat hij met een schok wakker werd en zich knarsetandend de nieuwe dag in geschopt voelde.

Maar vanochtend was hij die verwaande stem voor geweest. Hij zette de radio af.

'Hier,' zei hij. 'Koffie. Tijd om op te staan.'

Nell tilde haar hoofd van het kussen en keek hem met half toe-geknepen ogen aan.

'Is het al negen uur?'

'Nog niet.'

Ze liet zich weer achteroverzakken en kreunde zachtjes.

'O, mooi. Wek me maar als het wél negen uur is.'

'Toe, drink die koffie nou op,' zei hij terwijl hij haar bij haar schouder pakte. De schouder was warm en verleidelijk. Hij per-mitteerde zich een melancholieke glimlach, draaide zich om en ging de slaapkamer uit. Na tien passen bleef hij stilstaan, draaide zich weer om en liep terug. Nell had lange, bruine armen, en het was bij haar goed toeven als ze die om je heen sloeg.

Rebus had Tracy in haar cel ontbijt gebracht. Toch was ze woedend op hem geweest, en helemaal toen hij tegen haar zei dat ze weg kon wanneer ze wilde, dat ze niet onder arrest stond.

'Je bent hier voor je eigen bestwil,' had hij gezegd. 'We bescher-

men je tegen de kerels die achter je aan zaten. En tegen Charlie.'
'Charlie...' Bij het horen van die naam was ze een beetje gekalmeerd. 'Maar waarom ben je niet eerder naar me toe gekomen?' had ze geklaagd. Rebus had zijn schouders opgehaald. 'Ik had andere dingen te doen,' had hij gezegd.

Nu keek hij naar de foto van haar die hij voor zich had liggen. Brian Holmes zat aan de andere kant van het bureau behoedzaam koffie te nippen uit een beker waar een schilfertje af was. Rebus wist niet goed of hij de pest moest hebben aan Holmes of hem juist moest waarderen omdat hij de foto aan hem had laten zien. Zonder een woord te zeggen. Geen goedemorgen, geen hallo, hoe is het. Plompverloren. Deze foto, deze naaktfoto. Van Tracy.

Rebus keek ernaar terwijl Holmes verslag uitbracht. Holmes had de dag ervoor goed zijn best gedaan, en niet tevergeefs. *Maar waarom had Holmes hem in het café genegeerd?* Als hij die foto gisteravond al had gehad, zou hij zich nu niet zo ellendig hebben gevoeld. Dan zou hij nu nog tevreden hebben kunnen zijn met de gedachte dat hij die nacht lekker geslapen had. Rebus schraapte zijn keel.

'Ben je iets van haar te weten gekomen?' vroeg hij.

'Nee, inspecteur,' zei Holmes. 'Dit is het enige wat ik heb.' Hij knikte in de richting van de foto. Zonder met zijn ogen te knipperen. *Ik heb je die foto gegeven. Wat wil je nog meer van me?*

'Ja, ja,' zei Rebus onaangedaan. Hij draaide de foto om en las het opschrift op de sticker aan de achterkant. Fotostudio Hutton. Het telefoonnummer van de zaak. 'Mooi zo. Ik hou deze foto bij me, Brian. Ik moet er even over nadenken.'

'Okay,' zei Holmes, en hij dacht ondertussen: hij noemde me Brian. Hij is vanmorgen zeker een beetje in de war.

Rebus leunde achterover en nam ook een slokje koffie. Koffie met melk, maar zonder suiker. Hij had het vervelend gevonden dat Holmes desgevraagd zijn koffie precies zo bleek te drinken. Dat gaf iets gemeenschappelijks. De manier waarop ze hun koffie graag dronken.

'Hoe is het met de huizenzoekerij?' vroeg hij, om maar wat te zeggen.

'Moeizaam. Hoe bent u...?' Holmes herinnerde zich het blaadje met koopwoningen, opgevouwen als een krant in de zak van zijn jasje. Hij voelde er even aan. Rebus glimlachte en knikte.

'Ik weet nog hoe het destijds bij mij ging,' zei hij. 'Ik heb wekenlang lopen zoeken totdat ik iets vond wat me beviel.'

'Beviel?' Holmes snoof. 'Dat zou helemaal een geluk zijn. Nee, voor mij is het al een probleem om iets te vinden wat ik kan betalen.'

'Is het zo erg?'

'Is het u niet opgevallen?' Holmes reageerde enigszins ongelovig. Het hield hem zo bezig dat hij zich moeilijk voor kon stellen dat een ander er niet net zoveel aandacht aan besteedde. 'De prijzen rijzen de pan uit. En hoe dichter bij het centrum, des te duurder het allemaal wordt.'

'Ja, dat hoorde ik laatst ook iemand zeggen.' Rebus keek nadenkend. 'Gisterenmiddag. Je weet dat ik heb geluncht met de mensen die de drugscampagne van Watson financieren? Met James Carew onder anderen.'

'Heeft hij iets te maken met Carew Bowyer?'

'Hij is de baas van het spul. Moet ik hem eens aanschieten? Vragen of hij wat voor je kan doen?'

Holmes glimlachte. Van de gletsjer die tussen hen in stond was een stukje gesmolten. 'Dat zou geweldig zijn,' zei hij. 'Misschien kan hij een uitverkoop houden. Koopjes op alle afdelingen.' Holmes was zijn zin met een glimlach begonnen, maar deze was gaandeweg van zijn gezicht verdwenen. Rebus luisterde niet en leek in gedachten verzonken.

'Ja, dat zou ik kunnen doen,' zei Rebus kalm. 'Ik moet meneer Carew toch nog even hebben.'

'O ja?'

'Ja. Ik moet hem nog wat vragen.'

'Denkt u zelf ook over verhuizen?'

Rebus keek Holmes met een niet-begrijpende blik aan. 'Nou ja. We moeten in elk geval voor vandaag een plan de campagne maken.'

'Juist, ja.' Holmes fronste zijn wenkbrauwen. 'Over iets dergelijks wilde ik u nog wat vragen, inspecteur. Ik ben al een paar maanden bezig met een bende die hondengevechten organiseert, en nu heb ik vanmorgen een telefoontje gehad dat ze van plan zijn die lui te gaan arresteren.'

'Hondengevechten?'

'Ja, u weet wel. Je zet twee honden in een ring en laat ze elkaar aan stukken scheuren. En je organiseert weddenschappen welke van de twee wint.'

'Ik dacht dat dat al sinds de crisis van de jaren dertig niet meer gedaan werd.'

'De laatste tijd is het weer in de mode. Het gaat er beestachtig toe. Ik zou u foto's kunnen laten zien die...'

'Hoe komt het dat het weer in de mode is?'

'Wie zal het zeggen? De mensen zijn op sensatie uit, op iets minder braafs dan een gokje bij de paardenrennen.'

Rebus knikte, maar leek weer diep in gedachten.

'Zou je zeggen dat het iets voor yuppen is, Holmes?'

Holmes haalde zijn schouders op en dacht: hij herstelt zich, hij noemt me niet meer bij mijn voornaam.

'Nou ja, doet er ook niet toe. Dus je wilt op de hoogte gehouden worden over het resultaat van die arrestatie?'

Holmes knikte. 'Ja, als dat zou kunnen.'

'Dat kan heel goed,' zei Rebus. 'Waar speelt zich dat allemaal af?'

'Dat moet ik nog nagaan. Ergens in Fife, dat weet ik wel.'

'Fife. Daar kom ik vandaan.'

'O ja? Dat wist ik niet. Hoe luidt het spreekwoord ook alweer?'

'Als je met iemand uit Fife eet, zorg dan dat je een lange lepel hebt.'

Holmes glimlachte. 'Ja, dat is het. Dat zeggen ze toch ook van de duivel?'

'Het betekent dat we elkaar goed begrijpen, Holmes. Twee handen op één buik. We hebben het niet zo op halvegaren en vreemdelingen. En nou op naar Fife! Ga maar eens kijken wat ik bedoel.'

'Ja, inspecteur. Maar wat gaat u doen? Ik bedoel, wat gaat u doen aan...?' Hij knikte in de richting van de foto. Rebus pakte hem op en schoof hem zorgvuldig in de binnenzak van zijn colbertje.

'Maak je over mij geen zorgen, jongen. Ik heb genoeg te doen. Watson ontlopen is al bijna een dagtaak. Misschien ga ik wel een eindje rijden. Het is mooi weer voor een tochtje.'

'Mooi weer voor een tochtje.'

Tracy deed alsof ze hem niet hoorde. Ze keek uit het raampje aan de passagierskant en veinsde belangstelling voor de winkels en het winkelende publiek dat aan hen voorbijtrok, aan de toeristen en de kinderen die niets meer te doen hadden nu de zomervakanties waren aangebroken.

Ze was blij geweest dat ze weg kon uit het politiebureau. Hij had het portier voor haar opengehouden en haar van haar plan om zo weg te lopen af weten te houden. Ze had zich om laten praten, maar zonder iets te zeggen, een beetje mokkend. Okay, ze was een beetje kwaad op hem. Daar kon hij wel mee leven. Het zou wel weer overgaan.

'Ik begrijp je wel,' zei hij. 'Je bent boos. Maar hoe vaak moet ik het je nou nog zeggen? Je was daar veilig.'

'Waar gaan we heen?'

'Ken je dit deel van de stad?'

Ze zweeg. Er werd geen prijs gesteld op een conversatie. Alleen zij mocht vragen stellen. En hij had maar te antwoorden.

'Gewoon een eindje rijden,' zei hij. 'Je kent dit gedeelte van de stad toch wel? Er wordt hier veel gedeald.'

'Daar hou ik me niet mee bezig!'

Nu was het Rebus' beurt om te zwijgen. Hij was niet te oud voor een spelletje. Hij sloeg links af, toen nog een keer, en toen rechts af.

'Hier zijn we net al geweest,' riep ze. Ze had het dus gemerkt, een slimme meid! Maar goed, dat gaf niet. Waar het op aankwam, was dat hij haar langzaam, stapsgewijs, nu eens links, dan weer rechts afslaand, steeds dichter bij het doel bracht.

Plotseling zette hij de auto langs de stoeprand en trok de handrem aan.

'Zo,' zei hij. 'We zijn er.'

'Moeten we hier zijn?' Ze keek door het raampje naar het flatgebouw. De rode stenen waren het afgelopen jaar schoongemaakt, waardoor het gebouw eruitzag alsof het door een kind was opgetrokken uit namaakklei van een roodachtige aardkleur. 'Moeten we hier zijn?' herhaalde ze, maar haar stem stokte toen ze zag waar ze was en ze probeerde dat niet te laten merken.

Toen ze zich weer omdraaide, zag ze de foto op haar schoot liggen. Ze mepte hem met een schreeuw van zich af, alsof het een insect was. Rebus pakte de foto en hield hem voor haar op.

'Van jou, dacht ik.'

'Waar heb je die in godsnaam vandaan?'

'Wil je me vertellen hoe het gegaan is?'

Haar gezicht was inmiddels net zo rood als het flatgebouw, en haar ogen schoten heen en weer als die van een vogel. Ze wilde er zo snel mogelijk vandoor en frunnikte aan haar veiligheidsgordel, maar Rebus hield zijn hand stevig op de sluiting.

'Laat me gaan!' schreeuwde ze terwijl ze op zijn hand timmerde. Toen deed ze het portier open, maar doordat ze op een helling stonden, viel het weer dicht. Er zat trouwens te weinig speling in de veiligheidsgordel.

'Ik dacht dat we maar eens bij meneer Hutton langs moesten gaan,' zei Rebus met een messcherpe stem. 'Eens navragen hoe het met deze foto zit. Dan krijgen we waarschijnlijk te horen dat hij je een paar pond heeft betaald om voor hem te poseren. Dat jij hem die foto's van Ronnie gegeven hebt. Misschien voor nog wat extra geld, of anders gewoon om Ronnie te pesten. Zat het zo, Tracy? Ik wed dat Ronnie kwaad was toen hij zag dat Hutton zijn ideeën gestolen had. Maar hij kon het natuurlijk niet bewijzen, hè? Hoe moest hij trouwens weten hoe Hutton eraan was gekomen? Ik denk dat jij Charlie er de schuld van hebt gegeven, en dat dat de reden is dat jullie elkaar niet bepaald vriendelijk gezind zijn. Leuke vriendin was je voor Ronnie, schat. Leuke vriendin.'

Toen brak ze, en gaf haar pogingen op om zich te bevrijden uit haar veiligheidsgordel. Ze deed haar hoofd naar voren, verborg haar gezicht in haar handen en huilde lang en luid. Rebus probeerde zichzelf te kalmeren. Hij was niet trots op zichzelf, maar hij had het moeten zeggen. Ze moest de realiteit onder ogen zien. Het was allemaal bluf, natuurlijk, maar hij was ervan overtuigd dat Hutton onder druk alles zou bevestigen. Ze had voor geld geposeerd, had misschien terloops gezegd dat haar vriendje ook fotografeerde. Ze had foto's van hem aan Hutton laten zien en daarmee voor een paar pond Ronnies kleine hoop op een doorbraak van zijn talent tenietgedaan. Als je je vrienden al niet kunt vertrouwen, wie dan wel?

Hij had haar een nachtje in de cel door laten brengen om te zien of ze zou breken, maar dat was niet gebeurd. Hij had toen verondersteld dat ze niet verslaafd was. Althans niet aan een injectiespuit. Maar dat betekende niet dat ze niet aan iets anders verslaafd was.

Iedereen moest toch iets hebben? En zonder geld kon ze ook niet. Daarom had ze haar vriendje beroofd...

'Had jij die camera bij Charlie in het kraakpand neergelegd?'

'Nee!' Het was alsof de beschuldiging na alle voorgaande nog in staat was om pijn te veroorzaken. Rebus knikte. Dus Charlie had de camera meegenomen, of iemand anders had hem daar neergelegd. Zodat hij hem zou vinden. Nee, zo was het niet helemaal... want McCall was degene geweest die hem had gevonden. Zo gemakkelijk, net zoals hij de dope in de slaapzak had gevonden. Een echte speurneus? Of was er iets anders aan de hand? Wist hij iets? Wist hij er meer van? Als je je vrienden al niet kunt vertrouwen...

'Had jij de camera gezien op de avond dat Ronnie stierf?'

'Hij lag in zijn kamer, ik weet het zeker.' Ze knipperde met haar ogen om de tranen te verdrijven en snoot haar neus in de zakdoek die Rebus haar gaf. Haar stem klonk trillerig, ze had nog een dikke keel, maar ze herstelde zich van de schok die de foto teweeg had gebracht en van de nog grotere schok geconfronteerd te zijn met Rebus' wetenschap dat zij de boel had belazerd.

'De man die bij Ronnie op bezoek was geweest, is naderhand nog in Ronnies kamer geweest.'

'Je bedoelt Neil?'

'Ik geloof dat dat zijn naam was, ja.'

Dat werd niks, dacht Rebus. Hij moest zijn definitie van het begrip 'aanwijzing' aanpassen. Hij had tot dusverre maar heel weinig meer dan alleen aanwijzingen. Het was alsof de spiraal steeds groter werd en hem steeds verder weg voerde van het punt waar het om ging, van de dode Ronnie op de vochtige, kale vloer, met kaarsen om zich heen en types van twijfelachtig allooi.

'Neil was Ronnies broer.'

'Echt waar?' Ze klonk ongeïnteresseerd. Het scherm tussen haar en de buitenwereld was weer neergelaten. De voorstelling was voorbij.

'Ja, echt waar.' Rebus voelde zich ineens eenzaam. Als het, afgezien van Neil en mij, niemand, echt niemand kan schelen wat er met Ronnie gebeurd is, waar maak ik me dan druk over?

'Charlie dacht altijd dat ze een homoseksuele relatie hadden. Ik heb het nooit aan Ronnie gevraagd. Ik denk trouwens niet dat hij het me verteld zou hebben.' Ze liet haar hoofd tegen de rugleuning rusten en leek weer ontspannen. 'Mijn god.' Ze ademde met een fluitend geluid de lucht uit haar longen. 'Moeten we hier per se blijven staan?'

Ze hief haar handen langzaam omhoog en deed alsof ze ze op haar hoofd wilde leggen, maar toen Rebus een ontkennend antwoord begon te formuleren, zag hij diezelfde kleine handen tot vuisten samengebald omlaag komen. Ontwijken was er niet bij, dus troffen ze hem vol in de onderbuik. Ergens achter zijn ogen ontplofte een flitser, waardoor de wereld om hem heen alleen nog leek te bestaan uit een verblindende pijn. Hij schreeuwde het uit en sloeg dubbel, waarbij zijn hoofd tegen de claxon op het stuur klapte. Een beschaafd getoeter weerklonk terwijl Tracy haar veiligheidsgordel losmaakte, het portier opende en zich de auto uit haastte. Ze liet het portier wijd openstaan en rende weg. Rebus' ogen vulden zich met tranen. Het was alsof hij in een zwembad lag en zijn ogen voelde prikken van het chloor terwijl ze langs de rand van het bad van hem wegliep.

'Godverdomme,' hijgde hij. Het duurde een tijd voordat hij weer gewoon na kon denken, en al die tijd bleef hij over het stuur gebogen zitten.

Denk als Tarzan, had zijn vader weleens tegen hem gezegd. Een van de adviezen van de ouwe. Het ging over vechten. Over gevechten van man tot man met de jongens op school. Om vier uur achter de fietsenstalling, dat soort afspraken. *Denk als Tarzan. Je bent sterk, je bent koning van het oerwoud. Het belangrijkste van alles is dat je je ballen beschermt.* En toen had de ouwe gedaan alsof hij John een knietje wilde geven...

'Bedankt pa,' hijgde Rebus. 'Bedankt voor het advies.' Toen begon zijn maag te draaien.

Omstreeks het middaguur kon hij weer een beetje lopen, zolang hij zijn voeten maar dicht bij de grond hield en zich voortbewoog alsof hij het in zijn broek had gedaan. Daarmee trok hij uiteraard de aandacht, en speciaal ter wille van de omstanders probeerde hij mank te lopen. Altijd je publiek proberen te vermaken.

De trap naar zijn kamer op lopen leek hem te veel gevraagd en autorijden was een kwelling geweest omdat hij de pedalen nauwelijks kon bedienen. Hij had daarom maar een taxi genomen naar de Sutherland Bar. Toen hij drie eenheden whisky op had, voelde hij hoe de pijn plaatsmaakte voor een loom soort verdoving.

' "Alsof de gifbeker is leeggedronken..." ' mompelde hij.

Over Tracy maakte hij zich geen zorgen. Iemand die zo'n klap kon uitdelen, kon wel voor zichzelf zorgen. Op straat liepen waarschijnlijk kinderen rond die beter konden vechten dan menige politieagent. Niet dat Tracy nog een kind was. Hij wist nog niets van haar. Dat was Holmes' werk, maar Holmes was in Fife op jacht naar wilde honden. Nee, Tracy zou het wel redden. Waarschijnlijk was het ook niet waar geweest dat ze gevolgd werd. Maar waarom was ze dan midden in de nacht naar hem toe gekomen? Daar konden honderd redenen voor zijn. Tenslotte had ze een bed weten te versieren en bovendien bijna een volle fles wijn, een warm bad en een ontbijt. Geen slecht resultaat, en dat bij iemand die de naam had een oude, geharde smeris te zijn. Te oud misschien. Te veel 'smeris', te weinig politieagent misschien. Misschien.

Waarheen nu? Daarop had hij zijn antwoord klaar, als zijn benen tenminste wilden meewerken en het rijden hem zou lukken.

Hij parkeerde zijn auto op enige afstand van het huis om eventuele aanwezigen niet af te schrikken. Toen liep hij gewoon naar de voordeur en klopte aan. Terwijl hij daar stond, herinnerde hij zich hoe Tracy die deur had opengedaan en zich met een gezicht vol blauwe plekken en betraande ogen in zijn armen had gestort. Hij dacht niet dat Charlie er zou zijn. Hij dacht niet dat Tracy er zou zijn. Hij wílde ook niet dat Tracy er zou zijn.

De deur ging open. Een slaperige adolescent keek met knipperende ogen naar Rebus op. Zijn haar hing in lusteloze slierten voor zijn ogen.

'Wat is er?'

'Is Charlie er? Ik moet wat met hem bespreken.'

'Nee, ik heb hem de hele dag al niet gezien.'

'Is het goed als ik op hem wacht?'

'Ja.' De jongen wilde de deur voor Rebus' neus dichtdoen. Rebus hield de deur tegen en keek om de hoek.

'Binnen, bedoelde ik.'

De jongen haalde zijn schouders op, liet de deur openstaan en liep sloffend de gang in. Hij kroop weer in zijn slaapzak en trok het uiteinde over zijn hoofd. De jongen was waarschijnlijk een passant, die het niets kon schelen dat zich nog iemand anders in zijn schuilplaats bevond, dacht Rebus. Hij liet hem begaan en ging, na even te hebben gecontroleerd of er niemand anders in een van de kamers beneden was, de steile trap op naar boven.

De boeken lagen nog als omgevallen dominostenen op de grond en de inhoud van de tas die McCall had omgekeerd lag ook nog over de vloer verspreid. Rebus besteedde er geen aandacht aan en liep naar het bureau, ging erachter zitten en bestudeerde de papieren die voor hem lagen. Hij had de lichtknop naast de deur van de kamer aangeknipt en deed nu ook de bureaulamp aan. Aan de muren hingen geen posters of ansichtkaarten en dergelijke. De kamer zag er niet uit als een studentenkamer. Er ging geen specifieke identiteit van uit, wat waarschijnlijk ook Charlies bedoeling was. Hij wilde er in de ogen van krakers niet uitzien als een student en voor studenten niet als een kraker. Hij wilde bij iedereen al zijn mogelijkheden openhouden. Hij was een kameleon, een toerist ook.

Rebus was voornamelijk geïnteresseerd in de scriptie over tovenarij, maar nu hij er toch was, onderwierp hij ook de rest van het bureau aan een nauwkeurige inspectie. Niets bijzonders. Niets waaruit je zou kunnen afleiden dat Charlie in de stad giftige heroïne probeerde te slijten. Toen pakte Rebus de scriptie, sloeg hem open en begon te lezen.

Nell hield ervan als het in de bibliotheek stil was zoals nu. Als er colleges waren, gebruikten veel studenten de bibliotheek als ontmoetingsplek, als een soort uit de kluiten gewassen jeugdhonk. Dan was het altijd lawaaiig in de leeszaal op de eerste verdieping. Dan bleven er boeken liggen en raakten er boeken kwijt of moest je constateren dat ze verkeerd waren weggezet. Allemaal heel irritant. Maar in de zomermaanden werd de bibliotheek alleen bezocht door de meest serieuze studenten, degenen die een scriptie moesten schrijven, iets moesten inhalen of de enkeling die echt van zijn vak hield en bereid was af te zien van zonneschijn en ongebondenheid, om hier binnen in alle rust te kunnen studeren.

Ze was langzamerhand de gezichten gaan kennen, en vervolgens ook de namen. Als het stil was in de koffiekamer maakte ze af en toe een praatje met deze of gene. Tussen de middag kon je in de tuin zitten of achter het bibliotheekgebouw om naar The Meadows lopen, waar ook mensen geconcentreerd zaten te lezen.

Natuurlijk was in de bibliotheek de zomer ook de tijd waarin de vervelende karweitjes gedaan moesten worden. Het bestand nalopen, kapotte banden herstellen, nieuwe indelingen maken, computerbestanden aanpassen en dergelijke. Maar daar stond tegenover dat de sfeer ontspannen was. Niemand had haast, er werd niet meer geklaagd dat er te weinig exemplaren waren van dit of dat boek waar tweehonderd studenten met smart op zaten te wachten omdat ze dat nodig hadden voor een scriptie of een tentamen. Maar na de zomer zouden er weer nieuwe studenten komen, en bij iedere nieuwe lichting voelde ze zich weer een jaar ouder en had ze het idee dat ze verder van hen af stond dan het jaar daarvoor. Ze waren in haar ogen zo vreselijk jong. Ze straalden iets uit wat haar herinnerde aan iets wat zij nooit meer zou bezitten.

Ze was de aanvraagbriefjes aan het sorteren toen het gedonder begon. De portier bij de ingang van de bibliotheek had iemand tegengehouden die naar binnen wilde zonder zich te kunnen identificeren. Normaal zou dat geen probleem zijn, wist Nell, maar het meisje waar het om ging, was zichtbaar in de war en duidelijk iemand die hier niet kwam om te lezen. Ze studeerde waarschijnlijk niet eens. Ze protesteerde luidkeels, terwijl een echte student rustig zou hebben uitgelegd dat hij zijn inschrijvingsbewijs vergeten was. Maar er was nog iets... Nell fronste haar wenkbrauwen en probeerde te bedenken waar ze het meisje van kende. Toen ze haar even van opzij zag, moest ze denken aan de foto die Brian in zijn tas had gehad. Ja, het was hetzelfde meisje. Eigenlijk geen meisje meer, maar een volwassen jonge vrouw. De rimpeltjes om haar ogen verraadden haar leeftijd, ondanks het slanke lichaam, ondanks de modieuze kleding die ze droeg. Maar waarom maakte ze zo'n drukte? Ze kwam vaak in de koffiekamer, en nooit eerder had ze moeite gedaan om de bibliotheek zelf binnen te komen. Nell begon nieuwsgierig te worden.

De portier hield Tracy bij haar arm vast. Ze schreeuwde, schold hem uit en keek hem woedend aan. Nell liep op hen af en probeerde enig gezag in haar optreden te leggen.

'Is er iets mis, meneer Clarke?'

'Geen probleem, mevrouw.' Maar zijn ogen straalden iets anders uit. De man was niet meer een van de jongsten en hij zweette. Hij was duidelijk niet gewend iemand fysiek de toegang te moeten beletten en hij was onzeker in zijn optreden. Nell keek het meisje aan. 'U kunt hier niet zomaar binnen komen lopen, weet u. Maar als u een boodschap wilt doorgeven aan een van de studenten binnen, zal ik zien wat ik voor u kan doen.' Het meisje probeerde zich weer los te worstelen. 'Ik wil gewoon naar binnen!' Ze was niet voor rede vatbaar. Nu ze werd tegengehouden, wilde ze júíst naar binnen. 'Nee, dat kan niet!' zei Nell boos. Ze had zich er eigenlijk niet mee moeten bemoeien. Ze was rustige, verstandige, rationele mensen gewend. Natuurlijk verloor iemand weleens even zijn zelfbeheersing als hij een boek niet kon vinden, maar ze wisten zich altijd te gedragen. Het meisje keek haar aan, de blik in haar ogen was van een absolute kwaadaardigheid, zonder een spoor van normale menselijkheid. Nell voelde hoe de haren in haar nek overeind gingen staan. Toen schreeuwde het meisje luid en wierp zich naar voren, waardoor ze loskwam uit de handen van de portier. Haar voorhoofd schoot tegen Nells gezicht aan, waardoor deze uit haar evenwicht werd gebracht en achteroverviel als een boom die geveld wordt. Tracy bleef even staan en leek weer tot zichzelf te komen. De portier stapte op haar af om haar weer vast te pakken, maar ze schreeuwde nog een keer en liep achteruit. Toen schoot ze langs hem heen de deur uit, zette het op een rennen en verdween met gebogen hoofd en wild maaiende armen en benen uit het zicht. De portier keek haar met een onverminderd angstige blik na en keerde zich toen naar het op de grond liggende, bebloede en bewusteloze lichaam van Nell Stapleton.

De man die opendeed was blind.

'Ja?' zei hij terwijl hij de deur vasthield. Zijn nietsziende ogen gingen schuil achter donkergroene brillenglazen. In de gang achter hem was het bijna helemaal donker. Waarom zou hij ook licht laten branden?

'Meneer Vanderhyde?'

De man glimlachte. 'Ja?' vroeg hij weer. Rebus staarde de oude man aan. De groene brillenglazen deden hem denken aan wijnflessen. Vanderhyde was een jaar of vijfenzestig, misschien zeventig.

Hij had dik, zilverachtig blond en goedverzorgd haar. Hij droeg een overhemd zonder das en een bruin vest. Uit een van de zakken bungelde een horlogeketting. Hij leunde lichtjes op een stok met een zilveren knop. Om de een of andere reden had Rebus het idee dat Vanderhyde die stok snel en vaardig als wapen zou kunnen gebruiken wanneer hem iets onplezierigs overkwam.

'Meneer Vanderhyde, ik ben van de politie.' Rebus tastte naar zijn portefeuille.

'Laat uw identificatiebewijs maar zitten, tenzij dat in braille is gesteld.' Rebus onderbrak zijn beweging en liet zijn hand in zijn binnenzak rusten.

'Natuurlijk,' mompelde hij. Hij voelde zich belachelijk. Vreemd dat mensen met een handicap je zo het gevoel konden geven dat jij minder kon dan zij.

'Komt u maar binnen, inspecteur.'

'Dank u.' Rebus stond al in de gang toen hij het besefte. 'Hoe wist u...?'

Vanderhyde schudde zijn hoofd. 'Toevallig goed geraden,' zei hij, terwijl hij Rebus voorging. 'Een schot in de roos, zou je kunnen zeggen.' Hij lachte krassend. Rebus probeerde zo goed en zo kwaad als dat kon in de gang om zich heen te kijken en vroeg zich verbaasd af hoe zelfs een blinde in zo'n rommel kon leven. Vanaf een piëdestal werd hij aangestaard door een stoffige opgezette uil. Daarnaast stond een paraplubak, die vervaardigd leek te zijn van een uitgeholde olifantstand. Op een rijkbewerkt gangtafeltje lagen een stapel ongeopende post en een mobiele telefoon. Rebus besteedde aan dit laatste voorwerp de meeste aandacht.

'De techniek ontwikkelt zich razendsnel, vindt u niet?' zie Vanderhyde. 'Heel fijn voor degenen onder ons die een van hun zintuigen moeten missen.'

'Ja,' zei Rebus terwijl Vanderhyde de deur naar de kamer opende, waar het in Rebus' ogen ongeveer even donker was als in de gang.'

'Komt u maar, inspecteur.'

'Dank u.' Het rook muf in de kamer en er hing een geur van medicijnen voor oude mensen. Er stonden twee robuuste leunstoelen en een brede bank. Een van de muren ging schuil achter een boekenkast met glas ervoor. De andere muren waren niet kaal omdat er een paar ongeïnspireerd ogende aquarellen waren opgehangen. Overal lagen snuisterijen en dingetjes. Vooral die op de schoorsteenmantel boven de open haard trokken Rebus' aandacht. Er was geen plekje meer vrij, en het waren allemaal exotica. Rebus onderscheidde Afrikaanse, Caribische, Aziatische en andere oosterse invloeden, zonder dat hij in staat was te zeggen waar de afzonderlijke stukken vandaan kwamen.

Vanderhyde liet zich in zijn stoel ploffen. Het viel Rebus op dat er geen kleine tafeltjes in de kamer stonden, trouwens helemaal geen meubelen waar de blinde tegen aan zou kunnen lopen.

'Snuisterijen, inspecteur. Allemaal dingetjes die ik heb verzameld op de reizen die ik maakte toen ik nog jong was.'

'Zo te zien hebt u veel gereisd.'

'Zo te zien heb ik het karakter van een ekster,' verbeterde Vanderhyde hem. 'Hebt u trek in een kopje thee?'

'Nee, dank u.'

'Iets sterkers misschien?'

'Dank u. Nee.' Rebus glimlachte. 'Ik heb gisteravond een beetje te veel gedronken.'

'Ik hoor aan uw stem dat u glimlacht.'

'U schijnt helemaal niet nieuwsgierig te zijn naar de reden van mijn komst, meneer Vanderhyde.'

'Dat komt misschien doordat ik al wéét waarom u hier bent, inspecteur. Of omdat mijn geduld geen grenzen kent. Tijd betekent voor mij minder dan voor de meeste mensen. Ik heb geen haast om uw verklaring te horen. Ik let niet op de klok, weet u.' Hij glimlachte weer. Zijn ogen waren gefixeerd op een punt iets boven Rebus, en iets naar rechts. Rebus zweeg om af te wachten wat hij verder nog zou zeggen. 'Maar ja,' vervolgde Vanderhyde. 'Aangezien ik de deur niet meer uit kom, maar weinig bezoek ontvang en naar beste weten geen wetten heb overtreden, is het aantal mogelijke redenen voor uw bezoek natuurlijk betrekkelijk gering. Weet u zeker dat u geen thee wilt?'

'Laat dat voor u geen reden zijn om zelf niet te nemen,' zei Rebus, die de bijna lege beker op de vloer naast de stoel van de oude man had opgemerkt. Hij keek omlaag en zag naast de stoel waar hij zelf in zat nog een beker op het tapijt staan. Zwijgend stak hij zijn hand naar beneden. Alleen de onderkant van de beker was nog een beetje warm, evenals het vloerkleed daaronder.

'Nee,' zei Vanderhyde. 'Ik heb net gehad. Net zoals degene die zojuist op bezoek was.'

'Bezoek?' Rebus klonk verbaasd. De oude man glimlachte en schudde toegeeflijk zijn hoofd. Rebus voelde zich betrapt, maar besloot toch door te vragen. 'Ik dacht dat u zei dat u niet veel bezoek kreeg?'

'Voorzover ik me herinner heb ik dat niet precies zo gezegd. Maar goed, het is waar. Vandaag is de uitzondering die de regel bevestigt. U bent vandaag al de tweede bezoeker.'

'Zou ik mogen vragen wie de andere was?'

'Zou ik mogen vragen waarom u hier bent, inspecteur?'

Nu was het Rebus' beurt om te glimlachen. Hij knikte. Het bloed was de oude man naar de wangen gestegen. Het was Rebus gelukt hem te irriteren.

'Nou?' Er klonk ongeduld in Vanderhydes stem.

'Nou, meneer Vanderhyde, dat zal ik u zeggen.' Rebus kwam met enig misbaar overeind en begon door de kamer te lopen. 'Ik ben uw naam tegengekomen in een scriptie over occultisme. Verbaast u dat?'

De oude man dacht hier even over na. 'Het verheugt me enigszins. Ik heb tenslotte ook een ego dat af en toe gestreeld moet worden.'

'Maar het verbaast u niet?' Vanderhyde haalde zijn schouders op. 'In deze scriptie wordt u genoemd in verband met een Edinburghse groep die in de jaren zestig heksensabbats heeft gehouden.'

'Heksensabbat is een verkeerde term, maar dat geeft niet.'

'U was daarbij betrokken?'

'Ik zal het niet ontkennen.'

'Sterker nog, u was in feite de voorman van de groep, al is "voorman" misschien een verkeerde term.'

Vanderhyde lachte. Het was een hoog, onaangenaam geluid. 'Die is raak, inspecteur. Heel raak. Gaat u verder.'

'Het was niet moeilijk om uw adres te vinden. Er staan niet al te veel Vanderhydes in het telefoonboek.'

'Het grootste deel van mijn familie woont in Londen.'

'De reden voor mijn bezoek, meneer Vanderhyde, is dat er een moord is gepleegd, of in elk geval dat er met bewijsmateriaal met betrekking tot de doodsoorzaak van een overlijdensgeval gemanipuleerd is.'

'Klinkt intrigerend.' Vanderhyde zette de vingertoppen van zijn beide handen tegen elkaar en bracht ze naar zijn lippen. Het was haast niet te geloven dat de man blind was. Vanderhyde leek volstrekt niet in verwarring gebracht te worden doordat Rebus door de kamer heen en weer liep.

'Het lijk werd gevonden met gestrekte armen en de benen tegen elkaar...'

'Naakt?'

'Nee, niet helemaal. Het bovenlijf was ontbloot. Aan weerszijden van het lichaam waren kaarsen aangestoken en op een van de muren was een vijfpuntige ster geschilderd.'

'Verder nog iets?'

'Nee. In de buurt van het lichaam stond een potje met een paar injectienaalden.'

'De dood was het gevolg van een overdosis?'

'Ja.'

'Hmm.' Vanderhyde kwam overeind uit zijn stoel en liep recht op de boekenkast af. Hij deed hem niet open, maar bleef ervoor staan alsof hij de titels bekeek. 'Als we hier te maken hebben met een offer, inspecteur... Ik neem tenminste aan dat u daarvan uitgaat?'

'Dat is een van de vele mogelijkheden, ja.'

'Nou, áls we te maken hebben met een offer, dan is de wijze waarop de dood is veroorzaakt zeer ongebruikelijk. Nee, sterker nog, ongehoord. Ten eerste zijn er maar weinig satanisten die voorstander zijn van mensenoffers. Er zijn wel veel psychopaten die moorden plegen en deze dan als dekmantel het aanzien van een ritueel geven, maar dat is wat anders. Hoe dan ook, bij een mensenoffer moet er bloed aan te pas komen. Bij sommige rituelen in symbolische vorm, zoals in het lichaam en bloed van Christus, en bij andere echt bloed. Maar een offer zónder bloed? Dat zou heel uitzonderlijk zijn. En om een overdosis toe te dienen...? Nee, inspecteur, het ligt veel meer voor de hand dat iemand nadat de dood al was ingetreden geprobeerd heeft de zaak te vertroebelen, zoals u zelf al zei.'

Vanderhyde liep bij de boekenkast weg en keerde zich naar de plek waar Rebus stond. Hij hief zijn armen op ten teken dat dit alles was wat hij ervan kon zeggen.

Rebus ging weer zitten. Toen hij de beker weer aanraakte, was deze niet warm meer. Het bewijsmateriaal was afgekoeld, weggelekt, verdwenen.

Hij pakte de beker op en bekeek hem. Het was een heel gewoon ding met een bloempatroon erop. Aan de zijkant zat een barst, die van boven naar beneden liep. Rebus was ineens vol zelfvertrouwen. Hij wist precies wat hij deed. Hij kwam weer overeind en liep naar de deur.

'Gaat u weg?'

Hij gaf geen antwoord op Vanderhydes vraag, maar liep snel naar de donkere eikenhouten trap. Halverwege maakte de trap een hoek van negentig graden, en van beneden af had je zicht op een kleine overloop in die hoek. Even daarvoor was daar iemand geweest, iemand die had staan luisteren. Hij had de figuur niet echt gezien, maar zijn aanwezigheid gevoeld. Hij schraapte zijn keel, wat meer een uiting van nervositeit was dan een onderdeel van zijn plan.

'Kom maar naar beneden, Charlie.' Hij zweeg. Het bleef stil, maar hij voelde dat de jongeman er was, even voorbij de hoek in de trap. 'Of wil je liever dat ik je kom halen? Nee, hè, dat wil je toch niet, hè? Wij daarboven met ons tweeën in het donker?' Het bleef stil, slechts onderbroken door de schuifelende pantoffels van Vanderhyde, gevolgd door het getik van zijn wandelstok op de vloer. Toen Rebus omkeek, zag hij dat de man zijn kaak uitdagend naar voren had gestoken. Hij had nog steeds zijn trots. Rebus vroeg zich af of hij ook schaamte kende.

Toen verraadde een licht gekraak boven aan de trap dat Charlie daar was.

Op Rebus' gezicht brak een glimlach door. Hij had gewonnen. Hij ontspande zich. Hij had zelfvertrouwen gevoeld, en hij was zijn zelfvertrouwen waard gebleken.

'Hallo, Charlie,' zei hij.

'Ik wilde haar helemaal niet slaan. Zij is mij eerst aangevlogen.'

Hij herkende de stem, maar Charlie leek wortel geschoten te hebben op de trap. Hij stond iets voorovergebogen. Je zag alleen zijn silhouet, en zijn armen bungelden langs zijn lichaam. Het keurige stemgeluid klonk hol, alsof het niet bij de wajangpop op de overloop hoorde.

'Waarom kom je niet naar beneden?'

'Gaat u me dan arresteren?'

'Op welke gronden?' In Rebus' stem klonk iets geamuseerds.

'Dat had jouw vraag moeten zijn, Charlie,' riep Vanderhyde. Het klonk als een instructie. Rebus had ineens genoeg van alle spelletjes. 'Kom naar beneden,' zei hij op bevelende toon. 'Laten we nog een kopje Earl Grey-thee drinken.'

Rebus had de roodfluwelen gordijnen in de woonkamer opengetrokken. In wat er nog aan daglicht resteerde zag de kamer er minder vol uit, minder overweldigend, en zeker ook minder beklemmend. De snuisterijen op de schoorsteenmantel bleken niet meer te zijn dan wat ze feitelijk waren: snuisterijen. En de boeken in de boekenkast bleken over het algemeen gewone populaire romans te zijn: Dickens, Hardy, Trollope. Rebus vroeg zich alleen af of Trollope nog echt populair was.

Charlie was in het kleine keukentje thee aan het zetten. Rebus en Vanderhyde zaten zwijgend in de huiskamer en luisterden naar de geluiden uit de keuken.

'U hebt een goed gehoor,' zei Vanderhyde ten slotte. Rebus haalde zijn schouders op. Hij probeerde zich een oordeel te vormen over de kamer. Nee, hij zou hier niet kunnen wonen, maar hij kon zich wel voorstellen dat hij bij een oud familielid in zo'n huis op bezoek zou kunnen zijn.

'Ah, de thee,' zei Vanderhyde toen Charlie onvast lopend met het dienblad binnenkwam. Hij zette het tussen de stoelen en de bank in op de vloer en probeerde Rebus in de ogen te kijken. De blik had iets vragends. Rebus negeerde hem en nam zijn kop thee met een kort hoofdknikje aan. Hij stond op het punt om op te merken dat Charlie hier in huis zo goed de weg wist toen Charlie, die Vanderhyde zijn – uit voorzorg slechts half gevulde – beker aanreikte, zelf het woord nam. Charlie pakte Vanderhydes hand en leidde die naar het grote oor van de beker.

'Alstublieft, oom Matthew,' zei hij.

'Dank je, Charles,' zei Vanderhyde. Als hij had kunnen zien, zou hij zijn vaag glimlachende gezicht rechtstreeks naar de inspecteur hebben gericht in plaats van naar een plek iets boven diens schouder.

'Gezellig,' zei Rebus terwijl hij het droge aroma van de Earl Greythee opsnoof.

Charlie ging op de bank zitten en sloeg zijn benen over elkaar. Hij zat er bijna ontspannen bij. Het was duidelijk dat hij deze kamer goed kende, dat de kamer hem als het ware paste als een oude, gemakkelijk zittende broek. Hij leek iets te willen zeggen, maar Vanderhyde wilde eerst het een en ander kwijt.

'Charles heeft me er alles over verteld, inspecteur Rebus. Hiermee bedoel ik dan eigenlijk dat hij me alles heeft verteld voorzover hij het nodig vond dat ik ervan op de hoogte was.' Charlie keek zijn oom boos aan. Vanderhyde leek zich daarvan bewust en glimlachte slechts. 'Ik heb al tegen Charles gezegd dat hij nog een keer met u moest gaan praten, maar volgens mij heeft hij daar geen zin in. Hád hij geen zin in, moet ik zeggen, want nu heeft hij geen keus meer.'

'Hoe wist u het?' vroeg Charlie. Hij was in deze omgeving veel meer op zijn gemak dan in het afzichtelijke kraakpand in Pilmuir, dacht Rebus.

'Hoe wist ik wat?' vroeg Rebus.

'Hoe wist u waar ik was? Hoe wist u van oom Matthew?'

'O, dat.' Rebus plukte onzichtbare pluisjes van zijn broek. 'Uit je scriptie. Die lag op je bureau. Wel handig, moet ik zeggen.'

'Wat is handig?'

'Een scriptie schrijven over occultisme terwijl je een heksenmeester in de familie hebt.'

Vanderhyde grinnikte. 'Ik ben geen heksenmeester, inspecteur. Zeker niet. Ik geloof dat ik in mijn hele leven ooit maar één echte heksenmeester ben tegengekomen. Hier in de stad, bedoel ik dan.'

'Oom Matthew,' onderbrak Charlie hem, 'ik geloof niet dat de inspecteur geïnteresseerd is in...'

'Jawel, juist wel,' zei Rebus. 'Daarom ben ik hier.'

'O.' Charlie klonk teleurgesteld. 'Dus niet om mij te arresteren?'

'Nee, al vind ik wel dat je een pak slaag verdient omdat je Tracy een blauw oog bezorgd hebt.'

'Dat had ze verdiend!' Charlies stem had iets mokkends. Hij stak zijn onderlip naar voren als een kind.

'Heb jij een vrouw geslagen?' Vanderhyde leek ontzet. Charlie keek in zijn richting en sloeg toen zijn ogen neer, alsof hij zich schaamde onder een blik die er niet was – die er niet kón zijn.

'Ja,' fluisterde Charlie. 'Maar kijk eens.' Hij trok de ronde hals van zijn trui naar beneden. Er waren twee enorme halen te zien, zo te zien veroorzaakt door iemands nagels.

'Diepe striemen,' zei Rebus ter wille van de blinde. 'Jij hebt striemen in je nek, zij een blauw oog. Volgens mij liggen jullie nek aan nek in de oog-om-oogcompetitie.'

Vanderhyde grinnikte weer en leunde iets voorover op zijn stok.

'Heel goed, inspecteur,' zei hij. 'Ja, heel goed.' Hij tilde zijn beker op en blies erin. 'Maar wat kunnen wij voor u betekenen?'

'Ik zag uw naam in Charlies scriptie vermeld staan. Uit een voetnoot bleek dat u als bron hebt gefungeerd. Ik ben ervan uitgegaan dat u dan wel in de buurt zou wonen en nog in leven zou zijn, en aangezien er niet erg veel...'

'... Vanderhydes in het telefoonboek staan...' vulde de oude man aan. 'Ja, dat zei u al.'

'Maar u hebt de meeste van mijn vragen al beantwoord. Tenminste voorzover ze betrekking hadden op zwarte magie. Ik zou alleen nog van uw neef op een paar punten enige opheldering willen.'

'Zal ik dan even...?' Vanderhyde maakte aanstalten om overeind te komen. Rebus gebaarde dat hij kon blijven zitten, maar besefte toen dat dit geen zin had. Vanderhyde leek echter Rebus' bedoeling te hebben geraden en liet zich alweer in de stoel zakken.

'Nee meneer, dat hoeft niet,' zei Rebus toch nog. 'Ik heb maar heel even nodig.' Hij draaide zich naar Charlie, die bijna leek weg te zinken in de dikke kussens op de bank. 'Zo, Charlie,' begon Rebus. 'Jij staat bij mij te boek als dief en als medeplichtige aan moord. Heb je daar iets op te zeggen?'

Rebus keek met genoegen toe hoe op het gezicht van de jongeman de kleur van thee plaatsmaakte voor die van ongebakken deeg. Vanderhyde vertrok zijn gezicht, maar ook hij voelde duidelijk meer plezier dan ergernis. Charlie keek van de een naar de ander, smekend om enige tegemoetkoming, maar alle ogen die hij zag, bleven blind voor zijn smekende blikken.

'Ik... eh... ik...'

'Ja?' zei Rebus.

'Even een kopje thee inschenken,' zei Charlie, alsof zijn hele woordenschat nog slechts uit deze vijf schamele woordjes bestond. Rebus leunde ontspannen achterover. Laat die zak maar zoveel kopjes thee inschenken als hij wil. Laat hem verse thee zetten zoveel als hij wil. Maar antwoorden zóú hij. Charlie zou tannine zweten, en híj zou antwoord krijgen op zijn vragen.

'Is het altijd zo somber in Fife?'

'Alleen op de schilderachtige plekken. Verder valt het reuze mee.'

De man van de dierenbescherming liep met Holmes in de schemering over een stuk grasland. Het terrein was bijna volkomen vlak, met hier en daar een dode boom die de eentonigheid van het landschap doorbrak. Er stond een harde wind en het was koud. De man van de dierenbescherming had in het plaatselijke dialect gezegd dat het een oostenwind was, en Holmes had toen gedacht dat de man geen richtinggevoel had omdat het duidelijk een westenwind was.

Het landschap gaf makkelijk aanleiding tot vergissingen. Het leek vlak, maar het was feitelijk vals plat. Het pad dat ze volgden, liep omhoog. Weinig, maar wel merkbaar. Holmes moest denken aan een heuvel, ergens in Schotland, waar je door het uitzicht het idee kreeg dat je naar boven liep, terwijl je in feite afdaalde. Of was het andersom? Om de een of andere reden vond hij zijn metgezel niet de man om dat bij na te vragen.

Toen ze even later boven waren aangekomen, keek Holmes uit over het zwarte, met sintels bezaaide terrein van een verlaten mijn, van het grasland gescheiden door een rij bomen. De mijnen in dit gebied waren allemaal buiten gebruik, al sinds de jaren zestig. Nu er geld genoeg was, werden de oude, rokende hopen steenslag geëgaliseerd en gebruikt om de door dagbouw ontstane gaten in het landschap op te vullen. De voor de exploitatie van de mijnen opgerichte gebouwen werden afgebroken en de terreinen herbeplant, zodat het leek alsof er in Fife nooit aan mijnbouw gedaan was.

Brian Holmes wist er wel iets van. Zijn ooms waren mijnwerkers geweest. Niet hier misschien, maar toch waren ze bronnen van informatie geweest, en de kleine Brian had die informatie en de verhalen die ze vertelden tot in de details in zijn geheugen opgeslagen.

'Somber,' mompelde hij terwijl hij achter de man van de dierenbescherming aan de helling afliep in de richting van de bomen, waar een stuk of vijf, zes mannen heen en weer liepen, enkele in uniform, andere in burger. Ze draaiden zich om toen ze hen hoorden naderen. Holmes stelde zichzelf voor aan een in burger geklede man die de hoogste in rang leek.

'Rechercheur Brian Holmes.'

De man glimlachte, knikte, en maakte toen een hoofdgebaar in de richting van een veel jongere man. Iedereen lachte, de geüniformeerden, de rechercheurs, zelfs die judas van de dierenbescherming. Ze genoten van Holmes' vergissing. Hij voelde het bloed naar zijn wangen stijgen en bleef als aan de grond genageld staan. De jongere man zag hoe hij eraan toe was en stak zijn hand naar hem uit.

'Ik ben brigadier Hendry, Brian. Soms heb ik hier de leiding.' Men glimlachte nog eens. Deze keer deed Holmes mee.

'Neemt u me niet kwalijk, brigadier.'

'Ik voel me eigenlijk gevleid. Best leuk om te bedenken dat ik er jong uitzie en Harry hier oud.' Hij knikte in de richting van de man die Holmes ten onrechte had aangezien voor zijn superieur. 'Goed, Brian. Ik zal je even vertellen wat ik net tegen de jongens heb gezegd. We hebben uit betrouwbare bron de tip gekregen dat er hier vanavond een hondengevecht wordt gehouden. Het is een afgelegen plek, een kilometer van de weg en anderhalve kilometer van het dichtstbijzijnde huis. Een ideale plek dus. Vanaf de weg te bereiken over een karrenspoor, dat door de vrachtwagens wordt gebruikt. Het zullen waarschijnlijk drie of vier bestelwagens met honden zijn en een onbekend aantal auto's met gokkers. Als het qua drukte op de paardenrennen begint te lijken, zullen we versterking laten komen, maar voorlopig zijn we niet zozeer geïnteresseerd in de gokkers als wel in de organisatoren. Het gerucht gaat dat Davy Brightman de man is om wie het draait. Hij heeft oud-ijzerhandels in Kirkcaldy en in Methil. We weten dat hij een paar pitbulls heeft, en volgens ons organiseert hij daarmee gevechten.'

Uit een van de radio's klonk luid geknetter en toen een oproep. Brigadier Hendry antwoordde.

'Is rechercheur Holmes bij u?' klonk het. Hendry keek Holmes aan terwijl hij hem de microfoon gaf. Holmes wist niets anders te bedenken dan hem met een verontschuldigende blik aan te kijken.

'Rechercheur Holmes hier.'

'Rechercheur Holmes, wij hebben een boodschap voor u.'
'Zegt u het maar,' zei Holmes.
'Het gaat om ene Nell Stapleton.'

Rebus zat in de wachtkamer van het ziekenhuis een reep chocola te eten die hij uit een automaat had gehaald en liet ondertussen in gedachten de gebeurtenissen van de dag de revue passeren. Toen hij terugdacht aan het incident met Tracy in de auto, voelde hij de neiging om uit zelfbescherming zijn benen over elkaar te slaan. Het deed nog steeds pijn. Het leek wel een dubbele hernia, dacht hij, al had hij die nooit gehad.

Maar hij had een interessante middag achter de rug. De ontmoeting met Vanderhyde was interessant geweest. En Charlie... Charlie had gezongen als een nachtegaal.

'Goed,' had Charlie gezegd. 'Wat wilt u weten?'

'Jij bent die avond bij Ronnie geweest?'

'Ja, een poosje.'

'En toen ben je weggegaan omdat je naar een of ander feest wilde, ja?'

'Dat klopt.'

'Toen je wegging was Neil nog bij Ronnie?'

'Nee, hij was toen al weg.'

'Je wist natuurlijk niet dat Neil Ronnies broer was, hè?'

De verbaasde uitdrukking op het gezicht van Charlie leek oprecht, maar Rebus, die wist dat hij een goed acteur was, nam dat niet voetstoots aan. Daar trapte hij niet meer in.

'Nee, dat wist ik niet. Shit, zijn broer! Waarom wilde hij niet dat wij kennis met hem zouden maken?'

'Neil en ik zitten in dezelfde branche,' verklaarde Rebus. Charlie glimlachte alleen en schudde zijn hoofd. Vanderhyde zat nadenkend achterovergeleund in zijn stoel, als een rechter die alles zorgvuldig overweegt.

'Nu zegt Neil dat hij heel vroeg is weggegaan. Dat er met Ronnie niet te praten was.'

'Ik kan wel raden waarom.'

'Waarom dan?'

'Nou, da's makkelijk. Hij had toch gescoord? Hij had al heel lang geen shot gehad, en toen had hij ineens gescoord.' Charlie realiseerde zich plotseling dat zijn bejaarde oom meeluisterde. Hij zweeg en keek naar de oude man. Vanderhyde, gehaaid als hij was, leek dit aan te voelen en maakte een breed armgebaar alsof hij zeggen wilde: ik loop al zo lang rond op deze aarde, ik schrik nergens meer van.

'Ik denk dat je gelijk hebt,' zei Rebus. 'Ik denk dat het inderdaad zo was. Goed. Terwijl er verder niemand in huis is, neemt Ronnie een shot. Het spul is dodelijk. Als Tracy binnenkomt, vindt ze hem in zijn kamer...'

'Dat zegt zíj,' viel Charlie hem in de rede. Rebus knikte ten teken dat zijn kritiek misschien terecht was.

'Laten we even veronderstellen dat het zo gegaan is. Hij is dood, zo lijkt het althans. Zij raakt in paniek en gaat ervandoor. Okay. Tot zover is het duidelijk. Maar hoe het verder gaat is nogal onduidelijk, en op dat punt heb ik jouw hulp nodig, Charlie. Als zij weg is, brengt iemand Ronnies lijk naar beneden. Ik weet niet waarom. Misschien wilden ze gewoon de politie op het verkeerde been zetten, of zoals meneer Vanderhyde het zo treffend noemde, de zaak vertroebelen. Hoe dan ook, in dit stadium is er ineens sprake van een tweede zakje met wit poeder. Tracy had er maar één gezien...' Rebus zag dat Charlie aanstalten maakte om hem weer in de rede te vallen. '... Dat zegt ze tenminste. Ronnie had dus één pakje en heeft daar een shot van genomen. Toen hij dood was, is zijn lichaam naar beneden gebracht en is er op onverklaarbare wijze een tweede pakje opgedoken. Dit tweede pakje bevatte goed spul, niet het vergif waarmee Ronnie zichzelf had ingespoten. En om de zaak nog wat ingewikkelder te maken, werd bovendien Ronnies fototoestel gestolen. En die camera duikt later op in jouw kamer, Charlie, in jouw zwarte plastic tas.'

Charlie keek Rebus niet meer aan. Hij had zijn ogen neergeslagen en keek naar de vloer, naar zijn beker, naar de theepot. Hij sloeg ze niet op toen hij begon te spreken.

'Ja, ik heb 'm meegenomen.'

'Jij hebt de camera meegenomen?'

'Ja, dat zeg ik toch net!'

'Okay.' Rebus' stem klonk neutraal. Charlies smeulende gevoel van schaamte kon ieder moment tot ontsteking komen en overgaan in woede. 'Wanneer heb je 'm meegenomen?'

'Nou, ik heb niet op mijn horloge gekeken hoe laat het was.'

'Charles!' Het klonk als een snauw uit Vanderhydes mond. Charlie reageerde door rechtop te gaan zitten, alsof hij ineens weer een klein kind was en bang was voor de imposante figuur van zijn oom, de tovenaar.

Rebus schraapte zijn keel. Zijn hele tong smaakte naar Earl Greythee. 'Was er nog iemand in huis toen jij terugkwam?'

'Nee. Nou ja, wel als je Ronnie meerekent.'

'Was hij boven of beneden?'

'Hij lag boven aan de trap, als u het weten wilt. Hij lag daar gewoon, alsof hij geprobeerd had naar beneden te gaan. Ik dacht dat hij in zijn roes in slaap was gevallen, maar hij zag er niet goed uit. Ik bedoel, als iemand slaapt, beweegt hij altijd wel een klein beetje. Maar Ronnie was... verstijfd. Hij was koud, klam.'

'En hij lag boven aan de trap?'

'Ja.'

'Wat heb je toen gedaan?'

'Nou, ik begreep dat hij dood was. Het was alsof ik droomde. Dat klinkt idioot, dat weet ik, maar zo was het. Ik realiseer me nu dat ik er gewoon niet aan wilde. Toen ben ik Ronnies kamer ingegaan.'

'Stond het potje met injectienaalden daar?'

'Kan ik me niet herinneren.'

'Doet er niet toe. Ga door.'

'Nou, ik realiseerde me dat Tracy, als ze terugkwam...'

'Ja?'

'Ach, u zult wel denken dat ik een monster ben.'

'Waarom dan?'

'Nou, ik wist dat ze, als ze terugkwam en zag dat Ronnie dood was, zou pakken wat ze pakken kon. Ik wíst gewoon dat ze dat zou doen, en toen heb ik iets meegenomen waarvan ik dacht dat hij gewild zou hebben dat ik dat kreeg.'

'Uit sentimentele overwegingen dus?' vroeg Rebus ironisch.

'Niet helemaal,' zei Charlie. Rebus raakte ineens zijn concentratie kwijt. Het gaat allemaal te gemakkelijk, dacht hij. 'Het was het enige voorwerp van waarde dat Ronnie bezat.'

Rebus knikte. Ja, dat leek hem dichter bij de waarheid. Charlie had het niet gedaan omdat hij geld te kort kwam; daarvoor kon hij altijd bij oom Matthew terecht. Het was eerder het ongeoorloofde van de daad dat aantrekkelijk voor hem was geweest. Iets waarvan Ronnie graag gewild zou hebben dat hij het kreeg. Wat een buitenkansje.

'Dus jij hebt die camera ingepikt?' vroeg Rebus. Charlie knikte.

'En toen ben je weggegaan?'

'Ben meteen teruggegaan naar het kraakpand waar ik zat. Iemand zei dat Tracy naar me op zoek was. Ze zeiden dat ze vreselijk opgewonden was. Ik ben er toen van uitgegaan dat ze het wist van Ronnie.'

'En ze was er niet met de camera vandoor gegaan, maar op zoek gegaan naar jou.'

'Ja.' Charlie leek bijna berouw te hebben. Bijna. Rebus vroeg zich af wat Vanderhyde van dit alles dacht.

'De naam Hyde, zegt die jou iets?'

'Dat is een figuur in *Dr. Jekyll en Mr. Hyde* van Robert Louis Stevenson.'

'Afgezien daarvan.'

Charlie haalde zijn schouders op.

'En de naam Edward?'

'Een figuur in *Dr. Jekyll en Mr. Hyde* van Robert Louis Stevenson.'

'Dat begrijp ik niet.'

'Sorry. Een flauw grapje. Edward is de voornaam van Mister Hyde. Nee, ik ken niemand die Edward heet.'

'Okay. Zal ik je eens wat zeggen, Charlie?'

'Nou?'

Rebus keek naar Vanderhyde, die geen spier vertrok. 'Ik denk dat je oom al weet wat ik ga zeggen.'

Vanderhyde glimlachte. 'Dat klopt. U moet me maar verbeteren als ik het verkeerd heb, inspecteur Rebus, maar ik denk dat u wilde zeggen dat u, omdat het lijk van de jongeman van de slaapkamer naar de overloop boven was verplaatst, moet aannemen dat degene die dat gedaan heeft zich in huis bevond op het moment dat Charlie daar aankwam.'

Charlies mond zakte open. Het was voor het eerst dat Rebus dat in werkelijkheid bij iemand zag gebeuren.

'Precies,' zei hij. 'Volgens mij heb je geluk gehad, Charlie. Volgens mij was er op dat moment inderdaad iemand bezig het lijk naar beneden te brengen. Toen je binnenkwam, heeft hij of zij zich verstopt in een van de andere kamers, misschien zelfs wel in die smerige badkamer, en is er pas uitgekomen nadat jij weer weg was gegaan. Hij of zij was in het huis toen jij er was.'

Charlie slikte en deed zijn mond dicht. Toen boog hij het hoofd en begon te huilen. Hij deed het niet helemaal geluidloos, zodat zijn oom begreep wat er gebeurde. Met een tevreden glimlach knikte de man Rebus toe.

Rebus at het laatste stukje chocola op. Het smaakte naar ontsmettingsmiddel en deed sterk denken aan de geur die buiten in de gang hing, net als op de zalen en in de wachtkamer, waar bezorgde gezichten schuilgingen in oude kleurenbijlagen en de schijn van werkelijke interesse in de inhoud daarvan probeerden op te houden. Op dat moment ging de deur open en kwam Holmes binnen. Hij zag er bezorgd en uitgeput uit. Hij had een rit van veertig minuten achter de rug waarin hij ten prooi was geweest aan zijn ergste angsten, en het resultaat daarvan was van zijn gezicht te lezen. Rebus realiseerde zich dat hier een snelle behandeling op zijn plaats was.

'Het gaat heel goed met haar,' zei hij. 'Je mag naar haar toe wanneer je maar wilt. Er is eigenlijk geen goede reden waarom ze haar nog hier houden. Ze heeft alleen een gebroken neus.'

'Een gebroken neus?'

'Ja, meer niet. Geen hersenschudding, geen wazige plekken voor de ogen. Een ouderwetse gebroken neus. Dat heb je ervan als je aan het vechten slaat.'

Rebus dacht even dat Holmes zich kwaad zou maken om zijn luchthartigheid, maar de jongeman ontspande zich en glimlachte. Zijn schouders zakten iets in vanwege de anticlimax, die in dit geval echter zeer welkom was.

'Wat denk je?' vroeg Rebus. 'Wil je haar zien?'

'Ja.'

'Kom maar mee. Dan breng ik je naar haar toe.' Hij legde een hand op Holmes' schouder en liep met hem de deur weer uit.

'Maar hoe wist u het?' vroeg Holmes terwijl ze door de gang liepen.

'Hoe wist ik wat?'

'Hoe wist u dat het Nell was? Hoe wist u van haar en mij?'

'Tja, Brian, je bent toch rechercheur. Denk er maar eens over na.' Rebus zag aan Holmes' gezicht dat het raadsel hem hoofdbrekens kostte. Hij hoopte dat het een therapeutisch proces zou zijn. Het duurde een tijdje voordat Holmes iets zei.

'Nell heeft geen familie, daarom heeft ze mijn naam genoemd.'

'Bijna goed. Ze heeft je naam opgeschreven. Door die gebroken neus is ze namelijk een beetje moeilijk te verstaan.'

Holmes knikte als verdoofd. 'En ik was nergens te vinden, dus toen hebben ze u gevraagd of u wist waar ik was.'

'Ja, zoiets. Goed gedaan. Hoe was het trouwens in Fife? Ik kom er nog hooguit één keer per jaar.' Op 28 april, dacht hij erbij.

'Fife? Goed hoor. Ik moest alleen weg voordat ze tot arrestatie overgingen. Dat was jammer. En ik geloof niet dat ik veel indruk heb gemaakt op het arrestatieteam waarvan ik geacht werd deel uit te maken.'

'Wie had de leiding?'

'Een jonge brigadier, ene Hendry.'

Rebus knikte. 'Die ken ik. Gek dat jij hem niet kende, van naam tenminste.'

Holmes haalde zijn schouders op. 'Ik hoop alleen dat ze die schoften te pakken krijgen.'

Rebus was stil blijven staan voor een van de zalen.

'Is het hier?' vroeg Holmes. Rebus knikte.

'Wil je dat ik met je mee naar binnen ga?'

Holmes keek zijn superieur aan met een blik die bijna dankbaarheid uitstraalde, maar schudde zijn hoofd.

'Nee, dat hoeft niet. Als ze slaapt, blijf ik niet. Nog één ding, overigens.'

'Ja?'

'Wie heeft het eigenlijk gedaan?'

Wie het gedaan had. Dat was nog het moeilijkst te begrijpen. Toen hij door de gang terugliep, zag Rebus Nell liggen met haar opgezwollen gezicht, met haar ergernis toen ze iets probeerde te zeggen en het haar niet lukte. Ze had hem om papier gevraagd. Hij had een opschrijfboekje uit zijn zak gehaald en haar zijn pen aangereikt, waarna ze een volle minuut lang als een bezetene had zitten schrijven. Hij bleef stilstaan, haalde het boekje te voorschijn en las het voor de vierde of vijfde keer die avond door.

'Ik was in de bibliotheek aan het werk. Op een gegeven moment probeerde een vrouw langs de portier het gebouw binnen te komen. U kunt het bij hem navragen. Die vrouw heeft me een kopstoot gegeven. Ik wilde alleen maar van dienst zijn en haar kalmeren. Ze zal wel gedacht hebben dat ik haar weg wilde sturen, maar dat was niet het geval. Ik wilde haar alleen helpen. Het was het meisje van de foto, van die naaktfoto die Brian gisteravond toen we in het café zaten in zijn tas had. U was daar ook, hè? In hetzelfde café. Er was tenslotte bijna niemand. Waar is Brian? Weer op jacht naar vieze plaatjes voor u, inspecteur?'

Rebus glimlachte, zoals hij de eerste keer dat hij het las ook had geglimlacht. Ze had lef. Hij mocht haar wel, met dat verband op haar gezicht, met die bloeduitstortingen. Ze deed hem erg aan Gill denken.

Tracy liet een spoor van chaos en verwarring achter. Het kreng. Was ze gewoon geflipt of zou ze een goede reden hebben gehad om naar de universiteitsbibliotheek te gaan? Rebus leunde tegen een muur van de gang. Mijn god, wat een dag. Hij had zogenaamd niks speciaals om handen. Hij werd verondersteld 'schoon schip te maken' om zich binnenkort geheel aan de drugsbestrijdingscampagne te kunnen wijden. Feitelijk zou hij het nu makkelijk moeten hebben. Nou, dat kon nog een tijd duren.

Toen de deuren van de ziekenzaal dichtvielen, zag hij Brian Holmes in de gang staan. Holmes leek niet goed te weten welke kant hij op wilde, maar toen hij zijn superieur zag, kwam hij snel op hem af lopen. Rebus wist eigenlijk nog niet of Holmes van onschatbare waarde was dan wel een blok aan het been vormde. Zou allebei tegelijk ook kunnen?

'Alles goed met haar?' vroeg hij bezorgd.

'Ja, ik dacht het wel. Ze is wakker. Haar gezicht is alleen een puinhoop.'

'Het zijn maar blauwe plekken. En ze zeggen dat je later helemaal niet meer ziet dat die neus gebroken is geweest.'

'Ja, dat zei Nell ook.'

'Praat ze alweer? Dat is mooi.'

'Ze heeft me ook verteld wie het gedaan heeft.' Holmes keek Rebus aan, die zijn blik afwendde. 'Wat is er in godsnaam aan de hand? Wat heeft Nell ermee te maken?'

'Niets, voorzover ik weet. Ze was alleen op het verkeerde moment op de verkeerde plaats, zoals dat heet. Het is puur aan toeval te wijten.'

'Toeval? Dat is wel erg makkelijk. Wijt het maar aan "het toeval", dan hoef je nergens meer over na te denken, bedoelt u het zo? Ik weet niet welk spelletje u speelt, maar ik kan u wel zeggen dat ík er geen zin meer in heb.'

Holmes draaide zich om en beende de gang door. Rebus moest zich bedwingen om hem niet na te roepen dat er aan die kant van het gebouw geen uitgang was, maar op dat soort gunsten zat Holmes niet te wachten. Hij moest even de tijd hebben. Even rust. Dat gold voor Rebus ook, maar bij hem was het omdat hij ergens goed over moest nadenken. Het bureau was daarvoor de beste plek.

Door het langzaam, tree voor tree te doen, slaagde Rebus erin de trap op te komen naar de verdieping waar zijn kamer lag. Hij zat al zes minuten achter zijn bureau toen een hevig verlangen naar een kop thee hem naar de telefoon deed grijpen. Toen ging hij achteroverzitten en keek naar het vel papier dat voor hem lag en waarop hij had geprobeerd de 'feiten' van de 'zaak' op een rijtje te zetten. Hij rilde even bij de gedachte dat hij misschien tijd en moeite aan het verspillen was. Als het tot vervolging zou komen, zou de jury erg zijn best moeten doen om ervan overtuigd te raken dat er überhaupt sprake was van een misdaad. Uit niets bleek dat Ronnie zichzelf niet had ingespoten. Aan de andere kant was hij wel degelijk van de levering van dope afgesneden geweest, ondanks het feit dat er genoeg op de markt was, en bovendien had iemand zijn lijk naar beneden gesleept en er een pakje heroïne van goede kwaliteit bij achtergelaten dat bij analyse schoon spul zou blijken te zijn, in de hoop dat men de dood zou wijten aan een ongelukje, een simpele overdosis. Maar het rattengif was wel gevonden.

Rebus keek op het papier. Het beeld werd nu al beïnvloed door allerlei mogelijkheden en veronderstellingen. Misschien was zijn gezichtspunt verkeerd. Nou John, draai de zaken dan eens om en begin opnieuw.

Waarom had iemand de moeite genomen Ronnie te vermoorden? Na verloop van tijd zou de stakker zichzelf wel om zeep hebben gebracht. Ze hadden Ronnie zijn heroïne onthouden en hem vervolgens wel wat gegeven, maar waren ervan op de hoogte geweest dat het spul niet deugde. Het leed dus geen twijfel dat hij moest hebben geweten dat degene die hem het spul had geleverd hem dood wilde hebben. Toch had hij het genomen... Nee, als je het zo bekeek, was er helemaal geen touw aan vast te knopen. Opnieuw.

Waarom zou iemand Ronnie dood willen hebben? Er waren een paar voor de hand liggende redenen te bedenken. Omdat hij iets wist wat hij niet had moeten weten. Omdat hij iets bezat wat hij niet had moeten bezitten. Omdat hij iets niet bezat wat hij wel had moeten bezitten. Wat was waarheid? Rebus wist het niet. Niemand scheen het te weten. Het beeld kwam nog steeds niet tot leven.

Op dat moment werd er op de deur geklopt, waarna deze werd geopend door een agent met een bekertje thee. De agent was Harry Todd. Rebus herkende hem meteen.

'Gaat het een beetje, jongen?'

'Ja, inspecteur,' zei Todd terwijl hij het bekertje op het enige nog vrije plekje op het met papieren bezaaide bureau neerzette.

'Is het rustig vanavond?'

'Zoals gewoonlijk, inspecteur. Een paar dronkenlappen. Een paar inbraken. Een ernstig auto-ongeluk in de buurt van de haven.'

Rebus knikte en pakte zijn thee. 'Ken jij een collega die Neil McGrath heet?' Hij bracht het bekertje naar zijn lippen, keek op naar Todd en zag dat hij een kleur kreeg.

'Ja, inspecteur,' zei hij. 'Die ken ik.'

'Mm-hm.' Rebus proefde de thee. Zo te zien kon hij wel waardering opbrengen voor de milde smaak van melk en warm water. 'Hij heeft tegen jou gezegd dat je mij in de gaten moest houden, hè?'

'Hoe bedoelt u?'

'Ik wil jou niet meer in mijn buurt zien, begrepen?'

'Ja, inspecteur.' Todd was duidelijk terneergeslagen. Bij de deur bleef hij staan. Hij leek iets bedacht te hebben waarmee hij weer op goede voet met zijn superieur zou komen te staan. Met een glimlach draaide hij zich weer naar Rebus.

'Hebt u gehoord van die actie in Fife, inspecteur?'

'Welke actie?' Rebus klonk ongeïnteresseerd.

'De hondengevechten, inspecteur.' Rebus bleef zijn best doen om onaangedaan te kijken. 'Ze hebben ingegrepen bij een hondengevecht. En weet u wie ze hebben gearresteerd?'

'De minister van defensie,' opperde Rebus. Todd zakte iets in. De glimlach verdween van zijn gezicht.

'Nee, inspecteur,' zei hij terwijl hij zich weer omdraaide en weg wilde gaan. Rebus toonde weinig geduld.

'Nou, wie dan?' beet hij hem toe.

'Die diskjockey, Calum McCallum,' zei Todd, en hij deed de deur achter zich dicht. Rebus staarde vijf tellen lang naar de deur, en toen pas drong het tot hem door. Calum McCallum... de vrijer van Gill Templer!

Rebus wierp zijn hoofd in zijn nek en begon te bulderen van het lachen. Er klonk ook een soort overwinningskreet in door. Toen hij was uitgelachen en met een zakdoek zijn ogen afveegde, zag hij dat de deur open stond. En in de deuropening stond iemand die met een nadenkende uitdrukking naar hem keek.

Het was Gill Templer.

Rebus keek op zijn horloge. Het was bijna één uur 's nachts.

'Heb je late dienst, Gill?' vroeg hij, om zijn verwarring te verbergen.

'Je zult het wel gehoord hebben, hè?' zei ze, zonder op zijn vraag in te gaan.

'Wat gehoord?'

Ze liep de kamer in, pakte een stapeltje papieren van een stoel, legde dat op de grond en ging zitten. Ze zag er doodmoe uit. Rebus keek naar alle papieren die over de vloer verspreid lagen.

'Nou ja, morgen wordt er toch opgeruimd,' zei hij. En: 'Ja, ik heb het gehoord.'

'Was dat de reden van al die hilariteit?'

'O, dat.' Rebus deed nonchalant, maar voelde dat het bloed hem naar de wangen steeg. 'Nee,' zei hij, 'dat was iets... nou ja, iets heel anders...'

'Je klinkt niet erg overtuigend, Rebus, smeerlap dat je bent.' Ze klonk mat. Hij wilde haar wel opbeuren, tegen haar zeggen dat ze er goed uitzag of zo. Maar dan zou hij moeten liegen en zou ze hem toch alleen maar weer wantrouwend aankijken. Dus liet hij het maar zo. Ze zag er inderdaad slecht uit. Ze had te weinig slaap gehad en de lol was er voor haar af, dat was duidelijk. Degene voor wie ze leefde was net opgesloten in een cel ergens in Fife. Ze zouden foto's en vingerafdrukken van hem willen en die vervolgens opbergen. Haar leven, Calum McCallum.

Het leven was vol verrassingen.

'Maar wat kan ik voor je doen?'

Ze keek hem aan en bestudeerde zijn gezicht, alsof ze niet goed wist wie hij was en waarom zij daar was. Toen haalde ze even haar schouders op en schudde zichzelf wakker.

'Het klinkt als een flauwe smoes, maar ik kwam echt toevallig langs. Ik was even in de kantine voor een bekertje koffie voordat ik naar huis zou gaan, en toen hoorde ik...' Ze trok weer even met haar schouders – een huivering die niet echt een huivering was. Het viel Rebus op hoe breekbaar ze eruitzag. Ze moest niet te veel huiveren, want anders viel ze misschien nog uit elkaar. 'Ik had net gehoord van Calum. Hoe kan hij me dat nou aandoen, John? Zoiets geheim houden voor me? Ik bedoel, wat is er voor lol aan om toe te kijken hoe honden elkaar vers...'

'Dat moet je hem zelf maar vragen, Gill. Zal ik nog wat koffie voor je halen?'

'Jezus, nee. Ik zal toch al de grootste moeite hebben om in slaap te komen. Maar er is iets wat ik wel graag zou willen, als het niet te veel moeite is.'

'Zeg het maar.'

'Een lift naar huis.' Rebus knikte meteen instemmend.

'En een knuffel.'

Rebus stond langzaam op, trok zijn jasje aan, stopte de pen en het papier in zijn zak en liep op haar af. Ze was al opgestaan uit haar stoel. Staande op nog ongelezen rapporten, papieren die ondertekend moesten worden, statistieken van arrestaties en dergelijke omarmden ze elkaar en hielden elkaar stevig vast. Ze legde haar hoofd op zijn schouder. Hij liet zijn kin in haar hals rusten en terwijl hij naar de gesloten deur keek, wreef hij met één hand over haar rug en klopte er met de andere op. Na een tijdje maakte ze zich van hem los, eerst haar hoofd, toen haar borst, maar ze bleef hem omarmen. Haar ogen waren vochtig, maar zo was het goed. Ze zag er iets beter uit.

'Bedankt,' zei ze.

'Ik had er net zoveel behoefte aan als jij,' zei Rebus. 'Kom, dan breng ik je naar huis.'

VRIJDAG

Zo te zien ging het de inwoners goed. Ze streefden er allemaal naar om het beter te doen dan de anderen en pronkten graag met de rijkdom van wat ze geoogst hadden.

Er werd aan zijn deur geklopt. Met de oude koperen klopper die hij nooit oppoetste. Een autoritaire manier van kloppen was het. Rebus opende zijn ogen. Het zonlicht stroomde de huiskamer in, terwijl op de grammofoon een plaat die allang was afgelopen lag te tikken. Weer met al zijn kleren aan in de stoel in slaap gevallen. Hij kon zijn matras in de slaapkamer net zo goed verkopen. Maar wie zou een matras zonder bed willen hebben?

Klop-klop-klop, klonk het weer. Geduldig nog steeds. Wachtend op zijn reactie. Zijn oogleden voelden kleverig aan. Terwijl hij van de huiskamer naar de voordeur liep, stopte hij zijn overhemd in zijn broek. Alles in aanmerking genomen, voelde hij zich niet eens zo beroerd. Niet stijf, geen pijn in zijn nek. Even wassen en scheren, dan was hij weer het heertje.

Hij deed de deur open net op het moment dat Brian weer wilde kloppen.

'Brian.' Rebus klonk oprecht verheugd.

'Goedemorgen. Mag ik binnenkomen?'

'Natuurlijk. Alles in orde met Nell?'

'Ik heb vanmorgen gebeld. Ze zeiden dat ze een goede nacht heeft gehad.'

Ze liepen in de richting van de keuken, Rebus voorop. Holmes had zich voorgesteld dat het bij Rebus thuis naar bier en sigaretten zou ruiken. Een typische vrijgezellenflat. Maar het bleek er netter uit te zien dan hij had verwacht, en de inrichting getuigde zelfs van enige smaak. Er waren veel boeken. Hij had van Rebus nooit gedacht dat hij veel zou lezen. Let wel: veel boeken zagen eruit alsof ze niet gelezen waren, maar gekocht met de gedachte dat het het weekend daarop weleens regenachtig weer zou hebben kunnen worden. Wat dan vervolgens toch niet het geval was geweest.

Rebus maakte een vaag gebaar naar de ketel en de kasten.

'Maak jij even koffie, wil je? Dan ga ik snel onder de douche.'

'Okay.' Holmes vond dat het nieuws dat hij te melden had waarschijnlijk wel even kon wachten. In elk geval totdat Rebus goed wakker was. Tevergeefs zocht hij naar oploskoffie, maar in een van de kasten vond hij wel een vacuümpak gemalen koffie waarvan de houdbaarheidsdatum met enkele maanden was overschreden. Terwijl het water aan de kook raakte, maakte hij het open en lepelde er wat van in de theepot. Vanuit de badkamer klonk het gekletter van water, en daarbovenuit was het schelle geluid van een transistorradio te horen. Stemmen. Een of ander praatprogramma, dacht Holmes.

Terwijl Rebus in de badkamer bezig was, nam Holmes de gelegenheid te baat om even door de flat te lopen. De huiskamer was gigantisch en had een hoog plafond, afgezet met een lijst. Holmes voelde een steek van jaloezie. Zo'n flat zou hij nooit kunnen kopen. Hij zocht in de buurt van Easter Road en Gorgie, bij de voetbalvelden van respectievelijk de Hibs en de Hearts. Daar kon hij zich wel een flat veroorloven, en zelfs een redelijke grote, met drie slaapkamers. Maar de kamers waren klein en de buurten niet al te best. Maar hij was geen snob. Ach wat, dat was hij wel! Natuurlijk wilde hij in New Town wonen, in Dean Village, of hier in Marchmont, waar je mooie cafés had waar studenten zaten te filosoferen.

Hij ging niet overdreven zorgvuldig te werk toen hij de arm van de pick-up van de plaat tilde. Het was een of andere oude jazzplaat. Hij zocht naar de hoes, maar vond die niet. De geluiden uit de badkamer hielden op. Zachtjes liep hij terug naar de keuken. In de bestekla vond hij een theezeef, die hij gebruikte om het koffiedik tegen te houden toen hij de koffie uitschonk in twee bekers. Rebus kwam gehuld in een badhanddoek binnen en wreef met een andere, kleinere handdoek over zijn hoofd. Hij moest wat afvallen, of in elk geval gaan trainen om er een beetje toonbaar uit te zien. Zijn bleke borst was slap aan het worden.

Hij pakte een van de bekers en nam een slokje.

'Hmm, echte McCoy.'

'Die heb ik in een van de kasten gevonden. Er was alleen geen melk.'

'Geeft niet. Zo is het uitstekend. De koffie had je in een van de kasten gevonden, zei je? Hmm, misschien kunnen we toch nog een goede politieman van je maken. Ik zal even wat aantrekken.' En weg was hij weer, deze keer echter maar voor twee minuten. De kleren die hij aanhad toen hij terugkwam waren schoon maar niet gestreken. Het viel Holmes op dat er in de keuken wel voorzieningen waren voor een wasmachine, maar dat die er niet stond. Het leek of Rebus zijn gedachten kon lezen.

'Die heeft mijn vrouw meegenomen toen ze vertrok. Ze heeft veel meegenomen. Daarom ziet het er hier zo kaal uit.'

'Het ziet er niet kaal uit. Het ziet eruit alsof er goed over de inrichting is nagedacht.'

Rebus glimlachte. 'Laten we in de huiskamer gaan zitten.'

Rebus gebaarde naar Holmes dat hij plaats moest nemen en ging toen zelf ook zitten. De stoel waar hij de hele nacht in had liggen slapen, was nog warm. 'Ik zie dat je al in deze kamer geweest bent.'

Holmes keek verbaasd. Gesnapt. Toen herinnerde hij zich dat hij de pick-up uit had gezet.

'Ja,' zei hij.

'Zo mag ik het horen,' zei Rebus. 'Ja, ik denk dat het ons nog wel zal lukken een goede politieman van je te maken, Brian.'

Holmes was er niet zeker van of Rebus het vleiend of sarcastisch bedoelde, maar besloot er geen aandacht aan te besteden.

'Ik heb een nieuwtje waarvan ik dacht dat u het wel graag zou willen weten,' begon hij.

'Ik weet het al,' zei Rebus. 'Sorry dat ik je het plezier mij te verrassen ontneem, maar ik was gisteravond op het bureau en daar hoorde ik het van iemand.'

'Gisteravond?' Holmes keek verward. 'Maar ze hebben het lijk pas vanmorgen gevonden.'

'Het lijk? Bedoel je dat hij dood is?'

'Ja. Zelfmoord.'

'Jezus, arme Gill.'

'Gill?'

'Gill Templer. Ze had iets met hem.'

'Inspecteur Templer?' vroeg Holmes geschokt. 'Ik dacht dat zij met die diskjockey samenwoonde?'

Nu was het Rebus' beurt om in de war te zijn. 'Hebben we het dan niet over hem?'

'Nee,' zei Holmes. Hij kon hem alsnog verrassen. Zijn opluchting was groot.

'Over wie hebben we het dán?' vroeg Rebus met toenemende bezorgdheid. 'Wie heeft er zelfmoord gepleegd?'

'James Carew.'

'Carew?'

'Ja. Ze hebben hem vanmorgen in zijn flat gevonden. Een overdosis, schijnt het.'

'Een overdosis waarvan?'

'Weet ik niet. Pillen.'

Rebus was verbijsterd. Hij zag de uitdrukking op het gezicht van Carew die avond op Calton Hill weer voor zich.

'Verdomme,' zei hij. 'Ik had hem nog willen spreken.'

'Ik vroeg me af...' zei Holmes.

'Wat?'

'U was er waarschijnlijk nog niet toe gekomen bij hem te informeren naar een woning voor mij?'

'Nee,' zei Rebus. 'Daar heb ik de kans niet voor gehad.'

'Het was maar een grapje,' zei Holmes toen hij zich realiseerde dat Rebus de vraag serieus had opgevat. 'Was hij een vriend van u? Ik bedoel, ik weet dat u een keer met hem hebt geluncht, maar ik had me niet gerealiseerd dat...'

'Heeft hij een afscheidsbrief achtergelaten?'

'Weet ik niet.'

'Wie weet dat wél?'

Holmes dacht even na. 'Volgens mij is inspecteur McCall erbij geweest.'

'Mooi. Kom op, we gaan.' Rebus was overeind gekomen.

'Maar uw koffie dan?'

'Laat die maar zitten. Ik moet Tony McCall spreken.'

'Wat was er nou met Calum McCallum aan de hand?' vroeg Holmes terwijl hij opstond.

'Bedoel je dat je dat niet hebt gehoord?' Holmes schudde zijn hoofd. 'Ik vertel het je onderweg wel.'

Rebus kwam in beweging, pakte zijn jasje en haalde zijn sleutels eruit om de voordeur af te sluiten. Holmes vroeg zich af wat er aan de hand was. Wat had Calum McCallum gedaan? Wat had hij toch een hekel aan mensen die dingen achterhielden!

Rebus las het briefje staande in Carews slaapkamer. Het was in een elegant handschrift en met een echte vulpen geschreven, maar in een enkel woord waar de schrijver zich niet had kunnen bedwingen en de letters zo beverig waren dat hij ze had doorgekrast en opnieuw op papier gezet, was duidelijk te zien dat hij bang was geweest. Het schrijfpapier was trouwens ook van goede kwaliteit, dik en met een watermerk. De V12 stond in de garage achter de flat. De flat zelf was overweldigend mooi. Het was een waar museum van art deco-stukken, moderne kunst en waardevolle eerste drukken, veilig achter glas opgesloten.

Ongeveer het tegendeel van het huis van Vanderhyde, had Rebus gedacht toen hij door de flat liep. Toen had McCall hem het afscheidsbriefje gegeven.

'Niemand is zo'n groot zondaar als ik, en niemand lijdt als ik.' Was dat een citaat? Nogal gezwollen taal voor een afscheidsbriefje van een zelfmoordenaar. Maar misschien had Carew talloze probeersels op papier gezet totdat hij tevreden was. Het luisterde heel nauw, en het moest een monument voor de man zijn. 'Er komt misschien een dag dat het u duidelijk wordt wat er goed en verkeerd aan was.' Rebus had het gevoel dat hij niet al te ver hoefde te zoeken. Hij had bij het lezen het onpasselijk makende gevoel dat Carews briefje rechtstreeks aan hem was gericht, dat hij dingen had opgeschreven die alleen Rebus ten volle zou kunnen begrijpen.

'Een raar afscheidsbriefje,' zei McCall.

'Ja,' zei Rebus.

'Jij hebt hem nog niet zo lang geleden ontmoet, hè' vroeg McCall. 'Ik herinner me nog dat je dat zei. Was alles toen in orde met hem? Ik bedoel, was hij niet depressief of zo?'

'Ik heb hem daarna nog een keer gezien.'

'O ja?'

'Ik was een paar dagen geleden 's avonds aan het rondsnuffelen op Calton Hill. Ik heb hem daar in zijn auto zien zitten.'

'Aha.' McCall knikte. Het begon langzamerhand wat duidelijker te worden.

Rebus gaf hem het briefje terug en liep naar het bed. De lakens waren gekreukeld. Op het nachtkastje stonden drie lege pillendoosjes keurig op een rij. Op de vloer lag een lege cognacfles.

'De man is in stijl uitgestapt,' zei McCall terwijl hij het briefje in zijn zak stak. 'Hij had al een paar flessen wijn op voordat hij daaraan begon.'

'Ja, ik zag ze in de huiskamer staan. Lafitte '61. Alleen voor "zeer speciale gelegenheden".'

'Ja, dit is inderdaad wel héél speciaal.'

Beide mannen draaiden zich om toen ze merkten dat er nog iemand de kamer in was gekomen. Het was Boer Watson, die nog hijgde van de inspanning die het hem had gekost om de trap op te komen.

'Heel vervelend,' zei hij. 'Dat een van de sleutelfiguren van onze campagne zich van kant maakt, en dan ook nog door een overdosis te nemen. Wat zullen de mensen daarvan zeggen?'

'Ja, heel vervelend, commissaris,' zei Rebus. 'Wat u zegt.'

'Precies, zo is het.' Watson stak zijn wijsvinger in Rebus' richting. 'Het is jouw taak om te zorgen dat de media hier geen smakelijk hapje van maken, John. En van ons ook niet.'

'Ja, commissaris.'

Watson vertrok, nagestaard door McCall en Rebus.

'Godverdomme!' fluisterde McCall. 'Míj zag hij niet staan. Hij heeft me niet één keer aangekeken. Net alsof ik er niet was.'

'Je mag je gelukkige gesternte wel dankbaar zijn, Tony. Ik wou dat ik die gave van onzichtbaarheid bezat.'

De mannen glimlachten. 'Genoeg gezien?' vroeg McCall.

'Ik wil nog één keer de ronde doen,' zei Rebus. 'Dan zal ik je niet meer voor de voeten lopen.'

'Wat jij wilt, John. Alleen één ding.'

'Zeg het maar?'

'Wat deed jij in godsnaam bij nacht en ontij op Calton Hill?'

'Dat moet je me niet vragen,' zei Rebus terwijl hij hem een handzoen toeblies en naar de woonkamer liep.

Het nieuws zou in de plaatselijke pers natuurlijk wel degelijk groot gebracht worden, dat was onvermijdelijk. Bij de radio en de schrijvende pers zouden ze voor het probleem staan dat ze moesten kiezen waaraan ze de meeste aandacht zouden schenken: 'Diskjockey gearresteerd bij clandestien hondengevecht' of 'Schokkende zelfmoord vastgoedreus'. Zoiets in elk geval. Jim Stevens zou in de wolken zijn geweest. Maar goed, Jim Stevens woonde tegenwoordig in Londen, waar hij getrouwd was met een meisje dat naar verluidde half zo oud was als hij.

Rebus had wel bewondering voor iemand die zo'n stap durfde zetten. Voor James Carew daarentegen had hij geen enkele waardering. Watson had op één punt gelijk: Carew was iemand geweest wie alles mee had gezeten. Rebus vond het dan ook moeilijk te geloven dat hij zelfmoord had gepleegd alleen omdat hij door een politieman op Calton Hill was gesignaleerd. Nee, het zou de aanleiding geweest kunnen zijn, maar er moest meer zijn. Misschien was er iets te vinden in de flat, of anders in het kantoor van Bowyer Carew in George Street.

James Carew had veel boeken gehad. Een snelle inventarisatie toonde aan dat het voor het merendeel dure, indrukwekkende werken waren, die evenwel niet gelezen waren en waarvan de ruggen kraakten toen Rebus ze als eerste opensloeg. Rechts boven in de boekenkast stond een aantal boeken die Rebus meer interesseerden dan de andere. Het waren boeken van Genet en Alexander Trocchi, Forsters *Maurice* stond erbij en zelfs *Last Exit to Brooklyn*. Gedichten van Walt Whitman en *Torchlight Trilogy*. Een allegaartje van homoliteratuur. Daar was niets mis mee. Maar dat ze zo'n speciale plaats in de boekenkast hadden – helemaal bovenin en afgezonderd van de rest – was voor Rebus een aanwijzing dat de man zich ervoor had geschaamd. En daar was toch geen reden voor. Tegenwoordig toch niet meer...?

Onzin. Door aids was homoseksualiteit weer in de duistere uithoeken van de samenleving gedrongen, en doordat Carew de realiteit geheim had gehouden, was hij vatbaar geweest voor gevoelens van schaamte en daardoor voor allerlei soorten van afpersing.

Afpersing, jazeker. Zelfmoordenaars waren soms slachtoffers van pogingen tot afpersing die geen uitweg meer zagen uit het dilemma waarvoor ze stonden. Er was een minieme kans dat daarvoor aanwijzingen te vinden zouden zijn, een briefje of iets dergelijks. Het kon van alles zijn. Rebus wilde alleen voor zichzelf bewijzen dat hij niet helemaal paranoïde was.

En toen vond hij het.

In een la. De la was weliswaar afgesloten, maar de sleutels zaten in Carews broekzak. Hij was in zijn pyjama gestorven, maar de kleren die hij daarvóór aan had gehad waren niet samen met het lijk afgevoerd. Rebus ging naar de slaapkamer om de sleutels te halen en liep toen terug naar het bureautje in de huiskamer. Een prachtig bureautje was het. Echt antiek. Het blad bood nauwelijks plaats aan een A4-tje en nog een elleboog daarnaast. Wat ooit een gebruiksmeubel was geweest, was nu een ornament in het appartement van een rijk man. Rebus trok voorzichtig de la open en haalde er een in leer gebonden bureauagenda uit. Eén dag per bladzijde, een grote bladspiegel. Dat de agenda zo zorgvuldig achter slot en grendel was bewaard, betekende dat hij niet bedoeld was geweest om afspraken in te noteren. Een dagboek dus. Rebus sloeg hem gretig open, maar werd meteen teleurgesteld. De bladzijden waren merendeels onbeschreven. Slechts hier en daar stond in potloodschrift een korte notitie.

Rebus vloekte.

'Nou, John, het is in elk geval beter dan niets.' Hij liet de agenda openliggen op een bladzijde waar iets op stond. In heel dun, keurig schrift stond daar: 'Jerry, 4.00 uur.' Een gewone afspraak. Rebus bladerde door tot de dag waarop ze geluncht hadden bij The Eyrie. De pagina was leeg. Mooi. Dat betekende dat de afspraken die er wel in stonden niet tot de categorie der lunchafspraken behoorden. Het waren er maar weinig. Rebus was ervan overtuigd dat Carews kantooragenda propvol zou staan. Hier ging het om zaken die privé waren.

'Lindsay, 6.30 uur.'

'Marks, 11.00 uur.' Vroeg begonnen die dag, en wat te denken van de naam? Twee mensen die allebei Mark heetten? Of één persoon die Marks heette? Misschien was het grootwinkelbedrijf bedoeld? De andere namen – Jerry, Lindsay – leken hem verzonnen namen, die niets zeiden over het geslacht van de drager. Hij wilde telefoonnummers zien, of plaatsaanduidingen.

Hij sloeg nog een bladzijde om. En moest toen twee keer kijken naar wat daar geschreven stond. Hij liet zijn vinger erlangs gaan.

'Hyde, 22.00 uur.'

Hyde. De naam die Ronnie op de avond dat hij stierf had genoemd toen Tracy bij hem was? *Pas op voor Hyde. Hij zit achter me aan.* Ja, en nu vond hij de naam terug bij James.

Hyde!

Rebus slaakte een kreet. Een aanknopingspunt, hoe onbeduidend ook. Een verbindingslijn tussen Ronnie en James Carew. Iets wat meer gewicht had dan een vluchtig betaald contact op Calton Hill. Een naam. Snel bladerde hij de rest van de agenda door. De naam Hyde kwam er vaker in voor, altijd laat op de avond (wanneer de business op Calton Hill op gang kwam), en altijd op vrijdag. Soms de tweede vrijdag van de maand, soms de derde. Vier vermeldingen in zes maanden tijd.

'Iets gevonden?' Het was McCall, die over Rebus' schouder keek om te zien wat hij deed.

'Ja,' zei Rebus. Maar toen bedacht hij zich. 'Maar eigenlijk niet echt, Tony. Alleen een oude agenda, maar die ouwe nicht was geen veelschrijver.'

McCall knikte en liep weg. Hij leek meer belangstelling te hebben voor de stereo-installatie.

'Die ouwe had wel smaak,' zei McCall terwijl hij het apparaat bekeek. 'Een Linn-draaitafel. Weet je wat die kosten, John? Een vermogen. Ze zien er simpel uit, maar ze zijn verdomd goed.'

'Een beetje zoals wij dus,' zei Rebus. Hij overwoog om de agenda in zijn zak te stoppen. Het mocht niet, dat wist hij. En wat zou hij eraan hebben? Maar nu Tony toch met zijn rug naar hem toe stond... Nee, nee, dat kon hij niet doen. Met enig misbaar gooide hij hem terug in de la, schoof hem dicht en deed hem op slot. De sleutel gaf hij aan McCall, die nog voor de stereo-installatie gehurkt zat.

'Bedankt, John. Mooie apparatuur is dit, weet je dat?'

'Ik wist niet dat jij belangstelling had voor dat soort dingen.'

'Al van kindsbeen af. Ik heb mijn installatie moeten verkopen toen ik trouwde. Maakte te veel lawaai.' Hij kwam overeind. 'Wat denk je, vinden we hier nog aanknopingspunten?'

Rebus schudde zijn hoofd. 'Volgens mij schreef hij niks op en onthield hij alles. Hij was tenslotte erg op zichzelf. Nee, ik denk dat hij al zijn geheimen met zich mee het graf in heeft genomen.'

'Ach, nou ja. Dan is de zaak voor ons kristalhelder, vind je niet?'

'Kristalhelder. Zeker, Tony,' zei Rebus.

Wat had de oude Vanderhyde ook weer gezegd? Dat de zaak vertroebeld was of zo. Rebus kon de gedachte niet van zich afzetten dat de oplossing van al deze raadsels heel eenvoudig moest zijn, kristalhelder. Het probleem was dat er allerlei verhalen doorheen liepen die er niets mee te maken hadden. *Haal ik de metaforen door elkaar? Okay, het zij zo, ik haal de metaforen door elkaar.* Wat telde, was de bodem van de vijver zien te bereiken, troebel water of niet, en dat schatkistje dat waarheid heet op te halen en boven water zien te krijgen.

Hij realiseerde zich dat het erop neerkwam het probleem in stukjes te hakken. Hij moest de door elkaar lopende verhalen uit elkaar trekken en zich op de afzonderlijke lijnen concentreren. Tot nu toe had hij alle verhalen tot één patroon willen samenvoegen, maar dat ene patroon bestond wellicht helemaal niet. Als hij ze van elkaar zou kunnen scheiden, zou het hem misschien lukken ze elk afzonderlijk tot klaarheid te brengen.

Ronnie had zelfmoord gepleegd. Carew ook. Dat was het tweede dat ze gemeenschappelijk hadden. Het eerste was dat ze allebei in relatie hadden gestaan met iemand die Hyde heette. Was het een klant van Carew? Iemand die onroerend goed had gekocht met geld dat hij in de drugshandel had verdiend? Hyde kon een tussenschakel zijn, zeker. Maar misschien was het geen echte naam. Hoeveel Hydes stonden er in het telefoonboek van Edinburgh? Het kon een pseudoniem zijn. Jongens die zich prostitueerden lieten zich tenslotte maar zelden bij hun echte naam noemen. Hyde. Jekyll en Hyde. Nog een toevalligheid. Rebus had in dat boek zitten lezen op de avond dat Tracy bij hem langskwam. Misschien moest hij op zoek naar iemand die Jekyll heette, de in hoog aanzien staande dokter, het alter ego van de kleine bruut Hyde, die zijn nachtzijde vertegenwoordigde. Hij dacht aan de duistere figuren die hij op Calton Hill had gezien... Zou de oplossing zo voor de hand liggen?

Hij zette zijn auto op de enige lege parkeerplaats bij bureau Great London Road en ging de vertrouwde trap op. Het leek alsof de treden met het verstrijken van de jaren hoger werden, en hij zou zweren dat het er nu meer waren dan toen hij er voor het eerst kwam, inmiddels alweer – hoe lang? – zes jaar geleden. Waarom voelde hij zich zo'n Sisyphus?

'Hallo Jack,' zei hij tegen de brigadier van de wacht, die hem zonder zijn gebruikelijke hoofdknikje liet passeren. Vreemd, dacht

Rebus. Jack was nooit de vrolijkste geweest, maar meestal functioneerden zijn nekspieren wel. Hij stond erom bekend dat hij met een simpel hoofdknikje van alles kon uitdrukken, variërend van goedkeuring tot belediging. Rebus moest het die dag zonder stellen.

Hij besloot dit teken van minachting te negeren en ging naar boven. De twee agenten die hem op de trap tegemoet kwamen, zwegen toen ze hem passeerden. Rebus wilde kwaad worden, maar liep door. Misschien stond zijn gulp open of had hij een zwarte veeg op zijn gezicht. Zoiets moest het zijn. Als hij alleen op zijn kamer was, zou hij dat nagaan.

Holmes zat op hem te wachten. Hij zat in Rebus' stoel, achter Rebus' bureau, waarop informatiemateriaal over onroerend goed verspreid lag. Hij kwam overeind toen Rebus binnenkwam en graaide de papieren bij elkaar als een jongen die betrapt wordt met een pornoblaadje.

'Hallo, Brian.' Rebus deed zijn jasje uit en hing het aan de deur. 'Luister eens. Wil jij voor mij de adressen verzamelen van alle inwoners van Edinburgh die Jekyll of Hyde heten. Ik weet dat het idioot klinkt, maar doe het gewoon. En dan...'

'Ik denk dat u beter even kunt gaan zitten, inspecteur,' zei Holmes met een trilling in zijn stem. Rebus keek hem aan, zag de angst in de ogen van de jongeman en realiseerde zich dat het ergste wat hij zich voor kon stellen was gebeurd.

Rebus deed de deur van de verhoorkamer open. Zijn gezicht had de kleur van ingemaakte bietjes, en Holmes, die achter hem aan kwam, vreesde dat zijn chef op het punt stond een hartaanval te krijgen. In de kamer bevonden zich twee rechercheurs van de CID, allebei in hemdsmouwen. Zo te zien hadden ze een zware klus achter de rug. Toen Rebus binnenkwam draaiden ze allebei hun hoofd in zijn richting. Een van hen stond op, alsof hij een vechtpartij verwachtte. De adolescent aan de andere kant van de tafel, de knaap met het muizengezichtje die Rebus kende onder de naam James, begon te piepen en sprong op, waarbij hij de stoel omstootte, die op de vloer kletterde.

'Laat hem niet in mijn buurt komen!' schreeuwde hij.

'Luister eens, John...' begon een van de rechercheurs, ene brigadier Dick. Rebus stak zijn hand omhoog om aan te geven dat hij geen geweld in de zin had. De rechercheurs wisten niet zeker of ze dat moesten geloven en keken elkaar aan. Rebus keek de knaap aan en begon tegen hem te praten.

'Ik krijg jou nog wel, dat zweer ik je.' Er klonk een kalme, lucide woede in Rebus' stem. 'Ik grijp je, jongen. Neem dat maar van mij aan. Echt, geloof me maar.'

Het was de jongen inmiddels duidelijk dat Rebus zijn dreigementen niet waar zou kunnen maken omdat de anderen hem zouden beschermen. Hij grijnsde.

'Ja, dat zal wel,' zei hij minachtend. Rebus wilde op hem aflopen, maar Holmes legde zijn hand op zijn schouder en trok hem naar achteren.

'Laat hem met rust, John,' waarschuwde de andere rechercheur, Cooper genaamd. 'Laat het maar op z'n beloop. Lang zal het niet duren.'

'Té lang,' siste Rebus terwijl Holmes hem de kamer uit leidde en de deur achter hem sloot. Rebus bleef in de halfdonkere gang staan. Hij voelde zich leeg en boog het hoofd. Dit was toch bijna niet te geloven...

'Inspecteur Rebus!'

Rebus en Holmes draaiden allebei meteen hun hoofd in de richting vanwaar de stem had geklonken. Het was de stem van een agente. Ook zij keek angstig.

'Ja?' wist Rebus uit te brengen. Hij slikte.

'De commissaris wil u spreken. Op zijn kamer. Ik geloof dat het urgent is.'

'Ja, dat wil ik wel geloven,' zei Rebus terwijl hij op zo'n dreigende manier op haar afliep dat ze zich haastig terugtrok in de richting van de balie en het volle daglicht.

'Het is godverdomme allemaal doorgestoken kaart – met alle respect, commissaris.'

Hou je aan de gouden regel, John, dacht Rebus. Geen krachttermen gebruiken tegenover je superieuren zonder er 'met alle respect' bij te zeggen. Dat had hij in het leger geleerd. Als je die frase eraan toevoegde, konden ze je nooit grijpen voor insubordinatie.

'John.' Watson schoof zijn vingers in elkaar en keek naar zijn handen alsof ze een hypermodern design vormden. 'John, we moeten dit onderzoeken. Dat is onze plicht. Ik weet dat het waanzin is, maar we moeten áántonen dat het waanzin is. Dat is onze plicht.'

'Ja, commissaris, maar toch...'

Watson onderbrak hem met een handgebaar. Toen vouwde hij zijn handen weer.

'Je was natuurlijk al min of meer vrijgesteld in afwachting van het begin van onze campagne.'

'Ja, commissaris, maar dat is nou net waar hij op uit is.'

'Hij?'

'Ene Hyde. Deze figuur wil dat ik ophou met wroeten in de zaak Ronnie McGrath. Daar gaat het allemaal om. Daarom is het doorgestoken kaart.'

'Dat kan zijn. Maar het feit blijft bestaan dat er een aanklacht tegen je is ingediend door...'

'Door dat rotjoch beneden.'

'Hij zegt dat jij hem geld hebt gegeven. Twintig pond, geloof ik.'

'Ik heb hem inderdaad twintig pond gegeven, maar niet om hem te naaien, verdomme!'

'Waarvoor dan?'

Rebus voelde zich verslagen en zweeg. Waarom hád hij die James eigenlijk dat geld gegeven? Hij had zichzelf mooi in de nesten gewerkt. Hyde zelf zou het hem niet hebben kunnen verbeteren. En nu zat deze James beneden zijn zorgvuldig ingestudeerde verhaal aan de jongens van de CID te vertellen. Je kon hoog of laag springen, zoiets raakte je nooit meer kwijt. Hoe hard je ook probeerde jezelf schoon te wassen. Dat rotjoch.

'Hiermee speelt u Hyde precies in de kaart, commissaris,' deed Rebus nog een laatste poging. 'Als het waar is wat hij vertelt, waarom is hij dan niet gisteren naar ons toe gekomen? Waarom heeft hij tot vandaag gewacht?'

Maar Watson had zijn besluit genomen.

'Nee, John. Ik wil je een dag of twee uit de buurt hebben. Een week misschien. Neem even vrij. Doe wat je wilt, maar laat de zaak rusten. Wij zorgen wel voor rugdekking, maak je daarover maar niet druk. We zullen de zaak in zulke kleine stukjes hakken dat niemand er meer zicht op heeft. En dan zal een van die stukjes onhoudbaar blijken, en daarmee het hele verhaal. Maak je maar geen zorgen.'

Rebus staarde Watson aan. Wat hij zei was nog niet zo gek. Sterker nog: het was eigenlijk heel subtiel en slim bedacht. Misschien was de Boer al met al toch niet zo'n boer. Hij zuchtte.

'Als u het zegt, commissaris.'

Watson knikte en glimlachte.

'Herinner je je trouwens die Andrews nog?' vroeg hij. 'Hij drijft een gelegenheid die Finlay's Club heet.'

'Ja, hij was ook bij die lunch.'

'Precies. Hij heeft mij uitgenodigd om lid te worden.'

'Leuk voor u, commissaris.'

'Normaal schijn je een jaar te moeten wachten – er is een lange wachtlijst omdat er zoveel rijke Engelsen deze kant op komen – maar hij zei dat hij mij wel voorrang wilde geven. Ik zei dat hij zich er maar niet al te druk over moest maken omdat ik bijna nooit drink en helemaal nooit gok. Maar toch, het blijft een leuk gebaar. Zal ik hem vragen of jij niet in mijn plaats lid kunt worden? Dan heb je in je vrije tijd tenminste iets om handen.'

'Ja, commissaris.' Rebus leek het voorstel te overwegen. Drank en gokken, geen slechte combinatie. Zijn gezicht klaarde op. 'Ja, commissaris,' zei hij. 'Dat zou heel aardig van u zijn.'

'Ik zal kijken wat ik kan doen. En er was nog iets.'

'Ja, commissaris.'

'Was jij van plan om vanavond naar het feestje van Malcolm Lanyon te gaan? Je weet toch nog wel dat hij ons uitnodigde toen we hem in The Eyrie ontmoeten, hè?'

'Ik was het helemaal vergeten, commissaris. Maar zou het niet... passender zijn als ik niet ging?'

'Helemaal niet. Ik red het vanavond zelf misschien niet, maar ik zie geen reden waarom jij er niet heen zou gaan. Alleen geen woord over...' Watson knikte in de richting van de deur, en daarmee tevens in de richting van de verhoorkamer verderop in de gang.

'Begrepen, commissaris. Dank u wel.'

'O ja, John, nog één ding.'

'Ja, commissaris.'

'Wil je in mijn bijzijn nooit meer vloeken? Met of zonder respect?'

Rebus voelde dat hij een kleur kreeg, niet uit woede, maar van schaamte. 'Ja, commissaris,' zei hij, en hij ging de kamer uit.

Holmes zat op Rebus' kamer ongeduldig op hem te wachten. 'Wat wilde hij?'

'Wie?' Rebus deed uiterst nonchalant. 'O, Watson bedoel je? Hij wilde me vertellen dat hij me heeft voorgedragen voor het lidmaatschap van Finlay's Club.'

'Finlay's Club?' Holmes' gezicht was één groot vraagteken. Dit was volstrekt niet wat hij had verwacht.

'Dat klopt. Op mijn leeftijd verdien ik het om lid te zijn van een herenclub, vind je niet?'

'Ik weet het niet.'

'O, en hij wilde me er ook aan herinneren dat er vanavond bij Malcolm Lanyon thuis een feestje is.'

'Lanyon, de advocaat?'

'Ja, die.' Rebus had Holmes tuk, dat wist hij maar al te goed. 'Ik hoop dat jij een beetje doorgewerkt hebt terwijl ik zat te leuteren.'

'Hoezo?'

'De Hydes en de Jekylls, Brian. Ik had je toch om hun adressen gevraagd?'

'O ja. Ik heb de lijst hier. Het zijn er niet al te veel, godzijdank. Ik neem aan dat ik weer mijn schoenzolen mag gaan verslijten?'

Rebus keek hoogst verbaasd. 'Geen sprake van. Jij kunt je tijd wel beter besteden. Nee, ik geloof dat ík nu degene ben die zijn schoenzolen moet verslijten.'

'Maar... met alle respect, mag u zich nog wel met deze zaak bemoeien?'

'Met alle respect, Brian, dat gaat je geen donder aan.'

Thuis probeerde Rebus Gill te bellen, maar ze gaf geen gehoor. Wilde zeker alleen zijn. Tijdens de rit naar huis gisteravond was ze stil geweest en ze had hem niet binnengevraagd. Begrijpelijk, vond hij. Al was hij er niet op uit om misbruik te maken van de situatie... Maar waarom probeerde hij haar dan te bellen? Hij was er natuurlijk wel degelijk op uit om misbruik te maken van de situatie! Hij wilde haar terug.

Hij ruimde de huiskamer op, deed de afwas en leverde de inhoud van zijn wasmand af bij de wasserette in de buurt. Mevrouw Mackay, de beheerster van de wasserette, was zeer verontwaardigd over Calum McCallum.

'Die vent is beroemd, die had beter moeten weten.'

Rebus glimlachte en knikte instemmend.

Toen hij weer thuis was, ging hij zitten en pakte een boek, al wist hij bij voorbaat dat hij zijn hoofd er toch niet bij zou kunnen houden. Hij wilde niet dat Hyde het zou winnen, en als hij zich nergens mee mocht bemoeien, zou dat juist wel gebeuren. Hij haalde het papiertje uit zijn zak. Er woonden in de wijde omtrek van Edinburgh geen mensen met de achternaam Jekyll, en maar een stuk of tien die Hyde heetten. Dat waren tenminste degenen die hij had kunnen vinden. Maar als Hyde nu een geheim nummer had? Hij zou Brian vragen ook die mogelijkheid na te gaan.

Hij pakte de telefoon. Pas halverwege het intoetsen van het nummer realiseerde hij zich dat hij bezig was Gill te bellen. Toen drukte hij de overige toetsen ook maar in. Wat maakte het ook uit? Ze was er waarschijnlijk toch niet.

'Hallo?'

Het was de stem van Gill Templer, en ze klonk onverstoorbaar als altijd. Ja, dat was makkelijk, via de telefoon. Alles was makkelijk via de telefoon.

'Met John.'

'O, hallo. Nog bedankt voor de lift naar huis.'

'Hoe is het met je?'

'Prima, echt waar. Ik voel me alleen een beetje... ik weet niet, "in de war" dekt het niet helemaal. Ik heb een gevoel alsof ik belazerd ben. Dat komt er het dichtst bij in de buurt.'

'Ga je nog naar hem toe?'

'Wat? In Fife? Nee, ik denk het niet. Het is niet dat ik hem niet wil zien. Ik wil hem juist wel zien. Maar ik vind het vervelend dat, als ik daar het bureau binnenloop, iedereen weet wie ik ben en waarom ik daar ben.'

'Ik wil best met je meegaan, Gill, als je dat wilt.'

'Dank je wel, John. Misschien over een dag of twee. Nu nog niet.'

'Ik begrijp het.' Hij werd zich er plotseling van bewust dat hij de hoorn zo stijf omklemde dat zijn vingers er pijn van deden. God, dit alles deed hem overál pijn. Zou ze enig idee hebben van zijn gevoelens op dit moment? Hij zou ze niet onder woorden kunnen brengen. Er waren geen woorden voor. Hij voelde zich zo dicht bij haar en tegelijkertijd zo ver van haar verwijderd. Als een schooljongen die net zijn eerste meisje is kwijtgeraakt.

'Bedankt voor het bellen, John. Dat stel ik erg op prijs. Maar ik moest nu maar eens...'

'Ja, natuurlijk. Je hebt groot gelijk. Nou, je hebt mijn nummer, Gill. Pas goed op jezelf.'

'Dag, J...'

Hij verbrak de verbinding. Niet op haar inpraten, John, dacht hij. Daardoor ben je haar tenslotte kwijtgeraakt. Niet allerlei dingen gaan veronderstellen. Daar houdt ze niet van. Geef haar de ruimte. Misschien had hij nu ook niet moeten bellen. Verdorie. Met alle respect.

Die wezel, James. Dat rotjoch. Hij zou zijn kop van zijn romp trekken als hij hem te pakken kreeg. Hij vroeg zich af hoeveel Hyde de knaap betaald zou hebben. Aanzienlijk meer dan twee briefjes van tien pond, dat was wel zeker.

De telefoon ging.

'Met Rebus.'

'John, met Gill nog even. Ik heb net het bericht gehoord. Waarom heb je het me niet verteld?'

'Welk bericht?' Hij deed alsof het hem niet kon schelen, maar wist dat ze hem onmiddellijk zou doorzien.

'Dat er een klacht tegen je is ingediend.'

'O, dat. Ach, Gill, je weet toch dat dit soort dingen af en toe gebeurt.'

'Ja, maar waarom heb je het me niet vertéld? Waarom liet je me zo kletsen?'

'Je was niet aan het kletsen.'

'Godverdorie!' Ze was bijna in tranen. 'Waarom verberg je altijd alles voor me? Wat heb je toch?'

Hij wilde het net gaan uitleggen toen de verbinding wegviel. Hij keek met een verwonderde blik in de hoorn en vroeg zich af waarom hij het haar eigenlijk niet had verteld. Omdat ze zelf zorgen had? Omdat hij zich schaamde? Omdat hij niet zat te wachten op medelijden van een kwetsbare vrouw? Redenen te over.

Of niet soms?

Natuurlijk waren er redenen genoeg. Het was alleen zo dat geen daarvan hem een plezierig gevoel gaf. *Waarom verberg je altijd alles voor me?* Wat moest hij met die vraag? Verborg hij dingen? Het was zijn werk, uitzoeken wat verborgen was. Zijn tegenstander had nog geen gezicht, maar hij begon langzaam contouren te krijgen. Hij was sluw, dat was zeker, maar hij moest niet denken dat hij Rebus kon inpakken zoals hij Ronnie en Carew had ingepakt.

De telefoon ging weer over.

'Met commissaris Watson. Ik ben blij dat ik je thuis tref.'

Omdat dat betekent dat ik niet op straat loop en jou in moeilijkheden breng, voegde Rebus er zonder het hardop te zeggen aan toe.

'Ja, commissaris. Zijn er problemen?'

'Integendeel. Ze zijn nog bezig die schandknaap te verhoren, maar lang zal het niet meer duren. Nee, waarom ik bel, is om te vertellen dat ik in het casino ben geweest.'

'Het casino?'

'Je weet wel, Finlay's Club.'

'O ja.'

'Ze zeggen dat je daar altijd welkom bent als je zin hebt om erheen te gaan. Je hoeft Finlay Andrews' naam maar te noemen en je mag erin.'

'O, mooi. Hartelijk bedankt, commissaris.'

'Graag gedaan, John. Jammer dat je het nu kalm aan moet doen, net nu die zelfmoord gebeurd is. De pers is er in gedoken en maakt jacht op het kleinste vuiltje. Wat een baan, hè?'

'Ja, commissaris.'

'McCall staat in dit geval de pers te woord. Ik hoop alleen dat hij niet op de buis hoeft te verschijnen, want hij is bepaald niet fotogeniek, hè?'

Watson zei het op een manier alsof het Rebus' schuld was, en Rebus stond op het punt zijn verontschuldigingen aan te bieden toen de commissaris zijn hand op de hoorn legde en iets met iemand besprak. En toen hij weer aan de lijn kwam, was het voor een haastig afscheid.

'Een persconferentie, schijnt het,' zei hij. Dat was alles.

Rebus staarde een volle minuut lang naar het toestel. Als er nog meer telefoontjes moesten komen, dan wat hem betrof liefst meteen. Er kwamen er geen. Hij gooide het apparaat op de grond, waar het met een grote klap neerkwam. Eigenlijk hoopte hij dat het ding een keer kapot zou gaan, zodat hij weer via een ouderwets toestel kon bellen, maar dat rotding was kennelijk solider dan het eruitzag.

Op het moment dat hij het boek opensloeg, werd er met de klopper op de deur geklopt. Klop-klop-klop. Iemand die zakelijk op bezoek kwam dus, en niet mevrouw Cochrane die kwam informeren waarom hij het trappenhuis nog niet had schoongemaakt.

Het was Brian Holmes.

'Mag ik binnenkomen?'

'Ja, kom maar.' Rebus was niet echt enthousiast, maar liet de deur openstaan, zodat de jeugdige rechercheur – mocht hij daar lust toe gevoelen – achter hem aan naar de huiskamer kon lopen. Hij gevoelde daar wel degelijk lust toe en liep met gespeelde hartelijkheid achter Rebus aan.

'Ik was net in de buurt van Tolcross naar een flat wezen kijken, en toen dacht ik...'

'Laat je uitvluchten maar zitten, Brian. Je bent me aan het controleren. Ga zitten en vertel me wat er tijdens mijn afwezigheid gebeurd is.' Rebus keek op zijn horloge terwijl Holmes ging zitten. 'Een afwezigheid van krap twee uur; dit even voor de statistiek.'

'Ach, het hield me bezig, dat is alles.'

Rebus keek hem aan. Simpel, direct en goed getroffen. Misschien kon hij toch nog iets leren van Holmes.

'Niet op bevel van de Boer dus?'

'Absoluut niet. En trouwens, ik ben écht naar een flat wezen kijken.'

'En hoe was hij?'

'Afgrijselijk. Er zijn geen woorden voor. Kookgelegenheid in de huiskamer, douche in een soort kast. Geen bad, geen keuken.'

'En wat vroegen ze ervoor? Nee, vertel het me bij nader inzien maar niet. Ik zou er maar somber van worden.'

'Ik werd er in elk geval somber van.'

'Als ze me opsluiten wegens onzedelijk gedrag tegenover een minderjarige kun je altijd nog een bod uitbrengen op deze flat.'

Holmes keek op, zag dat Rebus glimlachte en grijnsde toen zelf ook opgelucht.

'Het verhaal van die jongen begint nu al barsten te vertonen.'

'Had je daar aan getwijfeld dan?'

'Natuurlijk niet. In elk geval vond ik dat ik u een beetje moest gaan opvrolijken.' Holmes haalde een grote bruine envelop te voorschijn, die in de binnenzak van zijn ribfluwelen jasje opgeborgen had gezeten. Rebus had dit jasje nooit eerder gezien en veronderstelde dat het deel uitmaakte van het flatkooppak van de rechercheur.

'Wat is dit?' vroeg Rebus terwijl hij de envelop aannam.

'Foto's. Van de overval van gisteravond. Ik dacht dat u er wel belangstelling voor zou hebben.'

Rebus maakte de envelop open en haalde er een stel zwart-witfoto's van achttien bij vierentwintig uit. Er stonden wat onscherpe figuren op, die zich een weg baanden over een stuk land. Het kleine beetje licht dat er te zien was, leek wel een soort halogeenlicht, met een enorme schaduwwerking. Sommige gezichten waren krijtwit van de schrik.

'Waar heb je die vandaan?'

'Die brigadier Hendry heeft ze me toegestuurd, met een briefje erbij waarin hij zijn medeleven met Nell betuigt. Hij dacht dat hij me hiermee een hart onder de riem kon steken.'

'Ik zei toch al dat het een goede vent was. Enig idee wie van deze mafketels de diskjockey is?'

'Nee,' zei Holmes. 'Maar er is een waar hij beter op staat.' Hij keek het stapeltje door totdat hij de foto vond die hij zocht. 'Hier, deze. Die daar. Dat is McCallum.'

Rebus bekeek het onscherpe hoofd op de foto voor hem. Die angstige blik op het wazige gezicht had zo door een kind getekend kunnen zijn. Grote ogen en een mond die een luidkeels 'O' vormde, armen langs het lichaam alsof de man twijfelde tussen zichzelf overgeven en hard wegrennen.

Rebus' gezicht was één en al glimlach.

'Weet je zeker dat hij het is?'

'Een van de agenten op het bureau herkende hem. Hij zei dat hij McCallum weleens om een handtekening had gevraagd.'

'Nou, nou. Voortaan zal het niet meer zo vaak gebeuren dat er

om zijn handtekening wordt gevraagd, denk ik. Waar zit hij vast?'
'Iedereen die ze hebben gearresteerd zit in de Dunfermline in de cel.'

'Leuk voor ze. Hebben ze trouwens ook de organisatoren opgepakt?'

'Stuk voor stuk. Brightman ook. Hij was de baas.'

'Davy Brightman? Die handelaar in oud ijzer?'

'Ja, die bedoel ik.'

'Toen ik op school zat heb ik eens een paar keer tegen die gast gevoetbald. Hij speelde linksback terwijl ik in mijn team in de voorhoede speelde. Bij één wedstrijd heeft hij me een keer hard aangepakt.'

'De wraak is zoet,' zei Holmes.

'Zo is het, Brian.' Rebus keek weer naar de foto. 'Zo is het maar net.'

'Een paar van die gasten hebben er trouwens vandoor weten te gaan, maar ze staan allemaal op de foto. En de camera liegt nooit, hè inspecteur?'

Rebus bekeek de andere foto's. 'Een krachtig hulpmiddel, zo'n camera,' zei hij. Maar plotseling veranderde de uitdrukking op zijn gezicht.

'Inspecteur? Alles in orde met u?'

Rebus ging zo zacht praten dat hij fluisterde. 'Ik had net een visioen, Brian. Een hoe-heet-het-ook-alweer. Een eh... openbaring?'

'Ik heb geen idee, inspecteur.' Holmes begon nu serieus te denken dat er een steekje los was aan zijn chef.

'Een openbaring, ja, dat is het. Ik weet nu precies waar dit allemaal op uitkomt, Brian. Ik weet het zeker. Dat knulletje van Calton Hill had het over foto's. Foto's waar iedereen belangstelling voor had. Ronnies foto's.'

'Wat? De foto's op zijn kamer?'

'Nee, die niet.'

'Die in de fotostudio van Hutton dan?'

'Nee, die ook niet echt. Nee, ik weet niet precies wáár die foto's zijn, maar ik heb er een sterk vermoeden van. Kom mee, Brian.'

'Waar gaan we heen?' Holmes keek hoe Rebus opsprong uit zijn stoel en in de richting van de deur liep. Hij begon de foto's bij elkaar te rapen die Rebus uit zijn handen had laten vallen.

'Laat die maar liggen,' commandeerde Rebus terwijl hij zijn jasje aantrok.

'Maar waar gaan we dan naartoe?'

'Naar de hel. Kom mee.'

Het was koud aan het worden. De zon was bijna aan het einde van haar krachten en stond op het punt het bijltje erbij neer te gooien. De wolken hadden een paarsige kleur als van plakplastic. Twee laatste brede zonnestralen schenen als stralenbundels van zaklantaarns neer op Pilmuir, precies op dat ene huis. De andere huizen in de straat bleven onverlicht. Rebus zoog zijn longen vol lucht. Het was een mooi gezicht, dat moest hij toegeven.

'Net een kerststalletje,' zei Holmes.

'Een verdomd vreemd stalletje dan,' kaatste Rebus terug. 'God heeft wel een vreemd gevoel voor humor als hij dit als grap bedoeld heeft.'

'U zei zelf dat we naar de hel gingen.'

'Maar ik wist niet dat ze daar Cecil B. De Mille hadden ingehuurd voor de decors. Wat is hier aan de hand?'

Bijna onzichtbaar in het laatste vleugje zonlicht stonden voor Ronnies huis een bestelauto en een gehuurde afvalcontainer.

'Van de woningbouwvereniging zeker,' opperde Holmes. 'Waarschijnlijk om het huis uit te mesten.'

'Maar waarom in godsnaam?'

'Er zijn genoeg mensen die om woonruimte verlegen zitten,' reageerde Holmes. Maar Rebus luisterde niet. Terwijl de auto nog niet helemaal tot stilstand was gekomen, stapte hij al uit en liep met gestrekte pas op de container af. Men was bezig die te vullen met de rotzooi die ze uit het kraakpand haalden. Uit het huis kwamen hamergeluiden. Achter in de bestelwagen zat een man in een overall uit een plastic bekertje te drinken. In zijn andere hand hield hij een thermosfles.

'Wie heeft hier de leiding?' vroeg Rebus.

De man blies in zijn bekertje en nam nog een slok, waarna hij antwoordde: 'Ik, zou ik zeggen.' Aan zijn oogopslag was te zien dat hij op zijn hoede was. Hij had het duidelijk niet op autoriteiten. 'Maar ik heb nu theepauze. Daar heb ik recht op.'

'Daar gaat het niet om. Wat is hier aan de hand?'

'Wie bent u, dat u me dat vraagt?'

'Recherche.'

Met een strakke blik keek hij in het nog strakkere gezicht van Rebus en nam toen snel een besluit. 'Nou, we kregen de opdracht hierheen te gaan en de boel op te ruimen. Om het weer bewoonbaar te maken.'

'Opdracht van wie?'

'Weet ik niet. Een of andere figuur. Wij hebben alleen een werkbriefje gekregen en zijn aan de slag gegaan.'

'Juist.' Rebus draaide zich om en liep het pad naar de voordeur op. Holmes glimlachte verontschuldigend naar de voorman en liep achter hem aan. In de huiskamer waren twee werklieden in overalls en met dikke, rode rubberhandschoenen bezig de muren te witten. Charlies vijfpuntige ster was al overgeschilderd; de contouren waren nog vaag zichtbaar onder de verf. De mannen keken naar Rebus en toen weer naar de muur.

'Als de volgende laag erop zit, zie je er niks meer van,' zei de een.

'Maakt u zich daarover maar geen zorgen.'

Rebus keek de man even aan en liep toen langs Holmes de kamer uit. Hij ging de trap op en liep Ronnies kamer in. Een derde werkman, veel jonger dan de twee beneden, was bezig de paar bezittingen van Ronnie te verzamelen en in een grote, zwarte plastic zak te doen. De jongen, die net bezig was een paperback in de zak van zijn overall te proppen, verstijfde toen Rebus de kamer binnenkwam.

Rebus wees naar het boek.

'Dat hoort bij de nalatenschap, jongen. Stop dat maar in de zak, bij de rest van de spullen.'

Er klonk iets in zijn toon wat de jongen ervan overtuigde dat hij dat inderdaad moest doen.

'Nog iets anders interessants gevonden?' vroeg Rebus terwijl hij met zijn handen in zijn zakken in de richting van de knaap liep.

'Niets,' zei de jongen schuldbewust.

'En dan bedoel ik foto's in het bijzonder,' zei Rebus, alsof de jongen niets had gezegd. 'Misschien maar een paar, misschien wel een heel pak. Hmm?'

'Nee. Niks.'

'Weet je het zeker?'

'Ja, ik weet het zeker.'

'Juist. Ga eens naar beneden en haal uit die bestelauto van jullie een breekijzer of zo. Ik wil onder de vloer kijken.'

'Hè?'

'Je hebt me wel gehoord, jongen. Ga maar.'

Holmes was stil blijven staan en keek zwijgend en waarderend toe. Rebus leek gegroeid te zijn; hij was breder en langer, leek het wel. Holmes kon niet precies zeggen hoe hij het voor elkaar kreeg. Misschien lag het eraan dat hij zijn handen in zijn zakken hield en zijn ellebogen wat opzij stak, waardoor zijn gestalte forser oogde. Hoe dan ook, het werkte. De jonge werkman stommelde de deur uit en de trap af.

'Weet u zeker dat ze hier zijn?' vroeg Holmes zachtjes. Hij probeerde zijn stem zo neutraal mogelijk en niet al te sceptisch te klinken. Maar Rebus was al een stadium verder. Rebus had de foto's als het ware al in handen.

'Ja, ik weet het zeker, Brian. Ik kan ze rúíken.'

'Weet u zeker dat het niet de lucht uit de badkamer is die u ruikt?'

Rebus draaide zich om en keek hem aan alsof hij hem nooit eerder gezien had. 'Misschien heb je wel gelijk, Brian. Misschien heb je inderdaad gelijk.'

Holmes liep achter Rebus aan naar de badkamer, en toen Rebus de deur had opengetrapt, werden de beide mannen omgeven door een stank die hen deed kokhalzen. Rebus haalde een zakdoek uit zijn zak, hield die voor zijn gezicht, boog zich voorover naar de deurknop en trok de deur weer dicht.

'Dat was ik vergeten,' zei hij. 'Wacht hier.'

Even later kwam hij terug in het gezelschap van de voorman. Hij had een plastic afvalemmer, een schep en drie witte gezichtsmaskers bij zich, waarvan hij er een aan Holmes gaf. Holmes bond het kartonnen masker met het elastiekje voor zijn mond en ademde diep in en uit om te kijken of het goed werkte. Hij wilde net opmerken dat de stank nog wel te ruiken was toen Rebus de deur weer opende en, bijgelicht door de vérstraler die de voorman ophield, de ruimte binnenging.

Rebus sleepte de afvalemmer tot aan de rand van het bad en liet hem daar staan. Toen gebaarde hij dat de lamp op het bad gericht moest worden. Holmes viel zowat achterover toen een dikke rat, die zich te goed had zitten doen aan de inhoud van het bad, begon te piepen. De lichtstraal weerkaatste in zijn rode oogjes. Rebus zwaaide met de schep en hakte het beest keurig in tweeën. Holmes draaide zich snel om en kokhalsde. Hij hapte naar adem, maar de stank was overweldigend en de misselijkheid kwam in steeds sneller terugkerende golven over hem heen.

Rebus en de voorman keken elkaar even aan en glimlachten, waardoor bij beide mannen de kraaienpootjes boven hun maskers duidelijker zichtbaar werden. Ze hadden het weleens erger meegemaakt – véél erger. Ze hadden echter allebei geen zin om langer te blijven dan nodig was en togen aan het werk. De voorman hield de lamp op, terwijl Rebus de inhoud van het bad voorzichtig in de afvalemmer schepte. Het vocht droop uit de halfvergane fecaliën op de schep en spetterde op Rebus' hemd en broek. Hij besteedde er geen aandacht aan. Hij besteedde nergens aandacht aan, behalve aan het werk waarmee hij bezig was. Toen hij in dienst zat, had hij wel smeriger karweitjes moeten doen, en in zijn tijd bij de SAS nóg veel smeriger. Hier draaide hij zijn hand niet voor om. En daarbij kwam nog dat hij in dit geval wist waarvoor hij het deed. Het zou zeker iets opleveren.

Althans, dat hoopte hij.

Holmes stond ondertussen zijn vochtige ogen af te vegen aan de rug van zijn hand. Door de openstaande deur kon hij zien wat ze deden. Het lamplicht wierp spookachtige schaduwen op muren en plafond van een figuur die bezig was stront in een vuilnisemmer te scheppen. Het leek wel een scène uit een modern soort inferno, waaraan alleen duiveltjes ontbraken die de zwoegenden tot grotere inspanning aanspoorden. Maar hoewel deze mannen misschien niet direct plezier leken te ontlenen aan hun werk, hadden ze wel iets... zeg maar professioneels over zich. Verdomme, het enige wat hij wilde was een flat voor zichzelf, af en toe een beetje vakantie en een fatsoenlijke auto. En Nell, natuurlijk. Op een dag zou ze lachen om wat hij nu meemaakte.

Maar lachen was wel het laatste waar hij op dat moment zin in had.

Toen hoorde hij een kakelende lach, en toen hij om zich heen keek, duurde het verscheidene seconden voordat hij zich realiseerde dat het John Rebus was die lachte, dat Rebus zijn hand in de vuiligheid stak en iets vasthield toen hij hem weer terugtrok. Holmes zag niet dat Rebus dikke rubberhandschoenen aanhad die tot zijn ellebogen reikten. Hij draaide zich om en liep wankelend de trap af.

'Hebbes,' riep Rebus.

'Buiten is een tuinslang,' zei de voorman.

'Gaat u voor,' zei Rebus terwijl hij het pakje uitschudde en de klodders eraf vlogen. 'Gaat u voor, McDuff.'

'MacBeth is de naam,' zei de voorman over zijn schouder terwijl hij in de richting van de trap liep.

Buiten in de koele, frisse lucht zetten ze het pakje tegen de muur van het huis en spoten het schoon. Rebus inspecteerde het nauwkeurig. Het was een rode plastic zak, een soort tas als van een platenzaak, met daaromheen gewikkeld een doek, een hemd of iets dergelijks. Het geheel werd bij elkaar gehouden door wel een heel rolletje plakband, en bovendien nog door een touw dat er strak omheen gebonden was.

'Wat was je toch ook een slimme deugniet, Ronnie!' zei Rebus bij zichzelf terwijl hij het pakje opraapte. 'Slimmer dan ze ooit hadden kunnen denken.'

Toen hij bij de bestelwagen kwam, gooide hij de rubberhandschoenen erin en schudde de voorman de hand. Ze wisselden een aantal namen van kroegen uit en beloofden elkaar op een borrel te zullen trakteren. Toen liep hij in de richting van zijn auto. Holmes kwam schaapachtig achter hem aan. De hele weg terug naar Rebus' flat durfde hij niet voor te stellen om een raampje open te zetten om wat frisse lucht binnen te laten.

Rebus was als een kind dat op de ochtend van zijn verjaardag zijn cadeau heeft gekregen. Hij klemde het pakje tegen zich aan, waardoor zijn overhemd nog vuiler werd. De inhoud leek er niet meer zoveel toe te doen. Nu hij gevonden had wat hij zocht, kon de openbaring wel even op zich laten wachten. Die zou er toch wel van komen, en daar ging het om.

Toen ze bij de flat aankwamen, was Rebus' stemming echter omgeslagen en hij haastte zich naar de keuken om een schaar te pakken. Holmes excuseerde zich en liep naar de badkamer, waar hij zijn mouwen opstroopte en zijn handen, armen en gezicht grondig schoonwaste. Hij voelde zijn hoofdhuid kriebelen en zou het liefst een uur of twee onder de douche zijn gaan staan. Toen hij de badkamer uit kwam, hoorde hij geluid uit de keuken. Het was ongeveer het tegendeel van het gelach kort tevoren, een soort geïrriteerd gekreun. Snel liep hij naar de keuken, waar hij Rebus met gebogen hoofd zag staan. Hij hield zijn handen op het aanrecht alsof hij moeite had om overeind te blijven. Het pakje lag open voor hem.

'Wat is er? Wat is er aan de hand?'

Rebus' stem klonk zacht, alsof hij ineens moe was. 'Het zijn alleen maar foto's van een stomme bokswedstrijd. Dat is alles. Stomme sportfoto's.'

Holmes kwam langzaam naderbij uit vrees dat Rebus bij het minste gerucht helemaal in zou storten.

'Misschien gaat het om iemand in het publiek,' opperde hij terwijl hij over Rebus' schouder keek. 'Die Hyde is misschien een van de toeschouwers.'

'De toeschouwers staan er allemaal onscherp op. Kijk maar.'

Holmes keek. Er waren een stuk of twaalf foto's. Twee weinig indrukwekkende vlieggewichten stonden op elkaar in te slaan. Zachtzinnig ging het er niet toe, maar echt uitzonderlijk was het ook niet.

'Misschien is het een boksclub van Hyde.'

'Ja, misschien,' zei Rebus zonder dat het hem nog veel kon schelen. Hij was er zo zeker van geweest dat hij de foto's zou vinden en dat ze het definitieve sluitstuk van de puzzel zouden vormen. Waarom waren ze zo zorgvuldig verstopt? Zodat niemand ze zou vinden? Daar moest een reden voor zijn.

'Misschien zien we iets over het hoofd,' zei Holmes. 'Heeft het te maken met de doek waar ze in gewikkeld waren, of met de envelop?'

Rebus begon hem weer irritant te vinden. 'Doe niet zo ontzettend achterlijk, Holmes!' Rebus gaf een klap op het aanrecht, maar kalmeerde meteen weer. 'Sorry. Jezus. Sorry.'

'Het geeft niet,' zei Holmes koel. 'Ik maak wel even koffie of zo. En laten we die kiekjes dan eens góéd bekijken, ja?'

'Ja,' zei Rebus terwijl hij rechtop ging staan. 'Een goed idee.' Hij liep naar de deur. 'Ik ga een douche nemen.' Hij keek Holmes aan en glimlachte. 'Ik stink vast een uur in de wind.'

'Een plattelandsluchtje, inspecteur,' zei Holmes, die ook glimlachte. Ze moesten allebei lachen om de hint naar Boer Watson. Toen ging Rebus onder de douche en zette Holmes koffie. Holmes luisterde met afgunst naar de geluiden uit de badkamer terwijl hij de foto's nog eens bekeek. Hij inspecteerde ze zorgvuldig in de hoop iets te zullen vinden, iets waarmee hij indruk zou kunnen maken op Rebus, iets waarmee hij hem een genoegen zou kunnen doen.

De boksers waren jong en waren vanaf de zijkant van de ring gefotografeerd, van heel dichtbij. De fotograaf – Ronnie McGrath, naar mocht worden verondersteld – had geen flitslicht gebruikt, maar had de foto's genomen bij het aanwezige rokerige licht van de lampen boven de ring. Daardoor waren zowel de boksers als de toeschouwers als individuen niet herkenbaar. De gezichten waren grofkorrelig en de omtrekken van de pugilisten waren wat vaag door de snelheid van hun bewegingen. Waarom had de fotograaf geen flitslicht gebruikt?

Op een van de foto's was de linkerkant donker. Kennelijk had er iets voor de lens gezeten. Wat? Een voorbijlopende toeschouwer? Iemands jas?

Plotseling wist Holmes het: het was de jas van de fotograaf die in de weg had gezeten, en dat was gebeurd omdat de foto's stiekem waren gemaakt, vanonder een jas. Dat verklaarde de slechte kwaliteit van de foto's en het feit dat de meeste scheef waren. Er was dus wel degelijk een reden geweest om ze te maken, en daarin was de aanwijzing gelegen waarnaar Rebus op zoek was. Nu moesten ze alleen nog uit zien te vinden wát voor aanwijzing het was.

Het geluid van de douchestraal ging over in gedruppel en hield toen helemaal op. Enkele ogenblikken later kwam Rebus met alleen een handdoek om zich heen naar buiten en ging op weg naar de slaapkamer om zich aan te kleden. Hij wilde net één been in een broekspijp steken toen Holmes met de foto's zwaaiend de kamer in kwam rennen.

'Ik geloof dat ik het heb!' riep hij. Rebus keek met een verbaasde blik op en trok toen zijn broek omhoog.

'Ja,' zei hij. 'Ik geloof dat ik er ook achter ben. Ik kreeg het idee net toen ik onder de douche stond.'

'O.'

'Dus als jij nou even koffie gaat zetten,' zei Rebus, 'dan zien we elkaar zo in de huiskamer en kunnen we nagaan of we allebei op hetzelfde idee zijn gekomen. Okay?'

'Goed,' zei Holmes, en hij vroeg zich weer af waarom hij bij de politie was gegaan terwijl er zoveel banen te bedenken waren waarin je meer eer had van je werk.

Toen hij met twee bekers koffie de huiskamer in kwam, liep Rebus met de telefoon tegen zijn oor heen en weer.

'Goed,' zei hij. 'Ik wacht wel. Nee, nee, ik bel niet terug. Ik wacht wel, zei ik. Dank u.'

Terwijl hij de beker met koffie van Holmes aannam, schudde hij zijn hoofd om aan te geven dat hij de persoon aan het andere eind van de lijn ongelooflijk dom vond.

'Wie is het?' vroeg Holmes geluidloos.

'De woningbouwvereniging,' zei Rebus hardop. 'Ik had van Andrew een naam en een toestelnummer gekregen.'

'Wie is Andrew?'

'Andrew MacBeth is de voorman. Ik wil weten wie er opdracht heeft gegeven het huis schoon te maken, want ik vind het wel een beetje erg toevallig dat het schoongemaakt moest worden op het moment dat wij er rond wilden gaan kijken, vind je niet?' Hij richtte zijn aandacht weer op de hoorn. 'Ja? Dat klopt. O, juist ja.' Hij keek Holmes aan met een blik waaruit niets op te maken viel. 'Hoe zou dat gebeurd kunnen zijn?' Hij luisterde weer. 'Ja, ik begrijp het. O jazeker, een beetje vreemd is het wel. Maar goed, die dingen gebeuren, nietwaar? Lang leve de automatisering. In elk geval bedankt voor uw hulp.'

Hij drukte het toestel uit. 'Nou, je begrijpt het zeker al?'

'Ze kunnen niet achterhalen wie de opdracht tot de schoonmaakbeurt heeft gegeven?'

'Precies, Brian. Alle papieren zijn in orde, op één kleinigheid na: er ontbreekt een handtekening. Ze begrijpen niet hoe dat kan.'

'Is er iets met de hand geschreven, zodat we daar misschien iets mee kunnen?'

'Het werkbriefje dat Andrew me liet zien, was getypt.'

'En wat betekent dat?'

'Dat meneer Hyde kennelijk overal vriendjes heeft. Bij de woningbouwvereniging in elk geval, maar waarschijnlijk ook bij de politie. En dan heb ik het nog niet eens over minder eerbare instellingen.'

'En nu?'

'We hebben die foto's. Verder hebben we niks om ons op te baseren.'

Ze namen er de tijd voor en bekeken elke foto zorgvuldig, wezen elkaar op vage plekken of andere details en opperden veronderstellingen. Ze gingen zeer nauwgezet te werk en al die tijd maalden Rebus de laatste woorden van Ronnie McGrath door het hoofd. Misschien zat daarin een aanwijzing verborgen, maar drong die nog steeds niet tot hem door...

Toen ze anderhalf uur bezig waren geweest, gooide Rebus ten slotte de laatste foto op de grond. Holmes lag half op de bank naar een van de foto's te kijken, maar het leek wel alsof hij zijn ogen niet meer kon focussen.

'Het heeft geen zin, Brian. Het heeft totaal geen zin. Ik kan er geen chocola van maken, jij wel?'

'Nauwelijks,' zei Holmes. 'Maar we moeten aannemen dat Hyde deze foto's per se wilde hebben – en nog steeds wil hebben.'

'Wat wil je daarmee zeggen?'

'Daarmee wil ik zeggen dat hij weet van hun bestaan, maar niet weet hoe onbeholpen ze zijn. Hij denkt dat er iets op staat wat er niet op staat.'

'Ja, maar wat? Weet je, Ronnie McGrath had op de avond dat hij stierf blauwe plekken op zijn lichaam.'

'Dat verbaast me niet, als je bedenkt dat iemand hem de trap af heeft gesleept.'

'Nee, toen was hij al dood. Ik bedoel daarvóór. Zijn broer had het opgemerkt, Tracy had het opgemerkt, maar niemand heeft ooit gevraagd hoe dat kwam. Alleen heeft iemand wel iets gezegd over gebruik van geweld.' Hij wees naar de foto's op de grond. 'Misschien bedoelde hij dit.'

'Een bokswedstrijd?'

'Een illegaal gevecht. Twee jongens die elkaar afmaken.'

'Waarom?'

Rebus keek naar de muur en zocht naar een woord dat hij niet kon vinden.

'Om dezelfde reden dat er hondengevechten worden georganiseerd. Voor de kick.'

'Dat lijkt bijna niet te geloven.'

'Het ís ook niet te geloven. Maar ik ben op het ogenblik bereid alles te geloven. Al zouden ze tegen me zeggen dat er op de maan bommenwerpers zijn aangetroffen.' Hij rekte zich uit. 'Hoe laat is het?'

'Bijna acht uur. Moest u niet naar het feestje van Malcolm Lanyon?'

'Jezus!' Rebus sprong op. 'Ik ben te laat. Ik was het helemaal vergeten.'

'Nou, dan ga ik maar, dan kunt u zich verkleden. Ik kan er toch weinig mee.' Holmes knikte in de richting van de foto's. 'Ik moet trouwens bij Nell langs.'

'Ja, ja. Ga jij maar, Brian.' Rebus zweeg even. 'En bedankt.'

Holmes glimlachte en haalde zijn schouders op.

'Nog één ding,' zei Rebus.

'Ja?'

'Ik heb geen jasje dat schoon is. Mag ik het jouwe lenen?'

Het paste niet echt goed. De mouwen waren iets te lang en het was iets te smal, maar het kon ermee door. Terwijl hij bij Malcolm Lanyon op de stoep stond, deed Rebus zijn best om te doen alsof er niets aan de hand was.

De deur werd geopend door dezelfde oogverblindende oosterse die hij bij The Eyrie in Lanyons gezelschap had gezien. Ze droeg een laag uitgesneden zwarte jurk, die nauwelijks tot de bovenkant van haar dijen reikte. Ze glimlachte naar Rebus alsof ze hem herkende. Zo deed ze tenminste.

'Komt u binnen.'

'Ik hoop dat ik niet te laat ben.'

'Nee hoor, helemaal niet. Op Malcolms feestjes wordt niet op de klok gekeken. De mensen komen en gaan wanneer ze willen.' Haar stem klonk een beetje koel maar niet onplezierig. Toen Rebus langs haar heen keek, zag hij tot zijn opluchting dat de mannen gewone pakken of combinaties droegen. Lanyons persoonlijke assistente

(Rebus vroeg zich af tot hoever dat persoonlijke zich uitstrekte) bracht hem naar de eetkamer, waar een barman achter een tafel vol flessen en glazen stond.

De deurbel ging opnieuw. Rebus voelde een lichte handdruk op zijn schouder. 'Als u me wilt excuseren,' zei ze. 'Natuurlijk,' zei Rebus. Hij draaide zich naar de barman. 'Gintonic,' zei hij. Toen draaide hij zich weer om en keek hoe ze de grote hal door liep op weg naar de voordeur.

'Hallo, John.' Een aanzienlijk forsere hand dan die van daarnet kwam op zijn schouder neer. Het was de hand van Tommy Mc-Call.

'Hallo, Tommy.' Rebus nam zijn glas aan van de barman, en Mc-Call leverde zijn lege glas in om het opnieuw te laten vullen.

'Blij dat je gekomen bent. Het is alleen vanavond natuurlijk niet zo vrolijk als anders. Iedereen is een beetje stil.'

'Stil?' Het was waar, de gesprekken om hem heen werden op gedempte toon gevoerd. Toen pas viel het Rebus op dat enkelen in avondkleding waren.

'Ik ben er alleen maar omdat ik dacht dat James het zo gewild zou hebben.'

'Natuurlijk,' zei Rebus, en hij knikte. Hij had er helemaal niet meer aan gedacht dat James Carew zelfmoord had gepleegd. Jezus, en dat was pas vanmorgen geweest! Het leek tijden geleden. En al deze mensen waren vrienden of in elk geval bekenden van Carew geweest. Rebus voelde zijn neusvleugels kriebelen.

'Maakte hij de laatste tijd een depressieve indruk?' vroeg hij.

'Niet bijzonder. Hij had net die nieuwe auto gekocht, weet je nog? Dat doe je toch niet als je het niet meer ziet zitten!'

'Nee, dat zal wel niet. Kende jij hem goed?'

'Ik geloof niet dat iemand van ons hem echt goed heeft gekend. Hij was nogal op zichzelf. En hij was natuurlijk vaak de stad uit. Soms voor zaken, en soms zat hij op zijn landgoed.'

'Hij was niet getrouwd, hè?'

Tommy McCall staarde hem aan en nam een grote slok whisky. 'Nee,' zei hij. 'Volgens mij is hij nooit getrouwd geweest. Maar goed ook, in zekere zin.'

'Ja, ik begrijp wat je bedoelt,' zei Rebus, die voelde hoe de gin in zijn bloedsomloop werd opgenomen. 'Maar ik begrijp nog steeds niet waarom hij het gedaan kan hebben.'

'Het zijn altijd degenen die er nooit over spreken, hè? Dat zei Malcolm net ook nog.'

Rebus keek om zich heen. 'Ik heb onze gastheer nog niet gezien.'

'Volgens mij is hij in de zitkamer. Zal ik je even rondleiden?'

'Ja, waarom niet?'

'Het is een heel bijzonder huis.' McCall keek Rebus aan. 'Waar zullen we beginnen? Boven bij de biljartkamer of beneden bij het zwembad?'

Rebus lachte en schudde even met zijn lege glas. 'Ik zou zeggen dat we bij de bar moeten beginnen,' zei hij. 'Vind je ook niet?'

Het was een oogverblindend mooi huis, er was geen ander woord voor. Rebus dacht even aan de arme Brian Holmes en glimlachte. Wij zijn allebei maar schooiers, jongen. De gasten waren aardig. Hij kende er enkelen van gezicht, enkelen van naam, enkelen van reputatie en weer anderen associeerde hij met de naam van de ondernemingen die ze leidden. Van zijn gastheer was echter geen spoor, hoewel iedereen beweerde hem 'eerder op de avond' wel gesproken te hebben.

Een tijdje later, toen Tommy McCall aangeschoten en enigszins rumoerig aan het worden was, besloot Rebus, die zelf ook niet meer bepaald stevig op zijn benen stond, nog een rondgang door het huis te maken. Maar deze keer alleen. Op de eerste verdieping bevond zich een bibliotheek, waaraan ze tijdens de eerste rondgang maar weinig aandacht hadden besteed. Rebus had er echter een bureau zien staan, en dat wilde hij graag wat beter bekijken. Op de overloop aangekomen keek hij om zich heen, maar iedereen was beneden, leek het. Er waren zelfs enkele gasten die zwemkleding hadden aangetrokken, en die hingen nu rond bij (of in) het verwarmde zwembad in de kelder.

Hij legde zijn hand op de zware koperen deurknop en glipte de in gedempt licht gehulde bibliotheek binnen. Er hing een geur van oud leer, een geur die Rebus terugvoerde naar vervlogen tijden – de jaren twintig, zeg maar, of misschien dertig. Op het bureaublad lagen in het licht van een bureaulamp wat papieren. Rebus stond al bij het bureau toen hij zich realiseerde dat de lamp de eerste keer dat hij hier was niet had gebrand. Hij draaide zich om en zag toen

Lanyon staan. Hij stond met zijn armen over elkaar tegen de achtermuur en grijnsde.

'Inspecteur,' zei hij met een stem die net zo deftig klonk als zijn maatkleding eruitzag. 'Wat een interessant jasje heeft u daar aan. Saiko vertelde me al dat u er was.'

Lanyon liep langzaam op hem af en stak zijn hand uit. Ze gaven elkaar een stevige handdruk.

'Ik hoop dat ik niet...' begon hij. 'Ik bedoel, het was heel vriendelijk van u om...'

'Goeie hemel, nee. Absoluut niet. Komt de commissaris ook nog?'

Rebus haalde zijn schouders op en voelde het jasje spannen op zijn rug.

'Nee, nou, doet er niet toe. Ik zie dat u van boeken houdt, net als ik.' Lanyon liet zijn blik langs de boekenkast gaan. 'Dit is de kamer waar ik het liefste ben. Ik weet eigenlijk niet waarom ik nog feestjes geef. Omdat het van me verwacht wordt, waarschijnlijk. En het is natuurlijk ook leuk om alle wisselingen in loyaliteit bij te houden. Om te zien wie nu met wie praat, hoe de een de ander net even te hartelijk aanraakt. Dat soort dingen.'

'Maar van hieruit zult u niet veel zien.'

'O, maar Saiko houdt me op de hoogte. Ze is geweldig goed in het opmerken van dat soort dingen, al denken de mensen vaak van zichzelf dat ze heel subtiel te werk gaan. Ze heeft me bijvoorbeeld verteld wat voor jasje u aanhebt. Beige, zei ze, ribfluweel, het past niet bij de rest van uw kleding en het is ook niet precies uw maat. Geleend dus. Klopt dat?'

Rebus applaudisseerde in stilte. 'Bravo,' zei hij. 'Dankzij dit soort dingen bent u natuurlijk zo'n goede advocaat geworden.'

'Nee, een goede advocaat ben ik geworden dankzij jaren en jaren van studie. Maar om een bekénde advocaat te worden is het wel handig om een paar van dit soort trucjes te kennen.'

Lanyon liep langs Rebus heen en bleef bij het bureau staan. Hij rommelde wat tussen de papieren.

'Was er iets waar uw belangstelling in het bijzonder naar uitging?'

'Nee,' zei Rebus. 'De kamer alleen.'

Lanyon keek in zijn richting en glimlachte alsof hij hem niet geloofde. 'Er zijn hier in huis interessantere kamers, maar die hou ik op slot.'

'O ja?'

'Ja, je wilt bijvoorbeeld niet dat iederéén precies weet welke schilderijen je allemaal in huis hebt.'

'Ja, daar kan ik inkomen.'

Lanyon ging achter het bureau zitten en zette een bril met halvemaanvormige glazen op. Kennelijk was hij geïnteresseerd in de papieren die voor hem lagen.

'Ik ben de executeur-testamentair van James Carew,' zei hij. 'En ik ben bezig geweest uit te zoeken wie de begunstigden zijn van zijn testament.'

'Een afschuwelijke zaak.'

Lanyon leek hem eerst niet te begrijpen, maar toen knikte hij. 'Ja, ja, tragisch.'

'Ik neem aan dat u hem goed gekend hebt?'

Lanyon glimlachte weer, alsof hij wist dat deze zelfde vraag op het feestje al een aantal keren eerder was gevraagd. 'Ik kende hem redelijk goed,' zei hij ten slotte.

'Wist u dat hij homoseksueel was?'

Rebus had gehoopt op een bepaalde reactie, maar toen die uitbleef, kon hij zichzelf wel vervloeken dat hij zijn troefkaart al in het beginstadium van het spel uitgespeeld had.

'Natuurlijk,' zei Lanyon met dezelfde vlakke stem. Hij draaide zich naar Rebus. 'Maar ik geloof niet dat dat een misdaad is.'

'Dat hangt ervan af, zoals u zou moeten weten.'

'Wat bedoelt u?'

'U moet toch als advocaat weten dat er nog steeds bepaalde wetten zijn die...'

'Ja, ja, ja, natuurlijk. Maar ik hoop dat u niet wilt zeggen dat James in een of ander smerig zaakje...'

'Waarom denkt ú dat hij zelfmoord heeft gepleegd, meneer Lanyon? Ik zou graag weten wat u daar als jurist van vindt.'

'Hij was een vriend van me. En dan telt het niet wat je als jurist vindt.' Lanyon keek naar de zware gordijnen die voor het bureau hingen. 'Ik weet niet waarom hij zelfmoord heeft gepleegd, en ik betwijfel of we dat ooit te weten zullen komen.'

'Daar zou ik niet te vast op rekenen, meneer Lanyon. Ik zou van u heel graag willen weten wie zijn erfgenamen zijn. Maar pas als u de hele zaak hebt uitgezocht, natuurlijk.'

Lanyon zweeg. Rebus deed de deur open, ging de kamer uit, sloot de deur achter zich en bleef even op de overloop staan. Hij ademde diep in en uit. Hij had op z'n minst een borrel verdiend. En deze keer zou hij – in stilte – een toost uitbrengen op James Carew.

Hij hield er eigenlijk niet van te moeten fungeren als kinderoppas, maar hij had steeds al het gevoel gehad dat het daarop uit zou draaien.

Tommy McCall zat achter in de auto een rugbyliedje te zingen terwijl Rebus met een vluchtige armzwaai afscheid nam van Saiko, die in de deuropening stond. Ze slaagde er zelfs in een glimlach op haar lippen te brengen. Nou ja, hij deed haar er tenslotte ook een plezier mee door de dronkenlap af te voeren.

'Sta ik onder arrest, John?' riep McCall, die zijn lied had afgebroken, luid.

'Nee, en hou nou in godsnaam eens even je mond.'

Rebus stapte in en startte de auto. Hij keek nog een laatste keer achterom en zag dat Lanyon naast Saiko in de deuropening was komen staan. Zo te zien bracht ze hem verslag uit van wat er gebeurd was. Hij knikte. Het was de eerste keer dat Rebus hem weer zag nadat ze elkaar in de bibliotheek hadden gesproken. Hij deed de handrem los, schakelde en reed weg.

'Hier naar links, en dan de volgende rechts.'

Tommy McCall had te veel gedronken, maar zijn richtinggevoel was er kennelijk niet door aangetast. Toch was er iets mis, vond Rebus...

'Helemaal door tot aan het einde van de straat. Het is het laatste huis op de hoek.'

'Maar daar woon jij niet,' wierp Rebus tegen.

'Heel goed, inspecteur. Hier woont mijn broer. Het leek me leuk om bij hem nog even een slaapmutsje te halen.'

'Jezus, Tommy, je kunt niet zomaar...'

'Onzin. Hij zal blij zijn om ons te zien.'

Toen Rebus voor het huis stilhield en uit zijn raampje keek, zag hij tot zijn opluchting dat er in Tony McCalls huiskamer nog vol-op licht brandde. Plotseling schoot Tommy McCalls hand voor hem langs en drukte op de claxon, die in de nachtelijke stilte luid weer-klonk. Rebus duwde de hand weg, met als gevolg dat Tommy ach-terover op de bank viel. Maar hij had zijn doel bereikt. De gordij-nen in McCalls huiskamer gingen even open, en even later werd er aan de zijkant van het huis een deur geopend. Tony McCall kwam naar buiten en keek zenuwachtig achterom. Rebus draaide zijn raampje omlaag.

'John?' McCall maakte een nerveuze indruk. 'Wat is er aan de hand?'

Maar voordat Rebus aan zijn verhaal kon beginnen, stapte Tom-my uit de auto en omarmde zijn broer.

'Het is mijn schuld, Tony. Allemaal mijn schuld. Ik wilde je al-leen even zien. Sorry, hoor. Sorry.'

Tony McCall maakte een inschatting van de situatie, keek naar Rebus met een blik van 'het is jouw schuld niet' en draaide zich toen naar zijn broer.

'Nou, dat is heel aardig van je, Tommy. Lang niet gezien. Kom maar even binnen.'

Tommy McCall draaide zich weer naar Rebus. 'Zie je wel, ik zei toch al dat we welkom waren bij Tony. Bij Tony staat de deur al-tijd open.'

'Kom jij ook even binnen, John,' zei Tony.

Rebus knikte moeizaam.

Tony ging hen voor door de gang en vervolgens de huiskamer in. Op de grond lag dikke, verende vloerbedekking, en de meubels le-ken zo uit de showroom afkomstig. Uit angst dat hij een kuil zou maken in de fraaie kussens ging Rebus aarzelend zitten. Tommy daarentegen liet zich onmiddellijk in een stoel vallen.

'Waar zijn de kinderen?' vroeg hij.

'In bed,' zei Tony. Hij sprak zachtjes.

'Ach, maak ze even wakker. Zeg maar tegen ze dat hun oom Tommy er is.'

Tony negeerde hem. 'Ik zal even water opzetten,' zei hij.

Tommy's ogen vielen al dicht. Zijn armen liet hij op de arm-leuningen hangen. Terwijl Tony in de keuken was, keek Rebus rond in de kamer. Overal waren snuisterijen te zien, de hele schoorsteenmantel stond vol, op het grote wandmeubel was ieder plekje ingenomen, evenals op de salontafel. Kleine gipsen beeldjes, glinsterende glazen vormen, souvenirs van vakanties. Op de arm- en rugleuningen van de stoelen en de bank lagen antimakassars. De hele kamer maakte een drukke en onrustige indruk. Je ontspannen leek hier bijna niet mogelijk. Hij begon te begrijpen waarom Tony op zijn vrije dag in Pilmuir was gaan wandelen. Een vrouw stak haar hoofd om de hoek van de deur. Ze had dunne, strakke lippen en ze keek waaks en onvriendelijk uit haar ogen. Ze wierp een blik op de dommelende figuur van Tommy McCall, maar kreeg toen Rebus in de gaten en deed moeite om een glimlach op haar gezicht te toveren. De deur ging iets verder open, waardoor te zien was dat ze een ochtendjas droeg, die ze ter hoogte van haar keel met één hand stijf dichthield.

'Ik ben Sheila, Tony's vrouw.'

'Ja, hallo. Ik ben John Rebus.' Rebus wilde opstaan, maar ze maakte hem met een nerveus handgebaar duidelijk dat hij kon blijven zitten.

'O ja,' zei ze. 'Tony heeft het weleens over u. U werkt samen, geloof ik, hè?'

'Dat klopt.'

'Ja.' Ze richtte haar blik weer op Tommy. Haar stem kreeg de klank van vochtig behang. 'Moet je hem nou toch zien. De rijke broer. Heeft een eigen zaak, een groot huis. En kijk nou eens naar hem.' Even leek het alsof ze op het punt stond los te barsten in een tirade tegen sociale ongelijkheid, maar ze werd onderbroken door haar man, die zich met een dienblad in zijn handen langs haar heen wurmde.

'Je had best kunnen blijven liggen, schat,' zei hij.

'Je dacht toch niet dat ik gewoon kon doorslapen met al dat getoeter, hè?' Haar blik ging naar het dienblad. 'Je bent de suiker vergeten,' zei ze verwijtend.

'Ik gebruik geen suiker,' zei Rebus. Tony schonk twee koppen thee in.

'Eerst de melk, Tony, en dan de thee,' zei ze.

'Dat maakt toch geen bal uit, Sheila,' zei Tony. Hij reikte Rebus een van de koppen aan.

'Bedankt.'

Even bleef ze naar de twee mannen staan kijken, waarna ze met haar hand over de voorkant van de ochtendjas streek.

'Goed,' zei ze. 'Ik ga. Goedenacht.'

'Goedenacht,' zei Rebus.

'Maak je het niet te laat, Tony.'

'Nee, Sheila.'

Terwijl ze van hun thee nipten, luisterden ze hoe ze de trap opging op weg naar de slaapkamer. Toen slaakte Tony McCall een zucht.

'Sorry,' zei hij.

'Waarvoor?' vroeg Rebus. 'Als er bij mij thuis om deze tijd een paar dronkenlappen zouden komen aanwaaien, zou je nog eens wat anders horen! Ik vond dat ze het nog redelijk kalm opvatte.'

'Sheila is altijd redelijk kalm. Van buiten.'

Rebus knikte in Tommy's richting. 'Wat moeten we met hem?'

'Hij ligt daar goed, laat hem maar. Laat hem zijn roes maar uitslapen.'

'Weet je het zeker? Ik kan hem wel naar huis brengen als je...'

'Nee, nee. Hij is míjn broer, verdomme. Hij moet het vannacht maar met een hangplek doen, vind ik.' Tony keek naar Tommy. 'Moet je hem zien. Je zou het niet geloven als ik je vertelde wat we vroeger als jongens allemaal uithaalden. De buurt was doodsbang voor ons. Belletje trekken, vuurtjes stoken, voetballen door ramen schieten. We waren volkomen losgeslagen, dat kan ik je wel zeggen. En nu zie ik hem alleen nog maar in deze toestand.'

'Bedoel je dat hij dit vaker doet?'

'Af en toe. Dan komt hij in een taxi voorrijden en valt hij in de stoel in slaap. Als hij de volgende ochtend wakker wordt, snapt hij niet hoe hij hier gekomen is. Dan maken we ontbijt voor hem, hij geeft de kinderen een paar pond, en weg is hij weer. Verder belt hij nooit en komt hij nooit langs. En op een goede dag horen we ineens weer een taxi stoppen en is hij er weer.'

'Dat wist ik niet.'

'Ach, ik weet ook niet waarom ik het je vertel, John. Het is jouw probleem niet.'

'Ik vind het niet erg dat je erover praat.'

Maar Tony McCall had weinig zin om erop door te gaan en veranderde van onderwerp. 'Hoe vind je de inrichting hier?' vroeg hij. 'Mooi,' loog Rebus. 'Daar is over nagedacht, dat kun je zien.' 'Ja.' McCall leek er niet van overtuigd. 'Heeft veel geld gekost ook. Zie je die glazen prulletjes daar? Je zou niet geloven wat één zo'n ding kost.'

'O nee?'

McCall inspecteerde de kamer alsof híj er te gast was. 'Nou zie je eens hoe ik leef,' zei hij ten slotte. 'Soms denk ik weleens dat ik eigenlijk liever in een van de cellen bij ons op het bureau zou zitten.' Ineens stond hij op, liep naar Tommy's stoel en knielde voor hem neer. Tommy had één oog open, maar het zag er glazig uit. 'Klootzak dat je bent,' fluisterde Tony. 'Klootzak, klootzak.' En toen boog hij zijn hoofd, zodat hij zijn tranen niet zou hoeven laten zien.

Het werd al licht toen Rebus terugreed naar Marchmont, een afstand van een kilometer of zes. Hij hield stil bij een nachtwinkel en kocht warme broodjes en gekoelde melk. Hij hield ervan hoe de stad er op dit tijdstip bij lag, de vredige vriendschappelijkheid van de vroege ochtend. Hij vroeg zich af waarom de mensen maar niet gelukkig konden zijn met hun leven. *Ik heb alles wat ik nooit heb gewild, en nog is het niet genoeg.* Het enige wat hij nu wilde, was slapen, en voor de verandering eens in zijn bed en niet in de stoel. Steeds weer trok de film aan hem voorbij: Tommy McCall die kwijlend en voor lijk in de stoel lag, Tony McCall op zijn knieën voor hem, bevend van emotie. Afschuwelijk om een broer te hebben. Een broer was je hele leven lang een concurrent, maar toch kon je hem niet haten zonder ook jezelf te haten. Er waren ook andere beelden die bij hem opkwamen. Malcolm Lanyon in zijn studeerkamer, Saiko bij de deur, James Carew dood in zijn bed, Nell Stapleton met haar gezicht vol blauwe plekken, het gehavende bovenlijf van Ronnie McGrath, de oude Vanderhyde met zijn nietsziende ogen, de angst in de ogen van Calum McCallum. Tracy met haar vuistjes...

Niemand is zo'n groot zondaar als ik, en niemand lijdt als ik.

Carew had die zin ergens vandaan... maar waar vandaan? Wie kan het wat schelen, John, wie kan het wat schelen? Het zou maar weer een extra spoor zijn, en daar waren er al veel te veel van. Allemaal samengebonden tot één enkele, onontwarbare knoop. Ga naar huis, ga slapen, vergeet alles.

Eén ding was wel zeker: hij had genoeg stof tot dromen.

ZATERDAG

Of er zullen voor u, als u daaraan de voorkeur
zou geven, nieuwe kennis en nieuwe wegen
tot roem en macht worden geopend, en wel
hier in deze kamer, op dit ogenblik.

Maar dromen deed hij helemaal niet. En toen hij wakker werd, was het weekend. De zon scheen en zijn telefoon ging.

'Ja, hallo?'

'John? Met Gill.'

'O, hallo, Gill. Hoe is het met je?'

'Prima. En met jou?'

'Uitstekend.' Hij loog niet. Hij had in weken niet zo goed geslapen, en hij had absoluut geen kater.

'Sorry dat ik zo vroeg bel. Hoe is het met die aanklacht?'

'Aanklacht?'

'Van die knaap die van alles over jou beweerde.'

'O, dat. Nee, ik heb er nog niets over gehoord.' Hij begon te fantaseren over samen eten, een picknick, een ritje buiten de stad. 'Ben je in Edinburgh?' vroeg hij.

'Nee, in Fife.'

'In Fife? Wat doe je daar?'

'Calum zit hier, weet je nog.'

'Natuurlijk weet ik dat nog. Maar ik dacht dat je hem voorlopig niet wilde zien.'

'Hij wilde me spreken. Dat is trouwens de reden dat ik je bel.'

'O?' Rebus werd nieuwsgierig en fronste zijn voorhoofd.

'Calum wil jou spreken.'

'Hij wil míj spreken? Waarom?'

'Dat zal hij je zelf wel vertellen, denk ik. Hij heeft mij alleen gevraagd om het tegen jou te zeggen.'

Rebus dacht even na. 'Wil jij dat ik met hem praat?'

'Ik kan niet zeggen dat het me veel uitmaakt. Ik heb tegen hem gezegd dat ik de boodschap zou doorgeven, en ook dat hij verder niks meer van me hoeft te verwachten.' Haar stem klonk glad en koel als een leien dak in de regen. Rebus had het gevoel dat hij langs dat dak naar beneden gleed. Hij wilde haar een genoegen doen, haar helpen. 'O ja,' zei ze, 'hij zei erbij dat, als jij er geen zin in zou hebben, ik tegen je moest zeggen dat het te maken had met Hyde.'

'Met Hyde?' Rebus veerde overeind.

Ze lachte. 'Ik weet het niet, John, maar uit de manier waarop je reageert zou ik denken dat die naam inderdaad iets voor je betekent.'

'Zo is het ook, Gill. Ben je nu in Dunfermline?'

'Ik bel vanaf de balie van het bureau hier.'

'Okay. Ik zie je daar over een uur.'

'Prima, John.' Ze klonk onaangedaan. 'Dag.'

Hij verbrak de verbinding, trok zijn jasje aan en ging het huis uit. De weg naar Tollcross was druk, het hele eind van Lothian Road via Princes Street naar Queensberry Road was het druk. Sinds het openbaar vervoer was geprivatiseerd, werd in het centrum van de stad door een allegaartje van bussen een voortdurende klucht opgevoerd. Dubbeldekkers, enkeldekkers en minibusjes dongen naar de gunst van de klant. Toen Rebus ingesloten werd door twee bordeauxrode dubbeldekkers en twee groene enkeldekkers, verloor hij het kleine restje geduld dat hij nog bezat. Hij liet zijn hand met kracht op de claxon neerkomen, verliet de file en reed langs de rij stilstaand verkeer. Een motorkoerier, die bezig was zich tussen de twee in tegenovergestelde richtingen opgestelde files door te wurmen, moest scherp uitwijken om een botsing te voorkomen en reed tegen een Saab aan. Rebus zou eigenlijk moeten stoppen, maar reed door.

Had hij nou maar een sirene en zo'n blauw zwaailicht dat je met een magneet op het dak van je auto kon vastzetten, zoals de jongens van de CID gebruikten als ze te laat waren voor een dineetje of zo. Hij moest het doen met zijn koplampen – de vérstralers – en zijn claxon. Toen hij de file voorbij was, haalde hij zijn hand van de claxon, knipte zijn lichten uit en reed de buitenste rijbaan van de breder wordende weg op.

Ondanks een oponthoud bij het gevreesde verkeersplein in Barnton, kwam hij redelijk snel bij de brug over de Forth, betaalde de tol en reed met niet al te hoge snelheid naar de overkant omdat hij, zoals altijd, wilde genieten van het uitzicht. Links onder hem lag de marinewerf van Rosyth. Veel van zijn schoolvrienden (waarbij 'veel' een relatief begrip was; hij had nooit veel vrienden gehad) hadden makkelijk een baan in Rosyth kunnen krijgen en werkten daar waarschijnlijk nog steeds. Het was zo'n beetje de enige plek in Fife waar nog werk te krijgen was. De mijnen waren de een na de ander gedwongen geweest om te sluiten. Verderop langs de kust, aan de andere kant, waren nog mijnwerkers bezig in onderaardse gangen onder de Forth steenkool weg te bikken, maar die activiteit was nauwelijks nog rendabel...

Hyde! Calum McCallum wist iets van Hyde! En hij wist dat Rebus daar belangstelling voor had, dus er werd kennelijk over gepraat. Hij drukte het gaspedaal nog wat verder in. McCallum zou natuurlijk een deal willen sluiten. Intrekking van de aanklacht, of omzetting ervan in een minder zwaar vergrijp. Prima, uitstekend, hij was bereid hem van alles te beloven; zon, maan en sterren, als het nodig was.

Als hij het maar te weten kwam. Als hij maar te weten kwam wie Hyde was, waar Hyde was. Als hij het maar te weten kwam...

Het hoofdbureau van Dunfermline bevond zich vlak bij een verkeersplein aan de rand van het stadje en was gemakkelijk te vinden. Gill was ook gemakkelijk te vinden. Ze zat in haar auto, die op het ruime parkeerterrein voor het station stond. Rebus zette zijn auto naast de hare, stapte uit en ging naast haar op de passagiersplaats zitten.

'Morgen,' zei hij.

'Hallo, John.'

'Alles goed met je?' Dit was bij nader inzien misschien wel de meest overbodige vraag die hij ooit had gesteld. Haar gezicht was mager en leek alle kleur verloren te hebben en haar hoofd leek weg te zakken tussen haar schouders. Ze omklemde het stuur en trommelde met haar nagels zachtjes tegen de bovenkant van het dashboard.

'Prima,' zei ze. Ze moesten allebei lachen om de evidente onwaarheid van haar antwoord. 'Ik heb bij de balie gezegd dat je eraan kwam.'

'Moet ik van jou nog iets tegen je vriend zeggen?'

'Nee, niks,' zei ze.

'Okay.'

Rebus opende het portier. Toen hij het weer sloot, deed hij dat zachtjes. Toen liep hij naar de ingang van het bureau.

Ze had ruim een uur door de gangen van het ziekenhuis lopen dwalen. Het was bezoekuur, dus niemand stoorde zich eraan dat ze zaal na zaal inliep, de bedden langs ging en af en toe glimlachte naar oude zieke mannen en vrouwen, die haar met eenzame ogen aankeken. Ze keek naar gezinnen die, omdat er maar twee bezoekers tegelijkertijd bij een patiënt mochten zijn, bezig waren te bedisselen wie elkaar wel en niet moesten aflossen aan het bed van opa. Ze was op zoek naar één bepaalde vrouw, maar ze was er niet zeker van dat ze haar zou herkennen. Het enige wat ze zeker wist, was dat de vrouw uit de bibliotheek een gebroken neus had.

Misschien lag ze er niet meer. Misschien was ze al naar huis, naar haar man of vriend of wie dan ook. Misschien deed Tracy er beter aan om af te wachten en weer naar de bibliotheek te gaan. Maar daar stond ze natuurlijk gesignaleerd. De portier zou haar herkennen. De vrouw zou haar ook herkennen.

Maar zou zíj de vrouw herkennen?

Er klonk een bel die haar ervan doordrong dat het bezoekuur afgelopen was. Snel liep ze naar de volgende zaal. Zou de vrouw misschien in een kamer alleen liggen? Of in een ander ziekenhuis? Of...

Nee! Daar lag ze! Tracy bleef stilstaan, draaide zich half om en liep naar de andere kant van de zaal. De bezoekers namen afscheid en drukten de patiënten op het hart goed voor zichzelf te zorgen. Iedereen leek opgelucht, bezoekers zowel als patiënten. De bezoekers trokken hun jassen aan en deden hun sjaals om, en ze deed alsof ze een van hen was. Toen bleef ze staan en keek achterom naar het bed van de vrouw uit de bibliotheek. Ze had veel bloemen bij haar bed. Er was één bezoeker, een man, die zich over de vrouw heen boog en langzaam een kus op haar voorhoofd drukte. De vrouw kneep in de hand van de man en... Maar die man had iets bekends. Tracy had hem weleens eerder gezien... In het politiebureau! Hij was een kennis van Rebus, een politieman! Ze herinnerde zich weer dat hij bij haar langs was gekomen om te kijken hoe het met haar was toen ze haar in de cel hadden gezet.

Jezus, ze had de vrouw van een politieman aangevallen!

Ze wist het ineens niet meer, ze wist het helemaal niet meer. Waarom was ze hiernaartoe gekomen? Kon ze nog doen wat ze van plan was geweest? Ze liep samen met een gezin de zaal uit, maar bleef op de gang staan en leunde met haar hoofd tegen de muur. Kon het? Ja, als ze haar zenuwen in bedwang hield. Ja, dan kon ze het doen.

Terwijl Holmes tussen de klapdeuren van de ziekenzaal door slenterde, op zijn gemak langs haar heen liep en vervolgens de gang uit, deed ze alsof ze de frisdrankenautomaat bestudeerde. Ze wachtte twee volle minuten, waarin ze tot honderdtwintig telde. Hij was echt weg. Hij was niets vergeten. Tracy draaide de automaat de rug toe en liep op de klapdeuren af.

Voor haar begon het bezoekuur pas.

Ze was nog niet bij het bed toen ze staande werd gehouden door een verpleegster.

'Het bezoekuur is voorbij, hoor,' zei de verpleegster.

Tracy deed haar best om te glimlachen, om er zo normaal mogelijk uit te zien. Dat was niet makkelijk, maar liegen ging haar goed af.

'Ik ben mijn horloge net kwijtgeraakt. Ik geloof dat ik het bij mijn zus heb laten liggen.' Ze knikte in Nells richting. Nell, die hoorde praten, draaide haar hoofd in haar richting. Ze zette grote ogen op toen ze Tracy herkende.

'Nou, heel snel dan,' zei de verpleegster terwijl ze wegliep. Tracy glimlachte naar de verpleegster en keek hoe ze door de klapdeuren de zaal verliet. Nu waren er alleen nog de patiënten in hun bedden en zij. Plotseling was het stil. Ze liep op Nells bed af.

'Hallo,' zei ze. Ze keek op de informatiekaart aan het voeteneinde van het ijzeren bed. 'Nell Stapleton' las ze.

'Wat moet je?' Er was geen angst te lezen in Nells ogen. Haar stem klonk iel en kwam van achter uit haar keel. Haar neus was niet betrokken bij het voortbrengen van geluiden.

'Ik wilde je iets zeggen,' zei Tracy. Ze kwam dicht bij Nell staan en hurkte neer, zodat ze vanaf de ingang van de zaal nauwelijks zichtbaar zou zijn. Bovendien zou het dan lijken alsof ze op zoek was naar haar horloge.

'Ja?'

Tracy glimlachte omdat ze Nells stemgeluid amusant vond. Net een stem uit een poppenfilm voor kinderen. Maar toen ze eraan dacht dat ze hier lag omdat zíj daarvoor verantwoordelijk was, verdween de glimlach en moest ze blozen. Het gips op de neus van de vrouw, de blauwe plekken onder haar ogen, het was allemaal háár schuld.

'Ik kwam zeggen dat het me spijt. Dat is het eigenlijk. Gewoon even zeggen dat het me spijt.'

Nell keek haar aan zonder met haar ogen te knipperen.

'En,' vervolgde Tracy, 'nou ja... niks eigenlijk.'

'Vertel me eens,' begon Nell, maar het werd haar te veel. Toen Brian Holmes er was, was zij het grootste deel van de tijd aan het woord geweest, en haar mond voelde droog aan. Ze draaide zich om en stak haar hand uit naar de kan met water op het nachtkastje.

'Wacht maar, dat doe ik wel even.' Tracy schonk water in een plastic bekertje en gaf dat aan Nell, die er een paar slokjes uit nam en die aan de binnenkant van haar mond rond liet gaan. 'Mooie bloemen,' zei Tracy.

'Van mijn vriend gekregen,' zei Nell tussen twee slokjes door.

'Ja, ik zag hem weggaan. Hij is bij de politie, hè? Dat weet ik omdat ik een kennis ben van inspecteur Rebus.'

'Ja, dat weet ik.'

'O ja?' Tracy leek geschokt. 'Dus je weet wie ik ben?'

'Ik weet dat je Tracy heet, als je dat bedoelt.'

Tracy beet op haar onderlip en kreeg weer een kleur.

'Dat geeft toch niet?' vroeg Nell.

'O, nee hoor.' Tracy probeerde nonchalant te klinken. 'Dat geeft niks.'

'Ik wilde vragen...'

'Ja, wat?' Tracy leek een verandering van onderwerp op prijs te stellen.

'... wat je deed in de bibliotheek?'

De vraag was niet echt welkom. Ze dacht er even over na, haalde haar schouders op en zei: 'Ik wilde Ronnies foto's gaan ophalen.'

'Ronnies foto's?' Nell was ineens een en al aandacht. Het weinige dat Brian tijdens het bezoekuur had gezegd, was beperkt geweest tot de voortgang in het onderzoek naar de dood van Ronnie McGrath, en hij had het vooral gehad over foto's die ze in het huis van de dode hadden gevonden. Maar wat bedoelde Tracy nu?

'Ja,' zei ze. 'Ronnie had ze in de bibliotheek verstopt.'

'Wat stond er eigenlijk op? Ik bedoel, waarom moest hij ze verstoppen?'

Tracy haalde haar schouders op. 'Hij heeft alleen tegen me gezegd dat ze voor hem een levensverzekeringspolis waren. Dat was het woord dat hij gebruikte, "levensverzekeringspolis".'

'En waar heeft hij ze precies verstopt?'

'Op de vijfde verdieping, zei hij. In een band met ingebonden exemplaren van de *Edinburgh Review*. Ik geloof dat het een tijdschrift is.'

'Dat klopt,' zei Nell met een glimlach. 'Dat is inderdaad een tijdschrift.'

Brian Holmes werd een beetje licht in het hoofd van het telefoontje van Nell. Zijn eerste reactie was er een van pure schrik, en hij gaf haar een standje dat ze haar bed uit was gekomen.

'Maar ik lig wél in bed,' zei ze. Haar stem klonk in haar opwinding onduidelijk. 'Ze hebben een telefoontoestel bij mijn bed gezet. Luister...'

Een halfuur later liep hij met een bibliotheekassistente door een gangpad op de vijfde verdieping van de bibliotheek van de universiteit van Edinburgh. De assistente keek van tijd tot tijd naar de codeaanduidingen op de kasten, totdat ze op een gegeven moment knikte en een gangpad insloeg waar donkere rijen ingebonden delen stonden. Aan het einde van het gangpad, aan een leestafel voor een groot raam, zat een student op een potlood te kauwen. Hij keek Holmes ongeïnteresseerd aan. Holmes glimlachte vriendelijk naar de student, maar deze keek dwars door hem heen.

'We zijn er,' zei de bibliotheekassistente. 'De *Edinburgh Review* en de *New Edinburgh Review*. Dat "New" staat er sinds 1969 voor, zoals u ziet. De oudere uitgaven hebben we natuurlijk in een geklimatiseerde ruimte opgeslagen. Als u die zou willen zien, duurt het iets langer...'

'Nee, hier heb ik genoeg aan, echt. Dit zijn de jaargangen die ik zocht. Dank u wel.'

De bibliotheekassistente maakte als reactie op zijn bedankje een lichte buiging. 'Doet u de hartelijke groeten van ons allemaal aan Nell?' vroeg ze.

'Ik ga straks bij haar op bezoek. Ik zal het niet vergeten.'

Na nog een buiginkje draaide ze zich om en liep terug naar het begin van het gangpad. Daar bleef ze staan en drukte op een schakelaar. Boven Holmes' hoofd flitsten een paar neonbuizen aan. Hij keek in haar richting om haar te bedanken, maar ze was al niet meer te zien en liep met stevige pas in de richting van de lift. Hij hoorde haar rubberhakken op het zeil knarsen.

Holmes keek naar de ruggen van de ingebonden delen. De collectie was niet compleet, wat betekende dat een paar jaargangen waren uitgeleend. Wat een idiote plek om dingen te verstoppen. Hij pakte de jaargang 1971-72, hield de rug tussen zijn beide wijsvingers en schudde eraan. Er vielen geen briefjes of foto's uit. Hij zette het deel terug op de plank en pakte het deel ernaast, schudde eraan en zette het toen weer terug.

De student aan de leestafel keek niet langer door Holmes heen, maar keek hem áán. Hij keek Holmes aan alsof hij gek was. Ook het volgende deel leverde niets op, noch het daaropvolgende. Holmes begon het ergste te vrezen. Hij had gehoopt iets te zullen vinden waarmee hij Rebus kon verrassen, iets waar ze wat aan zouden hebben. Hij had de inspecteur geprobeerd te bereiken, maar had hem nergens kunnen vinden. Hij leek verdwenen te zijn.

Toen de foto's op de gepoetste vloer kletterden, maakten ze meer geluid dan hij verwacht had. De glanzende foto's kwamen op hun zijkant terecht, en dat gaf een harde tik. Hij bukte zich en begon ze op te rapen. De student keek gefascineerd toe. Holmes' opwinding maakte al snel plaats voor teleurstelling toen hij zag dat de over de vloer verspreid liggende foto's afdrukken waren van de foto's van de bokswedstrijd die hij al had gezien. Er waren geen foto's bij die hij nog niet kende, geen verrassingen.

Wat een rotzak, die Ronnie McGrath, dat hij hem voor niks blij had gemaakt. Zijn levensverzekering. Een verzekering op een leven dat al achter de rug was.

Hij wachtte op de lift, maar die was steeds in gebruik, zodat hij de trap nam. Het was een steile wenteltrap, en op een gegeven moment kwam hij op de begane grond terecht, maar dan in een deel van de bibliotheek dat hij niet kende, een gang die wel een antiquarische boekwinkel leek, nauw, en met stellingen met beschimmelde boeken tegen beide wanden. Toen hij ertussendoor liep, kreeg hij ineens een onaangenaam gevoel dat hij niet kon plaatsen. Even later kwam hij bij een deur die uit bleek te komen in de hal van het gebouw. De assistente die hem de weg had gewezen, zat weer achter haar bureau. Ze zag hem en gebaarde druk in zijn richting. Hij deed wat ze van hem vroeg en haastte zich naar haar toe. Ze pakte de telefoon en drukte op een knop.

'Telefoon voor u,' zei ze terwijl ze haar arm over het bureau heen strekte om hem de hoorn aan te reiken.

'Hallo?' Hij was benieuwd wie het was. Wie wist nou dat hij hier was?

'Brian, waar heb je in godsnaam gezeten?' Het was Rebus natuurlijk. 'Ik heb je overal gezocht. Ik ben in het ziekenhuis.'

Holmes' hart kromp ineen. 'Nell?' zei hij op zo'n dramatische toon dat zelfs de assistente opkeek.

'Wat?' bromde Rebus. 'Nee, nee, met Nell is alles in orde. Nee, ik zeg het omdat zíj me heeft gezegd waar ik je kon vinden. Ik bel uit het ziekenhuis, en dat kost me kapitalen.' Als om dat te bevestigen klonk plotseling een gepiep uit de hoorn, gevolgd door het geluid van munten die in het apparaat werden gegooid, waarna ze verder konden praten.

'Met Nell is alles in orde,' zei Brian tegen de assistente. Ze knikte opgelucht en ging weer aan het werk.

'Natuurlijk is alles in orde,' zei Rebus, die gehoord had wat hij zei. 'Luister, want je moet een paar dingen voor me doen. Heb je pen en papier bij de hand?'

Brian pakte beide op van het bureau. Hij glimlachte en dacht terug aan het eerste telefoongesprek dat hij met John Rebus had gehad en dat zoveel op dit gesprek leek. Ook toen moesten er een paar dingen gedaan worden. God, wat was er in de tussentijd veel gedaan...

'Heb je dat?'

Holmes schrok op. 'Sorry, inspecteur,' zei hij. 'Ik was even niet geconcentreerd. Zou u het nog een keer kunnen herhalen?'

Aan de andere kant van de lijn klonk een geluid dat een mengeling van ergernis en opwinding uitdrukte. Toen begon Rebus opnieuw, en deze keer hoorde Brian Holmes woord voor woord wat er gezegd werd.

Tracy kon niet zeggen waarom ze bij Nell Stapleton op bezoek was gegaan of waarom ze tegen Nell had gezegd wat ze had gezegd. Ze had een soort binding met haar, en niet alleen door wat ze had gedaan. Nell Stapleton had iets, iets wijs en vriendelijks, iets wat Tracy tot dan toe in haar leven had gemist. Misschien vond ze het daarom zo'n opgave om het ziekenhuis te verlaten.

Ze had door de gangen gedwaald, twee koppen koffie gedronken in een café aan de overkant van de straat, was toen een kijkje gaan nemen op de Eerste Hulp, bij de röntgenafdeling en was zelfs even op een afdeling voor diabetici geweest. Ze had zichzelf gedwongen om het ziekenhuis te verlaten en was zelfs helemaal tot aan de kunstacademie gelopen, maar toen ze daar was, had ze zich omgedraaid en was ze de tweehonderd passen naar het ziekenhuis teruggelopen.

Toen ze vervolgens via de zij-ingang naar binnen wilde gaan, pakten de mannen haar vast.

'Hé!'

'Komt u rustig met ons mee, dame.'

Zo te horen waren het beveiligingsmensen, politiemannen waarschijnlijk zelfs, dus verzette ze zich niet. Misschien wilde de vriend van Nell Stapleton haar spreken, haar afstraffen. Het kon haar niets schelen. Ze liepen naar de ingang van het ziekenhuis, dus ze verzette zich niet. Dat deed ze pas toen het al te laat was.

Ze bleven plotseling staan, draaiden haar om en duwden haar een ziekenauto in.

'Wat is...? Hé, kom nou!' De deuren werden gesloten en op slot gedaan. Ze zat in haar eentje in de warme, halfduistere ziekenwagen. Ze bonsde op de deuren, maar het voertuig was al in beweging gekomen. Toen het optrok, werd ze tegen de deuren aan gesmeten, waarna ze op de vloer viel. Toen ze weer bijgekomen was, zag ze dat het een oude ambulance was, die niet meer als zodanig werd gebruikt. Het interieur van de ambulance was onttakeld, zodat het een gewone bestelauto was. De ramen waren met panelen afgeschoten, en tussen haar en de bestuurderscabine bevond zich een metalen wand. Ze kroop naar deze wand toe en begon er knarsetandend met haar vuisten op te bonzen. Nu pas drong het tot haar door dat de twee mannen die haar bij de ingang hadden vastgegrepen dezelfden waren die haar toen op Princes Street hadden gevolgd, die dag dat ze naar John Rebus gevlucht was.

'O god,' mompelde ze. 'O god, o god.'
Ze hadden haar ten slotte toch te pakken gekregen.

Het was die avond plakkerig warm en het was stil op straat voor een zaterdag. Rebus belde aan en wachtte. Terwijl hij stond te wachten keek hij naar links en naar rechts. Aan beide kanten twee keurige rijen achttiende-eeuwse huizen, waarvan de gevels in de loop der jaren en door de uitlaatgassen beroet waren geraakt. In sommige huizen waren inmiddels notarissen, accountantskantoren en kleine, onduidelijke ondernemingen in de financiële sector gevestigd. Enkele huizen waren nog in gebruik als comfortabele, deftige woningen voor welgestelden, maar dat waren er maar heel weinig. Rebus was weleens eerder in deze straat geweest, lang geleden toen hij pas bij de CID zat en betrokken was bij het onderzoek naar de dood van een meisje. Hij herinnerde zich niet veel meer van het geval. Daarvoor was hij te veel in beslag genomen door zijn voorbereiding op een plezierige avond.

Hij plukte aan het vlinderdasje om zijn nek. Alles wat hij aanhad, smoking, overhemd, strikje en lakschoenen, had hij eerder op de dag gehuurd bij een winkel aan George Street. Hij voelde zich een hansworst, maar toen hij zichzelf in de spiegel in de badkamer bekeek, had hij moeten toegeven dat hij er gekloft uitzag. Zo kon hij zich tenminste vertonen in een zaak als Finlay's Club aan Duke Terrace.

De deur werd geopend door een stralende vrouw. Ze was jong, prachtig gekleed, en ze begroette hem op een manier die uitstraalde dat ze graag zou willen dat hij vaker langs zou komen.

'Goedenavond,' zei ze. 'Komt u binnen, alstublieft.'

Dat wilde hij wel en dat deed hij ook. De inrichting van de hal was heel subtiel. Crèmekleurige verf, dik, hoogpolig tapijt, hier en daar een fauteuil die eruitzag alsof hij was ontworpen door Charles Rennie Mackintosh, met hoge rugleuningen, en zo te zien zeer oncomfortabel.

'U vindt onze fauteuils mooi, zie ik,' zei de vrouw met een glimlach.

'Ja,' zei Rebus terwijl hij haar aankeek. Hij glimlachte ook. 'De naam is Rebus, trouwens. John Rebus.'

'Aha. Finlay zei al dat u verwacht werd. Zal ik u even rondleiden, aangezien u hier vanavond voor het eerst bent?'

'Graag.'

'Maar eerst iets te drinken. Het eerste drankje is altijd van het huis.'

Rebus probeerde niet nieuwsgierig te zijn, maar hij was tenslotte politieman, en niet nieuwsgierig zijn druiste tegen zijn aard in. Vandaar dat hij de gastvrouw, die Paulette bleek te heten, af en toe een vraag stelde. Ze attendeerde hem op de bijzonderheden van de club, toonde hem de wijnkelder ('wat daar ligt heeft Finlay verzekerd voor een kwart miljoen'), de keuken ('onze chef-kok is zijn gewicht in kaviaar waard') en de logeerkamers voor de gasten ('het meest hebben we te stellen met rechters, er zijn er een paar die hier altijd blijven overnachten omdat ze te dronken zijn om nog naar huis te kunnen komen'). De wijnkelder en de keuken bevonden zich in het souterrain, terwijl de benedenverdieping bestond uit een rustige bar, een klein restaurant met garderobe en een kantoor. Op de eerste verdieping, te bereiken via een met tapijt beklede trap met aan de muur een verzameling achttiende- en negentiende-eeuwse schilderijen van Schotten als Jacob More en David Allan, bevond zich de grote speelzaal met roulette, blackjack, een paar tafels voor kaartspellen en een tafel waaraan gedobbeld kon worden. De spelers waren zakenlieden. Hun inzetten waren bescheiden, niemand won of verloor op grote schaal. Ze hielden hun fiches dicht bij zich.

Paulette wees hem twee kamers die afgesloten waren.

'Besloten kamers, voor besloten groepen.'

'Wat wordt daar dan gespeeld?'

'Voornamelijk poker. De serieuze spelers boeken ongeveer één keer per maand. En dan gaan ze soms de hele nacht door.'

'Net als in de film.'

'Ja,' zei ze lachend. 'Net als in de film.'

De tweede verdieping bestond uit de drie gastenkamers, die ook allemaal op slot waren, en Finlay's eigen appartement.

'Dat is uiteraard privé,' zei Paulette.

'Uiteraard,' beaamde Rebus terwijl ze weer naar beneden liepen.

Dit was het dus, Finlay's Club. Het was die avond stil. Hij had maar twee of drie gezichten gezien die hij herkende: een advocaat, die net had gedaan alsof hij hem niet kende, hoewel ze voor de rechtbank weleens tegenover elkaar hadden gestaan; een televisie-presentator, wiens gebronsde uiterlijk uit een potje afkomstig leek; en Boer Watson.

'Hallo, John.' Watson was in avondkleding, maar toch onmiddellijk herkenbaar als smeris. Hij stond in de bar toen Paulette en Rebus daar weer naar binnen gingen. In zijn hand had hij een glas jus d'orange. Hij deed zijn best een ongedwongen indruk te maken, maar uit alles bleek dat hij hier niet op zijn plaats was.

'Dag, commissaris.' Ondanks zijn aankondiging had Rebus geen moment gedacht dat Watson hier zou opduiken. Hij stelde Paulette aan hem voor, die zich verontschuldigde voor het feit dat ze hem niet bij binnenkomst had begroet.

Watson wuifde haar excuses weg en liet zijn glas in zijn hand rondgaan. 'Ze hebben hier uitstekend voor me gezorgd,' zei hij. Ze gingen aan een vrij tafeltje zitten. De stoelen in de bar waren zacht en een stuk comfortabeler dan die in de hal. Rebus ontspande zich. Watson keek daarentegen nauwlettend om zich heen.

'Is Finlay er niet?' vroeg hij.

'Hij moet hier wel ergens rondlopen,' zei Paulette. 'Hij is er altijd.'

Vreemd dat ze hem tijdens de rondleiding niet waren tegengekomen, vond Rebus.

'En wat vind je van de club, John?' vroeg Watson.

'Indrukwekkend,' zei Rebus terwijl hij zich Paulettes glimlach liet welgevallen zoals een leerling de lof van zijn bewonderde leermeester over zich laat komen. 'Heel indrukwekkend. Het is hier veel groter dan je zou verwachten. U moet boven maar eens gaan kijken.'

'En dan heb je nog de uitbouw,' zei Watson.

'O ja, daar had ik niet meer aan gedacht.' Rebus draaide zich naar Paulette.

'Dat klopt,' zei ze. 'Aan de achterkant van het pand wordt een vleugel aangebouwd.'

'Wordt die nog gebouwd?' vroeg Watson. 'Ik dacht dat het allemaal al klaar was.'

'O nee.' Ze glimlachte weer. 'Finlay is daar heel secuur in. De vloer was niet precies zoals hij hem hebben wilde, dus toen heeft hij werklieden opdracht gegeven de hele boel weer op te nemen en opnieuw te beginnen. Nu is het wachten op het marmer uit Italië.'

'Dat zal flink wat kosten,' zei Watson terwijl hij voor zich uit knikte.

Rebus vroeg zich af waar de uitbouw dan was. Op de begane grond, achter de toiletten, de garderobe, het kantoor en de grote kastruimten moest nog een deur zijn, oorspronkelijk de deur naar de tuin, maar nu dus de deur naar de aanbouw. Wellicht.

'Nog een drankje, John?' Watson stond al naast het tafeltje en wees naar Rebus' lege glas.

'Gin met verse jus d'orange, alstublieft,' zei hij terwijl hij hem het glas aanreikte.

'En voor jou, Paulette?'

'Nee, echt niet.' Ze stond op van haar stoel. 'Ik moet werken. Nu ik u een beetje wegwijs heb gemaakt in de club moest ik maar weer eens bij de deur gaan staan. Als u boven wilt gaan spelen, kunt u bij het kantoor fiches krijgen. Bij sommige spellen accepteren ze ook gewoon geld, maar dat zijn niet de meest interessante.'

Ze glimlachte nog even, en toen, in een zacht geruis van zijde en de omstanders een glimp gunnend op een in een zwarte nylonkous gestoken been, verdween ze uit het zicht. Watson zag hoe Rebus haar nakeek.

'Op de plaats rust, inspecteur,' zei hij. Toen liep hij in zichzelf lachend naar de bar, waar hij van de barman te horen kreeg dat hij, als hij wat wilde drinken, maar een teken hoefde te geven en de bestelling zou bij meneer aan tafel worden opgenomen, waarna deze hem onverwijld gebracht zou worden. Watson slofte terug naar zijn stoel.

'Wat een leven, hè John?'

'Ja, commissaris. Zijn er op het thuisfront nog ontwikkelingen?'

'Je bedoelt met dat flikkertje dat een aanklacht tegen je heeft ingediend? Hij is weg. Verdwenen. Heeft een vals adres opgegeven, de boel belazerd.'

'Dus ik ga vrijuit?'

'Het scheelt niet veel.' Rebus wilde protesteren. 'Geef het nog een paar dagen, John, meer vraag ik niet. Het heeft even de tijd nodig om op een natuurlijke wijze dood te bloeden.'

'U bedoelt dat er gekletst wordt?'

'Er zijn een paar jongens die zich er vrolijk over hebben gemaakt, maar dat valt ze niet kwalijk te nemen. Over een paar dagen hebben ze weer wat anders waar ze om kunnen lachen. Dan is het allemaal weer vergeten.'

'Er vált toch niks te vergeten!'

'Weet ik, weet ik. Het is allemaal opgezet om je op non-actief te houden. Het heeft allemaal te maken met die geheimzinnige meneer Hyde.'

Rebus keek Watson met stijf op elkaar geklemde lippen aan. Hij had zin om te gaan schreeuwen. Hij ademde diep in en uit en griste het glas van het dienblad dat de kelner net op tafel zette. Hij had al twee flinke slokken genomen toen de kelner hem erop attendeerde dat hij het glas jus d'orange van 'meneer daar' te pakken had. Zijn gin-tonic stond nog op het blad. Rebus kreeg een kleur terwijl Watson lachend een briefje van vijf pond op het dienblad legde. De kelner kuchte om zijn plaatsvervangende schaamte kenbaar te maken.

'Uw bestelling komt op zes pond vijftig, meneer,' zei hij tegen Watson.

'Grote goden!' Watson zocht in zijn zak naar geld, haalde een verkreukeld pondsbiljet en wat munten te voorschijn en legde die op het blad.

'Dank u, meneer.' De kelner tilde het blad op en draaide zich om voordat Watson de gelegenheid had gehad te vragen of hij nog geld terugkreeg. Hij keek Rebus aan, die zat te glimlachen.

'Nou, nou,' zei Watson. 'Zes pond vijftig! Er zijn gezinnen die daar een week van kunnen leven!'

'Ja, wat een leven, hè?' herhaalde John wat de commissaris net zelf had gezegd.

'Ja, goed gezegd, John. Ik dreigde even te vergeten dat er meer in het leven is dan alleen comfort. Vertel eens, naar welke kerk ga jij?'

'Zo, zo. Komen jullie ons allemaal inrekenen?' De beide mannen draaiden zich om toen ze de stem hoorden. Het was Tommy Mc-Call. Rebus keek op zijn horloge. Halfnegen. Tommy zag eruit alsof hij op weg naar de club al een paar cafés had aangedaan. Hij plofte neer op de stoel waarop Paulette had gezeten.

'Wat drinken jullie?' Hij knipte met zijn vingers. De kelner kwam met een frons op zijn gezicht langzaam naar het tafeltje toe gelopen.

'Heren?'

Tommy McCall keek naar hem op. 'Dag, Simon. Nog een rondje voor de heren van de politie, en voor mij hetzelfde als altijd.' Rebus keek hoe de kelner de woorden van McCall tot zich door liet dringen. Zo is het, jongen, dacht Rebus, wij zijn van de politie. Maar waarom schrik jij daar zo van? De kelner leek Rebus' gedachten te raden, draaide zich om en liep met stramme pas terug naar de bar.

'Zo, vertel eens, wat brengt jullie tweeën hier?' McCall stak een sigaret op. Hij was blij bekenden te hebben getroffen en verheugde zich op een gezellige avond.

'Het was Johns idee,' zei Watson. 'Hij wilde hier naartoe. Dus heb ik dat voor hem geregeld met Finlay, maar toen had ik eigenlijk wel zin om mee te gaan.'

'Groot gelijk.' McCall keek om zich heen. 'Maar vanavond is het niet veel, nog niet tenminste. Meestal is het hier afgeladen met bekende gezichten en namen die je net zo goed kent als je eigen naam. Vanavond is het een beetje tam.'

Hij had de anderen zijn pakje sigaretten voorgehouden. Rebus had er een genomen en stak die nu op. Genietend trok hij aan de sigaret, maar toen de rook zich in zijn borstkas mengde met de alcoholdampen, had hij daar onmiddellijk spijt van. Hij moest nadenken, en goed ook. Eerst was Watson opgedoken, en nu McCall. Hij had niet gedacht dat hij hen die avond hier zou zien.

'O ja, John,' zei McCall, 'nog bedankt voor de lift, gisteravond.' Uit de manier waarop hij het zei, kon Rebus opmaken wat hij feitelijk bedoelde. 'Als ik je overlast heb bezorgd, dan spijt dat me.'

'Geen probleem, Tommy. Heb je goed geslapen?'

'Met slapen heb ik nooit problemen.'

'Ik ook niet,' onderbrak Watson hem. 'Dat is het fijne van een goed geweten, wat jij?'

Tommy keek Watson aan. 'Jammer dat je niet op Malcolm Lanyons feestje kon komen. Wij hebben het leuk gehad, hè John?'

Tommy glimlachte naar Rebus, die teruglachte. De mensen aan het tafeltje naast hen lachten om de een of andere grap. De mannen rookten dikke sigaren, de vrouwen frunnikten aan de sieraden om hun polsen. McCall boog zich naar hen toe in de hoop bij hun vrolijkheid betrokken te worden, maar door zijn glazige oogopslag en onduidelijke glimlach bleef hij een buitenstaander.

'Heb je vanavond al veel op, Tommy?' vroeg Rebus. Toen Mc-Call zijn naam hoorde, draaide hij zich weer naar Rebus en Watson.

'Een paar glazen maar,' zei hij. 'Er waren wat van mijn vrachtwagens te laat met afleveren. De chauffeurs waren aan de zwier. Kostte me twee grote contracten. Nu ben ik mijn verdriet aan het verdrinken.'

'Wat vervelend voor je,' zei Watson oprecht. Rebus knikte instemmend, maar McCall schudde theatraal zijn hoofd.

'Het betekent niks,' zei hij. 'Ik dacht er toch al over om ermee op te houden en de zaak van de hand te doen. Tenslotte ben ik nu nog jong. Barbados, Spanje, wie weet. Villaatje kopen.' Hij kneep zijn ogen toe en begon te fluisteren. 'En raad eens wie erover denkt om me uit te kopen? Dat raden jullie nooit. Finlay.'

'Finlay Andrews?'

'Precies.' McCall leunde achterover, trok aan zijn sigaret en knipperde met zijn ogen toen er rook in kwam. 'Finlay Andrews.' Hij boog zich vertrouwelijk naar voren. 'Hij heeft nog veel meer belangen, weten jullie dat? Niet alleen in deze club. Hij heeft verschillende commissariaten, allerlei aandelenpakketten, noem maar op.'

'Uw drankjes, heren.' In de stem van de kelner klonk duidelijk afkeuring door. Hij leek niet meteen weg te willen gaan, ook niet nadat McCall een briefje van tien pond op het dienblad had gegooid en gebaarde dat hij kon gaan.

'Ja,' vervolgde McCall toen de kelner eindelijk weg was. 'Overal een vinger in de pap. En allemaal volstrekt legaal, hoor. Het zou een hele klus zijn om het tegendeel te bewijzen.'

'En hij wil je uitkopen?' vroeg Rebus.

McCall haalde zijn schouders op. 'Hij geeft me een goede prijs. Niet de absolute top, maar ik zal niet van de honger omkomen.'

'Uw wisselgeld, meneer.' Daar was de kelner weer. Zijn stem klonk ijskoud. Hij hield het dienblad voor McCall, die naar hem opkeek.

'Ik hoefde geen geld terug,' zei hij. 'Wat ik te veel heb betaald, was fooi. Maar goed,' zei hij, terwijl hij met een knipoog naar Rebus en Watson de munten van het blad pakte. 'Als jij het niet hebben wilt, jongen, kan ik het net zo goed in mijn zak steken.'

'Dank u, meneer.'

Rebus genoot. De kelner was bezig McCall op alle mogelijke manieren te waarschuwen dat er gevaar dreigde, en McCall was te dronken of te naïef om het te merken. Maar Rebus was zich er ook van bewust dat de aanwezigheid van commissaris Watson en Tommy McCall in Finlay's Club op de avond dat de club zou springen voor complicaties zou kunnen zorgen.

Bij de ingang ontstond ineens enige commotie. Er werd met stemverheffing gesproken, maar de stemmen klonken eerder opschepperig dan agressief. Daartussendoor was de stem van Paulette te horen, eerst op vragende toon en vervolgens verontwaardigd. Rebus keek op zijn horloge. Tien voor negen. Precies op tijd.

'Wat is er aan de hand?' Iedereen in de bar was nieuwsgierig, en enkelen waren opgestaan om te gaan kijken wat er was. De barman drukte op een knopje naast de lichtschakelaars aan de muur, en ging toen naar de hal. Rebus liep achter hem aan. Bij de voordeur stond Paulette tegenover een paar mannen in enigszins vale kantoorpakken. Een van hen zei tegen haar dat ze hem niet mocht weigeren omdat hij een das droeg. Een ander verklaarde dat ze een avondje aan het stappen waren en dat ze van iemand in de bar van het bestaan van de club hadden gehoord.

'Philip heette hij. Hij zei dat we moesten zeggen dat Philip het goedvond, en dat we dan naar binnen zouden mogen.'

'Het spijt me, heren, maar dit is een besloten club.' De barman begon zich er nu ook mee te bemoeien, maar zijn aanwezigheid bleek niet gewenst.

'Zeg maat, we staan hier met deze dame te praten, okay? We willen alleen een glaasje drinken, en misschien een gokje wagen, daar is toch niks mis mee?'

Rebus keek hoe nog twee 'kelners', gespierde jongemannen met hoekige hoofden snel de trap af kwamen lopen.

'Luister nou...'

'Gewoon een gokje...'

'Een avondje stappen...'

'Het spijt me...'

'Pas op je jasje, maat...'

'Hé...'

Neil McGrath deelde de eerste klap uit en trof een van de potige kerels met een stevige rechtse in zijn maag, waardoor de man dubbelsloeg. In de hal ontstond een oploopje. De bar en het restaurant waren verlaten. Rebus bleef naar het vechten kijken, maar schuifelde tegelijkertijd tussen de omstanders door naar achteren, liep langs de bar en het restaurant naar de garderobekamer, voorbij de toiletten en de deur van het kantoor, tot aan de deur daarachter.

'Tony! Ben jij het?' Het kon niet uitblijven. Tommy McCall had tussen de mannen die zich voordeden als dronkenlappen van buiten de stad zijn broer Tony ontdekt. Tony, wiens aandacht even was afgeleid, kreeg een slag in zijn gezicht, waardoor hij tegen de muur terechtkwam. 'Hé, dat is mijn broer die je slaat!' Tommy begon zich er nu ook mee te bemoeien en liet zich niet onbetuigd. Neil McGrath en Harry Todd waren gezonde, sterke jongemannen, die zich wel konden verweren, maar toen ze commissaris Watson zagen, verstarden ze, ook al waren ze zich ervan bewust dat hij waarschijnlijk niet wist wie zij waren. Ze kregen allebei een dreun, waardoor ze zich weer realiseerden dat het geen grap was. Ze vergaten Watson en begonnen er weer op los te slaan.

Het viel Rebus op dat een van de mannen zich wat afzijdig hield, zich niet echt in de strijd wierp. Hij bleef in de buurt van de voordeur, klaar om ervandoor te gaan wanneer dat nodig mocht zijn, en keek steeds naar de andere kant van de hal, waar Rebus stond. Rebus gaf hem een teken dat hij hem had gezien, maar Brian Holmes reageerde niet. Toen draaide Rebus zich om en liep naar de deur aan het einde van de gang, de deur die toegang gaf tot de nieuwe aanbouw van de club. Hij deed zijn ogen dicht, verzamelde moed en balde zijn rechterhand tot een vuist, waarmee hij zich vervolgens zelf een slag in het gezicht toediende. Niet met volle kracht – een of ander zelfbeschermingsmechanisme belette hem dat – maar wel hard. Hij vroeg zich af hoe mensen het voor elkaar kregen om hun polsen door te snijden, opende toen zijn tranende ogen en voelde aan zijn neus. Zijn bovenlip zat onder het bloed dat uit beide neusgaten stroomde. Hij liet het druipen en bonsde op de deur.

Geen reactie. Hij bonsde nog eens. Het kabaal in de hal bereikte inmiddels een hoogtepunt. *Kom op nou, kom op nou.* Hij haalde een zakdoek uit zijn zak, hield die onder zijn neus en ving er de helderrode druppels mee op. De deur werd van binnen uit van het slot gedaan en op een kiertje geopend. Een paar ogen staarde Rebus aan.

'Ja?'

Rebus ging een stukje opzij, zodat de man zicht had op het tumult bij de voordeur. De ogen werden groot van verbazing, waarna de man weer naar het bebloede gezicht van Rebus keek en toen de deur verder opende. De man was fors gebouwd, niet oud, maar zijn haar was onnatuurlijk dun voor iemand van zijn leeftijd. Als om dit te compenseren bezat hij een weelderige snor. Rebus dacht terug aan de beschrijving die Tracy had gegeven van de man die haar op een avond naar zijn flat was gevolgd. Deze man voldeed aan die beschrijving.

'Je moet komen helpen,' zei Rebus. 'Kom mee.'

De man bleef even besluiteloos staan. Rebus dacht al dat hij de deur weer dicht wilde doen, en net toen hij zich erop voorbereidde om uit alle macht te gaan schoppen, deed de man de deur wijd open, kwam naar buiten en liep langs Rebus heen de gang in. Rebus gaf de man in het voorbijgaan een klapje op zijn gespierde rug.

De deur was open blijven staan. Rebus stapte naar binnen, keek of de sleutel erin zat en deed hem achter zich op slot. Boven en onder aan de deur zaten grendels. Hij schoof alleen de bovenste dicht. Niemand erin, niemand eruit, dacht hij. Toen pas keek hij om zich heen. Hij stond boven aan een smalle betonnen, niet gestoffeerde trap. Misschien had Paulette de waarheid gesproken. Misschien was de aanbouw inderdaad niet klaar. De trap leek in elk geval niet bedoeld om te passen in de ambiance van Finlay's Club. Hij was te smal, en het leek haast alsof het een geheime trap was. Rebus ging behoedzaam naar beneden, maar slaagde er niet in dat geluidloos te doen.

Rebus telde twintig treden en ging ervan uit dat hij inmiddels op het niveau van het souterrain zou zijn aangekomen, ter hoogte van de kelder waarschijnlijk, of zelfs iets daaronder. Misschien hadden ze Finlay inderdaad de voet dwars gezet met een of ander bestemmingsplan en was hij ondergronds gaan uitbreiden in plaats van bovengronds. De deur onder aan de trap zag er redelijk solide uit, maar ook hier was sprake van een simpel, slechts op gebruik gericht ontwerp, zonder enige decoratieve kwaliteit. Er zou een stevige voorhamer nodig zijn om deze deur in te rammen. Rebus probeerde de deurknop. Hij draaide eraan, en de deur ging open. Volstrekte duisternis. Rebus schuifelde behoedzaam de deur door en probeerde, gebruik makend van het weinige licht dat van boven aan de trap naar beneden scheen, nog zoveel mogelijk te zien. Dat wil zeggen: niets. Zo te zien bevond hij zich in een soort opslagruimte. Een grote, lege ruimte. Toen gingen de lichten aan: vier rijen neonbuizen aan het plafond, hoog boven zijn hoofd. De verlichting was zwak, maar voldoende om te kunnen zien dat er in het midden van de ruimte een kleine boksring stond, met daaromheen enige tientallen stoelen. Het was dus inderdaad waar. De diskjockey had gelijk gehad.

Calum McCallum, die om uit zijn benarde positie te komen alle mogelijke relaties probeerde in te schakelen, had Rebus verteld van de geruchten die hij had gehoord. Geruchten dat er in een bepaalde club een besloten afdeling bestond waar de rijken van de stad hun vermoeidheid konden verdrijven met 'interessante weddenschappen'. Een beetje buitenissig, had McCallum gezegd. Ja, ze lieten verslaafde knapen met elkaar vechten, en dan kon er gewed worden wie het zou winnen. De jongens moesten elkaar volledig in elkaar trappen en mochten er natuurlijk nooit iets over loslaten. Ze werden ervoor beloond met geld en drugs. Aan beide was geen gebrek nu steeds meer patsers hun heil in Schotland kwamen zoeken.

Hyde's Club was vernoemd naar Edward Hyde, de schurk uit het verhaal van Robert Louis Stevenson, de figuur die staat voor de duistere kant van de menselijke ziel. Hyde zelf was gemodelleerd naar Deacon Brodie, de man die overdag zakenman was en 's nachts op roof uit ging. Rebus rook de lucht van schuldgevoel, angst en hooggespannen verwachtingen die in de zaal hing. En van uitgedoofde sigaren, gemorste whisky en menselijk zweet. In die wereld had Ronnie zich bewogen. De vraag was nog steeds niet beantwoord. Hadden ze Ronnie betaald om invloedrijke en vermogende mannen te fotograferen? Uiteraard zonder dat ze het in de gaten hadden? Of was hij aan het freelancen geweest, hadden ze hem hier alleen nodig gehad als boksbal, maar was hij zo slim geweest om stiekem een camera mee te nemen? Misschien deed het antwoord er niet zoveel toe. Wat belangrijk was, was dat de eigenaar van dit etablissement, de poppenspeler die al deze lage lusten manipuleerde, Ronnie had vermoord door hem eerst zijn heroïne te onthouden en hem vervolgens rattengif te geven. Hij had een van zijn pionnen naar het kraakpand gestuurd om ervoor te zorgen dat de dood veroorzaakt leek door een eenvoudige overdosis. Daarom hadden ze het goede poeder bij Ronnie neergelegd. En om de zaak te vertroebelen hadden ze het lichaam naar beneden gebracht en er brandende kaarsen omheen gezet. Ze hadden waarschijnlijk gedacht dat het een prachtig tableau vormde. Maar bij het licht van de kaarsen hadden ze de vijfpuntige ster op de muur niet gezien. Ze hadden er niets mee bedoeld toen ze het lichaam zo hadden neergelegd.

Rebus had voortdurend de vergissing begaan te veel uit de situatie te willen afleiden. Hij had het beeld zelf vertroebeld door verbindingen te zien die er niet waren, door een samenzwering te veronderstellen die niet bestond. De werkelijke samenzwering was veel omvangrijker en was een hooiberg vergeleken bij deze naald.

'Finlay Andrews!' Zijn stem echode door het zaaltje en leek in de lucht te blijven hangen. Rebus klom op de boksring en keek om zich heen naar de stoelen. De glimmende, verlekkerde gezichten van de toeschouwers zag hij bijna voor zich. Het canvas in de ring zat vol bruine vlekken van opgedroogd bloed.

Maar er was natuurlijk meer. Er waren 'gastenkamers' en deuren waarachter 'spelletjes' werden gespeeld. Ja, hij zag het hele Sodom en Gomorra voor zich dat zich hier iedere derde vrijdag van de maand afspeelde, als hij het dagboek van James Carew mocht geloven. Jongens die van Calton Hill werden gehaald om de cliëntèle te bedienen. Op een tafel, in bed, waar dan ook. Ronnie had het misschien allemaal gefotografeerd. Maar Andrews was erachter gekomen dat Ronnie zich ingedekt had, dat hij ergens foto's verborgen hield. Hij kon natuurlijk niet weten dat ze praktisch geen waarde hadden als bewijsmateriaal of afpersingsmiddel. Het enige wat hij wist, was dat ze bestonden.

Daarom moest Ronnie dood.

Rebus klom de boksring uit en liep langs een rij stoelen. Achter in het zaaltje, in het halfduister, bevonden zich twee deuren. Hij luisterde aan de ene, en toen aan de andere. Niets te horen, maar toch was hij er zeker van... Hij wilde eerst de linkerdeur openen, maar instinctmatig koos hij voor de andere. Hij wachtte even, draaide de knop om en duwde de deur open.

Meteen om de hoek zat een lichtknopje. Rebus knipte het licht aan, waardoor twee sierlijke lampjes aan weerszijden van een bed aangingen. Het bed stond tegen de zijmuur. Verder was de kamer vrijwel leeg. Wel waren er twee grote spiegels, een aan de muur tegenover het bed en een boven het bed. Toen Rebus naar het bed liep, viel de deur achter hem dicht. Zijn superieuren hadden hem weleens verweten dat hij een te levendige fantasie had, maar op dit moment stond hij zichzelf geen enkele fantasie toe. Blijf bij de feiten, John. Het feit van het bed dat er stond, het feit van de spiegels aan de muur en het plafond. Toen hoorde hij nog een keer het geluid van het deurslot. Hij rende naar de deur en rukte eraan, maar zonder resultaat. Hij zat stevig op slot.

'Shit!' Hij ging een stukje achteruit en schopte met de hak van zijn schoen tegen de onderkant van de deur. De deur trilde, maar bleef intact. Zijn schoen niet: de hak liet los. Mooie boel, nu kon hij natuurlijk fluiten naar zijn borgsom bij het kledingverhuurbedrijf. Maar niet opgeven, hoor. Denk goed na. Iemand had de deur op slot gedraaid, wat betekende dat hij niet alleen hier beneden was, en de enige andere plek waar de ander verborgen had kunnen zitten, was achter de andere deur, in de kamer ernaast. Hij draaide zich weer om en bekeek de spiegel tegenover het bed.

'Andrews!' riep hij in de richting van de spiegel. 'Andrews!'

De stem klonk ver weg doordat er een muur tussen zat, van veraf maar toch duidelijk te verstaan.

'Hallo, inspecteur Rebus. Leuk om u te zien.'

Rebus wilde glimlachen, maar wist dat te onderdrukken.

'Ik wou dat ik hetzelfde kon zeggen.' Hij keek in de spiegel en probeerde zich voor te stellen hoe Andrews aan de andere kant naar hem stond te kijken. 'Leuk bedacht,' zei hij, om maar wat te zeggen en tijd te winnen om zijn energie te bundelen en zijn gedachten op een rijtje te zetten. 'In de ene kamer mensen laten naaien, en in de kamer daarnaast iedereen gratis en voor niks via een doorkijkspiegel laten meegenieten.'

'Gratis en voor niks?' De stem klonk iets dichterbij. 'Nee, niet gratis en voor niks, inspecteur. Alles heeft zijn prijs.'

'U zult die camera daar ook wel opgesteld hebben, hè?'

'Altijd leuk om kiekjes te hebben voor later, vindt u niet?'

'Om de mensen af te persen.' Zoals hij het zei, klonk het als een constatering, meer niet.

'Het gaat alleen om gunsten. En die worden vaak zonder meer verleend. Een foto is alleen handig als een gunst níét wordt verleend.'

'Dat is zeker ook de reden waarom James Carew zelfmoord pleegde?'

'O, nee. Dat was eigenlijk meer uw schuld, inspecteur. James vertelde me dat u hem had herkend. Hij was bang dat u daardoor het spoor terug zou kunnen volgen naar Hyde's Club.'

'Hebt u hem vermoord?'

'Wíj hebben hem vermoord, John. Helaas. Ik mocht James wel. Hij was een goede vriend van me.'

'Ja, u hebt veel vrienden, hè?'

Er klonk gelach, maar de stem klonk vlak, weemoedig bijna. 'Ja, ik neem aan dat ze er een hele toer aan zouden hebben om een rechter te vinden die me zou willen berechten, een officier om me te vervolgen en vijftien eerbare mannen om een jury te vormen. Ze zijn allemaal weleens in Hyde's Club geweest. Allemaal. Voor iets wat net even spannender is dan de spelletjes die boven gespeeld worden. Ik heb het idee van een vriend van me in Londen. Hij heeft net zo'n gelegenheid als Hyde's Club, alleen wat minder spannend. Er is hier in Edinburgh veel nieuw geld, John. Er is geld voor iedereen. Wil jij geld? Wil jij je leven wat spannender maken? En ga me niet vertellen dat je gelukkig bent met je flatje, je boeken en je flessen wijn.' Er verscheen een verbaasde uitdrukking op Rebus' gezicht. 'Ja, ik weet het een en ander van je, John. Informatie verzamelen is iets wat ík spannend vind.' Andrews ging zachter praten. 'Je kunt zo lid worden als je wilt, John. Ik denk dat je graag lid wilt worden. Tenslotte geeft dat veel privileges, zo'n lidmaatschap.'

Rebus leunde met zijn voorhoofd tegen de spiegel. Zijn stem daalde tot een gefluister.

'Dat lidmaatschap is mij veel te duur.'

'Wat zei je?' Andrews was zo te horen vlakbij.

'Ik zei dat het lidmaatschap me veel te duur is,' fluisterde Rebus.

Plotseling trok hij zijn arm naar achteren, balde zijn vuist en ramde door de spiegel heen, die uit elkaar sprong. Een truc die hij had geleerd toen hij bij de SAS in training was. Niet náár iets slaan, maar altijd ergens doorhéén slaan, ook al is het een stenen muur. Glas-scherven schoten alle kanten op en baanden zich een weg door de mouw van zijn jasje tot in zijn arm. Zijn vuist opende zich en vorm-de een klauw. Hij greep Andrews, die vlak achter de spiegel stond, bij zijn keel en trok hem naar voren. De man schreeuwde het uit. Hij had glas in zijn gezicht, in zijn haar, in zijn mond en in zijn ogen. Rebus hield hem stevig vast en klemde zijn tanden op elkaar. 'Ik zei,' siste hij, 'dat het lidmaatschap me veel te duur is.' Toen vormde hij ook met zijn andere hand een vuist en diende Andrews een slag op zijn kin toe, waarna hij hem losliet en de man bewus-teloos achteroverviel.

Rebus trok zijn kapotte schoen uit en sloeg daarmee de scherven in de sponning weg. Toen klom hij voorzichtig door het kapotte raam naar de andere kamer, liep naar de deur en deed hem open.

Hij zag Tracy meteen. Ze stond in het midden van de boksring. Haar armen hingen langs haar zij.

'Tracy?' riep hij.

'Ze hoort u waarschijnlijk niet, inspecteur. Dat kan soms het ef-fect zijn van heroïne, weet u.'

Rebus keek hoe Malcolm Lanyon uit het donker naar voren stap-te. Achter hem stonden twee mannen. De ene was lang en goed ge-bouwd voor een man van zijn leeftijd. Hij had dikke, zwarte wenk-brauwen en een zware snor met hier en daar een paar zilverkleurige haren. Zijn ogen lagen diep in hun kassen en zijn hele gezicht straal-de iets dreigends uit. Rebus had nog nooit iemand gezien die er zo calvinistisch uitzag als hij. De andere man was gezetter en zo te zien een nog groter zondaar. Hij had krullend maar al enigszins dun haar, en zijn gezicht zat vol littekens. Hij grijnsde.

Rebus keek weer naar Tracy. Ze had ogen als speldenknoppen. Hij liep naar de ring, klom erop en trok haar tegen zich aan. Haar lichaam was volstrekt willos. Haar haren waren vochtig van het zweet. Haar ledematen waren zo slap dat ze een levensgrote speel-pop leek. Maar toen Rebus haar zo dicht bij zich hield dat ze hem wel aan moest kijken, begonnen haar ogen te glinsteren en voelde hij haar trillen.

'Dat vind ík nou spannend,' zei Lanyon. 'Ik zal het wel nodig hebben gehad.' Hij keek naar de kamer waar Andrews bewusteloos op de grond lag. 'Finlay zei dat hij u wel alleen aankon, maar nadat ik u gisteravond had gezien twijfelde ik daaraan.' Hij wenkte een van de mannen. 'Ga eens kijken hoe het met Finlay is.' De man liep weg. Rebus was tevreden over het verloop van de gebeurtenissen.

'Hoe zou u het vinden om hier op mijn bureau langs te komen voor een gesprek?' vroeg hij.

Lanyon dacht over de vraag na, bedacht dat Rebus sterk was maar zijn handen vol had aan het meisje. Lanyon had natuurlijk ook zijn mannetjes bij zich, terwijl Rebus in zijn eentje was. Hij liep naar de ring, pakte een van de touwen en hees zichzelf omhoog. Nu hij oog in oog stond met Rebus, zag hij de snijwonden in diens arm en hand.

'Dat ziet er niet best uit,' zei hij. 'Als u daar niet naar laat kijken...'

'Bloed ik misschien dood?'

'Precies.'

Rebus keek naar het canvas op de vloer van de boksring, waar zijn eigen bloed verse vlekken veroorzaakte tussen de bloedvlekken van de naamloze anderen. 'Hoeveel zijn er in de ring aan hun einde gekomen?' vroeg hij.

'Ik zou het echt niet weten. Niet veel. We zijn geen beesten, inspecteur Rebus. Misschien dat er af en toe weleens een... ongelukje gebeurd is. Ik ben maar zelden in Hyde's Club geweest. Ik introduceerde er alleen nieuwe leden.'

'Vertelt u eens, wanneer wordt u benoemd tot rechter?'

Lanyon glimlachte. 'Dat kan nog wel even duren. Maar eens zal het zeker gebeuren. Ik ben in Londen weleens in een soortgelijke club geweest. Daar heb ik trouwens Saiko ontmoet.' Rebus zette grote ogen op. 'Ja, ja,' zei Lanyon, 'de jongedame is van alle markten thuis.'

'Ik neem aan dat Andrews en u dankzij Hyde's Club in Edinburgh overal en altijd carte blanche kregen?'

'Het heeft zeker geholpen bij het aanvragen van bouwplannen, en als er eens een zaak voor de rechter kwam, was de uitslag altijd gunstig. Dat soort dingen.'

'Maar wat gebeurt er nu, nu ik van alles op de hoogte ben?'

'O, maar daar hoeft u zich geen zorgen over te maken. Finlay en ik zien voor u een grote toekomst weggelegd in de uitgroei van Edinburgh tot een grote handels- en industriestad.' De dommekracht die beneden de wacht hield grinnikte.

'Wat bedoelt u?' vroeg Rebus. Hij voelde dat Tracy's lichaam zich spande, weer op krachten kwam. Hoe lang het zou duren, wist hij niet.

'Ik bedoel,' zei Lanyon, 'dat u in beton gegoten zou kunnen worden om te fungeren als steunpilaar voor een van de nieuwe rondwegen.'

'Dat heeft u weleens eerder gedaan, is het niet?' Het was een retorische vraag; het gegrinnik van de dommekracht was duidelijk genoeg.

'Het is een paar keer gebeurd, ja. Als er een onoplosbaar probleem was.'

Rebus zag dat Tracy's handen zich langzaam tot vuisten balden. Op dat moment kwam de klerenkast die naar Andrews was wezen kijken terug.

'Meneer Lanyon!' riep hij. 'Ik geloof dat meneer Andrews er behoorlijk slecht aan toe is!'

Precies op het moment dat Lanyon zich van hen afwendde, maakte Tracy zich met een ijselijke schreeuw van Rebus los en schoot zwaaiend met haar vuisten op Lanyon af. Met een doffe klap raakte ze Lanyon tussen zijn benen. Vallen kon je het eigenlijk niet noemen, het was meer alsof hij met een kokhalzend geluid leegliep. Tracy, van wie de actie te veel inspanning had gevergd, struikelde en viel neer op het canvas.

Rebus handelde ook snel. Hij pakte Lanyon vast en hees hem overeind, trok met één hand een arm naar achteren en hield hem zo in een houdgreep, terwijl hij hem met zijn andere hand bij de keel pakte. De twee dommekrachten maakten aanstalten om in de ring te klimmen, maar Rebus groef zijn vingers nog wat dieper in Lanyons vlees, waardoor ze aarzelden. Even was er een patstelling, toen rende een van de mannen naar de trap, op de hielen gevolgd door de ander. Rebus hijgde. Hij liet Lanyon los, waarop deze ineenzeeg en op de vloer viel. Midden in de ring staande telde hij zachtjes tot tien – als een echte arbiter – en hief toen één arm zegevierend omhoog.

Boven was alles weer rustig. Het personeel was bezig zich te fatsoeneren, en wel met opgeheven hoofd, omdat men zich goed van zijn taak had gekweten. De dronkenlappen – Holmes, McGrath en Todd – waren de deur uit gewerkt, en Paulette deed met een rondje voor de hele zaak haar best de verstoorde atmosfeer te herstellen. Toen ze Rebus de deur naar Hyde's Club uit zag komen, verstarde ze even, maar meteen was ze weer de perfecte gastvrouw. Alleen haar stem was wat minder warm dan daarnet, en haar glimlach had iets gemaakts.

'Ah, John.' Commissaris Watson kwam met zijn glas in de hand naar Rebus toe. 'Wat een knokpartij, hè? Waar was jij ineens?'

'Is Tommy McCall er nog, commissaris?'

'Hij moet hier nog ergens zijn, ja. Toen er een gratis rondje werd gegeven, is hij naar de bar gegaan. Maar wat is er met je hand?'

Rebus keek omlaag en zag dat zijn hand nog op verschillende plaatsen bloedde.

'Zeven magere jaren,' zei hij. 'Hebt u een ogenblikje, commissaris? Er is iets wat ik u wil laten zien. Maar eerst moet ik een ziekenauto bellen.'

'Maar waarom dan, in 's hemelsnaam? De herrie is toch voorbij?'

Rebus keek zijn chef aan. 'Daar zou ik geen weddenschap op afsluiten, commissaris,' zei hij. 'Zelfs niet met fiches van het huis.'

Toen Rebus op weg was naar huis, voelde hij zich moe, niet omdat hij zich fysiek overmatig had ingespannen, maar omdat hij het gevoel had dat er psychisch te veel van hem was geëist. De trap bleek een bijna onoverkomelijk obstakel te zijn. Hij bleef stilstaan op de eerste verdieping, bij mevrouw Cochrane voor de deur, en het duurde verschillende minuten voordat hij weer doorliep. Hij probeerde niet te denken aan Hyde's Club, noch aan wat het betekende dat zo'n club had bestaan, wat er zich had afgespeeld en welke verlangens daar bediend waren geweest. Maar ook al dacht hij er niet bewust over na, stukjes van de puzzel – kleine stukjes horror waren het – schoten toch door zijn hoofd.

De katten van mevrouw Cochrane wilden eruit. Hij kon ze horen, aan de andere kant van de deur. Een kattenluikje zou de oplossing zijn, maar daar geloofde mevrouw Cochrane niet in. Dan kun je net zo goed je deur openzetten en alle katten uit de buurt binnenlaten, had ze weleens gezegd.

Het was nog waar ook. Op de een of andere manier wist Rebus ergens nog een laatste restje energie vandaan te halen om ook de laatste trap nog te kunnen beklimmen. Hij stak de sleutel in het slot, opende zijn voordeur en deed hem achter zijn rug weer dicht. Eindelijk thuis. In de keuken werkte hij een broodje met niets erop naar binnen terwijl hij wachtte totdat het water kookte.

Watson had met toenemende onrust en ongeloof zijn verhaal aangehoord. Hij had zich hardop afgevraagd hoeveel belangrijke mensen er dan wel bij betrokken waren, maar dat was een vraag waarop alleen Andrews en Lanyon het antwoord wisten. Ze hadden video-opnames gevonden en een indrukwekkende verzameling foto's. Watson had er met bloedeloze lippen naar zitten kijken, maar veel gezichten zeiden Rebus niets. Enkele echter wel. Andrews had gelijk gehad wat betreft rechters en advocaten. Gelukkig waren er geen politiemensen te zien geweest. Althans, op die ene na niet.

Rebus had een moord willen oplossen, maar was in een slangenkuil terechtgekomen. Hij was er niet zeker van of er wel iets van bekend zou worden. Te veel reputaties zouden ermee vernietigd worden. Het vertrouwen van de mensen in normen en waarden, in de autoriteiten in Edinburgh, ja zelfs in het hele land, zou er te zeer door geschokt worden. Hoe lang zou het niet duren om de scherven van díé gebroken spiegel te lijmen? Rebus keek naar zijn pols die in het verband zat. Hoe lang zou het duren voordat die wonden geheeld zouden zijn?

Hij liep met zijn thee de huiskamer in. In een stoel zat Tony Mc-Call op hem te wachten.

'Hallo, Tony,' zei Rebus.

'Hallo, John.'

'Nog bedankt voor je hulp.'

'Ach, je moet wat voor je vrienden overhebben.'

Eerder op de dag, toen Rebus de hulp van Tony McCall wilde inroepen, was McCall ingestort.

'Ik weet er alles van, John,' had hij bekend. 'Tommy heeft me er een keer mee naartoe genomen. Het was walgelijk, en ik ben niet lang gebleven. Maar misschien zijn er foto's gemaakt waar ik op sta... Ik weet het niet... Het zou kunnen.'

Rebus had niet door hoeven vragen. Het was eruit gekomen als bier uit de tap. Beroerde situatie thuis, een lolletje, niet in staat er met iemand over te praten omdat hij niet wist hoeveel de anderen al wisten. Zelfs nu leek het hem maar het beste erover te zwijgen. Rebus had de waarschuwing serieus genomen.

'Ik wil het wel doorzetten,' had hij gezegd. 'Met jou of zonder jou. Jij mag het zeggen.'

Tony McCall had toegezegd hem te zullen helpen.

Rebus ging zitten, zette de thee op de vloer en tastte in zijn zak naar de foto die hij had verdonkeremaand uit een van de dossiers die in Hyde's Club waren gevonden. Hij gooide hem voor McCall neer. McCall keek er met angstogen naar.

'Weet je,' zei Rebus, 'Andrews had zijn zinnen gezet op Tommy's transportbedrijf. Het zou hem gelukt zijn ook, en tegen een afbraakprijs.'

'Vuile schoft,' zei McCall terwijl hij de foto zorgvuldig in steeds kleinere stukjes scheurde.

'Waarom heb je het gedaan, Tony?'

'Ik heb het je toch al gezegd, John. Gewoon om een lolletje te...'

'Nee, ik bedoel: waarom heb je ingebroken in dat kraakpand en heb je Ronnie dat poeder in handen gestopt?'

'Ik?' McCalls ogen werden nog groter, maar zijn blik was er nog steeds eerder een van angst dan van verbazing. Rebus wist het niet zeker, maar hij voelde dat hij in de goede richting zat.

'Kom nou, Tony. Je denkt toch niet dat Finlay Andrews namen geheim zal houden? Hij gaat voor de bijl, en hij heeft geen reden om te willen dat anderen de dans zouden ontspringen.'

McCall dacht hier even over na. Hij liet de stukjes van de foto in de asbak dwarrelen en stak ze toen met een lucifer aan. Ze veranderden in zwarte asresten. Hij leek overtuigd.

'Andrews wilde een gunst. Bij hem ging het altijd om "gunsten". Volgens mij had hij *The Godfather* te vaak gezien. Pilmuir was mijn wijk, mijn territorium. We hadden elkaar via Tommy weleens ontmoet, en daarom had hij besloten het aan mij te vragen.'

'En jij wilde hem graag van dienst zijn.'

'Nou ja, hij had die foto, hè.'

'Maar dat zal toch niet het enige geweest zijn.'

'Nou...' McCall zweeg weer en wreef met zijn wijsvinger over de as in de asbak. Een fijn soort poeder was alles wat ervan overbleef. 'Ja, verdomme, ik deed het graag. Die vent was tenslotte een junk, een stuk vuil. En hij was toch al dood. Ik hoefde alleen maar dat pakje naast hem neer te leggen, meer niet.'

'En je hebt nooit gevraagd waarom?'

'Geen vragen, dat was het motto.' Hij glimlachte. 'Finlay heeft gevraagd of ik lid wilde worden, weet je. Lid van Hyde's Club. Nou, ik wist wat dat betekende. Dan zou ik op schoot zitten bij de grote jongens, niet? Ik begon te dromen over het verbeteren van mijn positie, iets wat ik al heel lang niet had gedaan. Want laten we eerlijk zijn, John, wij zijn maar kleine vissen in een kleine vijver.'

'En Hyde bood je de gelegenheid om met de haaien te spelen?'

McCall glimlachte bedroefd. 'Ja, daar komt het waarschijnlijk wel op neer.'

Rebus zuchtte. 'Tony, Tony, Tony, waar zou dat allemaal op uit zijn gedraaid?'

'Waarschijnlijk op een situatie waarin jij mij met twee woorden zou hebben moeten aanspreken,' zei McCall. Hij vermande zich. 'Maar zoals het er nu uitziet, zal ik tijdens het proces wel op de voorpagina van de roddelpers terechtkomen. Niet bepaald het soort roem waar ik op uit was.'

Hij stond op van zijn stoel.

'Ik zie je in de rechtszaal,' zei hij, en hij liet John Rebus achter met zijn slappe thee en zijn gedachten.

Rebus sliep onrustig en werd vroeg wakker. Hij nam een douche, maar liet daarbij deze keer zijn normale vocale exercities achterwege. Hij belde naar het ziekenhuis en kreeg te horen dat Tracy het uitstekend maakte en dat Finlay Andrews opgelapt was en maar heel weinig bloed was kwijtgeraakt. Toen reed hij naar Great London Road, waar Malcolm Lanyon vastzat om verhoord te worden.

Rebus stond officieel eigenlijk nog op non-actief, en de rechercheurs Dick en Cooper waren belast met de ondervraging. Rebus wilde er echter bij zijn. Hij wist de antwoorden op al hun vragen, kende het soort trucs dat Lanyon zou kunnen uithalen. Hij wilde niet dat de schoft er op grond van een of andere vormfout tussenuit zou knijpen.

Hij liep eerst naar de kantine en kocht een broodje bacon. Toen hij Dick en Cooper aan een tafeltje zag zitten, liep hij naar hen toe.

'Hallo, John,' zei Dick terwijl hij naar de bodem van een koffiebeker vol vlekken staarde.

'Jullie zijn er vroeg bij,' merkte Rebus op. 'Jullie hebben er zeker zin in.'

'Boer Watson wil het zaakje zo snel mogelijk achter de rug hebben. Liefst gisteren nog.'

'Ja, dat wil ik wel geloven. Luister eens, ik blijf vandaag in de buurt voor het geval jullie me nodig mochten hebben.'

'We waarderen het, John,' zei Dick op een toon waaruit Rebus opmaakte dat zijn aanbod ongeveer even welkom was als een zotskap.

'Nou...' begon Rebus, maar hij slikte de rest van de zin in en begon aan zijn ontbijt. Dick en Cooper leken nog te lijden onder het gedwongen vroege opstaan. Het waren niet de meest levendige tafelgenoten. Rebus at zijn broodje snel op en stond op.

'Is het goed als ik even naar hem ga kijken?'

'Ja, ga je gang,' zei Dick. 'Wij zijn er over vijf minuten.'

Toen Rebus op de begane grond langs de receptie liep, botste hij bijna tegen Brian Holmes op.

'Iedereen is vandaag slaperig, lijkt het wel,' zei Rebus. Holmes keek hem aan met een niet-begrijpende, slaperige blik. 'Laat maar. Ik ga even een kijkje nemen bij Lanyon, alias Hyde. Heb je ook zin om de voyeur uit te hangen?'

Holmes antwoordde niet, maar liep gelijk met Rebus op.

'Dat zou Lanyon trouwens misschien zelfs wel leuk vinden.' Holmes keek hem nog verbaasder aan. Rebus zuchtte. 'Laat maar.'

'Sorry, inspecteur. Het is gisteravond een beetje laat geworden.'

'O, ja. Nog bedankt daarvoor, trouwens.'

'Ik wist niet hoe ik moest kijken toen ik die stomme Boer in zijn doodgraverspak zag staan. En wij maar doen alsof we dronken hooglanders waren.'

Ze glimlachten naar elkaar. Okay, het plan dat Rebus had uitgedacht tijdens de terugrit nadat hij Calum McCallum in zijn cel in Fife had bezocht, was niet volmaakt geweest. Maar het had gewerkt. Ze hadden resultaat geboekt.

'Ja,' zei Rebus. 'Ik vond al dat je er een beetje nerveus uitzag gisteravond.'

'Hoe bedoelt u?'

'Nou, je was net een Italiaans leger. Terugtrekken terwijl je aanvalt.'

Holmes bleef staan. Zijn mond viel open. 'Krijg ik dat als dank? Wij hebben gisteravond voor u onze carrières op het spel gezet, wij alle vier. U hebt me gebruikt als loopjongen – ga dat halen, ga dat nazoeken – en me de helft van de tijd m'n schoenzolen laten verslijten met klussen die niet eens door de beugel kunnen. Mijn vriendin is bijna vermoord en...'

'Ho, ho. Wacht even...'

'... en dat allemaal om uw nieuwsgierigheid te bevredigen. Okay, er zitten een paar slechteriken achter de tralies, dat is mooi. Maar ten koste van wat? U hebt gescoord, maar wij hebben niks, alleen een paar blauwe plekken en kapotte schoenen!'

Rebus keek naar de grond. Het leek bijna alsof hij wroeging had. Hij ademde zwaar, als een Spaanse stier.

'Dat is waar ook. Ik heb er niet meer aan gedacht,' zei hij. 'Ik was van plan dat kostuum vanochtend terug te brengen. De schoenen zijn kapot. Het is dat jij over schoenen begon dat ik er ineens aan moest denken.'

Toen liep hij verder de gang in, in de richting van de cellen, Holmes sprakeloos achterlatend.

Op een bordje aan de muur naast de celdeur stond met krijt Lanyons naam geschreven. Rebus liep naar de stalen deur en schoof het luikje opzij. Terwijl hij het deed, stelde hij zich voor hoe je in de tijd van de drooglegging ook door zo'n luikje had moeten kijken, waarna je een geheim klopsignaal gaf en binnengelaten werd. Hij gluurde de cel in, verstijfde van schrik en tastte vervolgens naar de schakelaar van de alarmbel naast de deur. Toen Holmes de sirene hoorde, vergat hij zijn woede en gekwetstheid en rende naar Rebus toe. Rebus stond met zijn nagels aan de randen van de afgesloten celdeur te trekken.

'Die deur moet open!'

'Hij is op slot, inspecteur.' Holmes was bang. Zijn chef leek volkomen manisch. 'Daar komen ze al.'

Een brigadier met een rammelende sleutelbos aan een ketting kwam op een hem onwaardig drafje aangesneld.

'Vlug!'

Toen het slot openging, rukte Rebus de deur open. In de cel, op de vloer, lag Malcolm Lanyon. Zijn hoofd lag tegen het bed aan, zijn voeten staken naar buiten als die van een pop. Eén hand lag op de vloer, en om de donkere knokkels was een dunne nylon draad gewikkeld, een soort vislijn. Het nylondraad was om Lanyons hals gewonden, waar het zo diep in het vlees was gesneden dat het nauwelijks nog te zien was. Lanyons ogen puilden op een afzichtelijke manier uit hun kassen, en zijn opgezwollen tong stak als iets obsceens af tegen zijn door overmatige doorbloeding donker geworden gezicht. Het was net alsof de stervende een macaber laatste gebaar had gemaakt. Rebus keek naar de uitgestoken tong alsof het een persoonlijk aan hem gericht teken van minachting was.

Hij wist meteen dat het te laat was, maar de brigadier maakte het draad los en legde het lijk plat op de grond. Holmes stond met zijn hoofd tegen de koude metalen deur geleund en kneep zijn ogen stijf dicht om de waanzin in de cel niet te hoeven zien.

'Dat moet hij mee naar binnen hebben gesmokkeld,' zei de brigadier terwijl hij het nylondraad omhooghield, op zoek naar een excuus voor de enorme blunder die was begaan. 'Jezus, wat een manier om er een eind aan te maken.'

Hij heeft me belazerd, dacht Rebus. Hij heeft me belazerd. Ik zal nooit het lef hebben er zo een eind aan te maken, mezelf zo langzaam laten stikken... dat zou ik nooit kunnen. Iets in me zou zich daartegen verzetten...

'Wie is er in de cel geweest sinds hij hier is binnengebracht?'

De brigadier keek Rebus met een niet-begrijpende blik aan.

'De gewone mensen, zeg maar. Hij heeft gisteravond nadat u hem had gebracht nog een paar vragen moeten beantwoorden.'

'Ja, maar daarná?'

'Nou, toen ze allemaal weg waren, heeft hij nog gegeten. Verder niet.'

'De klootzak,' mompelde Rebus en hij beende de cel uit en de gang op. Holmes liep met een wit en glimmend gezicht achter hem aan en probeerde hem in te halen.

'Ze gaan de zaak in de doofpot stoppen, Brian,' zei Rebus. Zijn stem trilde van woede. 'Ze gaan de zaak voor altijd en eeuwig in de doofpot stoppen, ik weet het zeker. Die junk is door eigen toedoen om het leven gekomen. Een makelaar heeft zelfmoord gepleegd. En nu heeft een topadvocaat zichzelf in een politiecel van kant gemaakt. Er is geen enkel verband tussen die gebeurtenissen, er zijn geen misdaden gepleegd.'

'Maar Andrews dan?'

'Waar denk je dat we nu heen gaan?'

Ze waren juist op tijd op de zaal van het ziekenhuis om er getuige van te zijn hoe adequaat het personeel in noodgevallen wist te handelen. Rebus rende erop af. Finlay Andrews lag met ontblote borst op zijn bed. Hij kreeg zuurstof toegediend en men was bezig de hartstimulator te installeren. Een arts hield de elektroden voor zich uit en legde ze voorzichtig op Andrews' borst. Even later ging er een schok door het lichaam. De meter sloeg niet uit. Meer zuurstof, nog een schok... Rebus draaide zich om. Hij kende het draaiboek, hij wist hoe de film afliep.

'Nou?' vroeg Holmes.

'Een hartaanval.' Rebus' stem klonk vlak. Hij liep weg. 'Laten we het zo maar noemen, want zo zal het te boek gesteld worden.'

'En wat doen we nu?' Holmes bleef gelijke tred met hem houden. Ook hij had het gevoel dat hij belazerd werd. Rebus dacht na over de vraag.

'De foto's zullen waarschijnlijk zoek raken. De foto's die ertoe doen in elk geval. En wie blijft er nog over om te getuigen? Om te getuigen van wat?'

'Ze hebben overal aan gedacht.'

'Aan één ding niet, Brian. Namelijk dat ík weet wie ze zijn.'

Holmes bleef staan. 'Maakt dat wat uit?' riep hij zijn chef na. Maar Rebus bleef gewoon doorlopen.

Er was wel een schandaal, maar het was een klein schandaal, dat al snel weer vergeten was. Bij de elegante achttiende-eeuwse huizen bleven de luiken niet dicht. Ze werden al snel weer opengegooid. Het licht stroomde weer naar binnen, de geest werd weer vaardig over de bewoners. Er werd wel over de dood van Finlay Andrews en Malcolm Lanyon geschreven, en verslaggevers gingen op zoek naar smerige details en de betrokkenheid van vooraanstaande lieden. Ja, Finlay Andrews had een club uitgebaat waar niet alles strikt volgens de regels van de wet was toegegaan. En ja, Malcolm Lanyon had zelfmoord gepleegd toen de autoriteiten hun oog hadden laten vallen op zijn koninkrijkje. Nee, er waren geen bijzonderheden te melden over de aard van zijn 'activiteiten'.

De zelfmoord van makelaar James Carew stond in geen enkele relatie tot die van de heer Lanyon, al was het wel zo dat beide heren met elkaar bevriend waren geweest. En of de heer Lanyon iets te maken had gehad met Finlay Andrews en zijn club? Dat was iets wat we misschien nooit te weten zouden komen. Het was niet meer dan een droevige coïncidentie dat de heer Lanyon aangesteld was als executeur-testamentair van de heer Carew. Maar goed, dat kon ook door anderen worden gedaan, nietwaar?

Zo ging het verhaal als een nachtkaars uit, al bleven de geruchten nog iets langer de ronde doen. Rebus was blij toen Tracy vertelde dat Nell Stapleton een baantje voor haar had gevonden in een eetcafé in de buurt van de universiteitsbibliotheek. Op een avond, toen hij een tijdje in de Rutherford Bar had gezeten, besloot Rebus om op weg naar huis bij de Indiër langs te gaan voor een afhaalmaaltijd. In het restaurant zag hij Tracy, Holmes en Nell Stapleton aan een tafeltje zitten eten en lachen. Hij draaide zich om en verliet de zaak zonder iets besteld te hebben.

Toen hij thuis was, ging hij voor de zoveelste keer aan de keukentafel zitten om een kladversie van zijn ontslagaanvraag te schrijven. Maar om de een of andere reden slaagde hij er niet in zijn emoties goed te verwoorden. Hij verfrommelde het papier en gooide het in de richting van de prullenbak. In het restaurant had hij weer bedacht hoeveel menselijke ellende Hyde had veroorzaakt en hoe weinig recht er was gedaan. Toen werd er aangeklopt. Met een stille hoop deed hij de deur open. Daar stond Gill Templer met een brede glimlach.

Midden in de nacht sloop hij door de huiskamer en knipte de bureaulamp aan. De lamp wierp – als de zaklantaarn van een politieman – een beschuldigend licht op een archiefkastje naast de geluidsinstallatie. De sleutel was verstopt onder een hoek van het vloerkleed, een schuilplaats zo veilig als de matras van je oma. Hij opende het kastje en haalde er een dunne dossiermap uit, waarmee hij naar zijn stoel liep, de stoel die de afgelopen maanden zo vaak als bed had gefungeerd. In alle rust ging hij zitten en dacht terug aan zijn bezoek aan de flat van James Carew. Toen was hij in de verleiding geweest het dagboek van Carew mee te nemen en voor zichzelf te houden. Aan die verleiding had hij weerstand kunnen bieden. Bij Hyde's Club was hem dat die avond niet gelukt. Toen hij daar even alleen in het kantoor van Andrews was geweest, had hij de foto van Tony McCall meegepikt. Tony McCall, een vriend en collega met wie hij nu niets meer gemeen had. Behalve misschien een zeker schuldgevoel.

Hij sloeg het dossier open en haalde de foto's eruit. Het waren foto's die hij ook mee had genomen, samen met die van McCall. Vier foto's, willekeurig gekozen. Weer bestudeerde hij de gezichten, zoals hij meestal deed als hij 's nachts de slaap niet kon vatten. Gezichten die hij kende. Gezichten waar namen bij hoorden, namen die associaties opriepen aan ontmoetingen en stemmen. Belangrijke mensen. Invloedrijke mensen. Hij had er vaak over nagedacht. Hij had zelfs aan weinig anders gedacht sinds die avond in Hyde's Club. Hij haalde van onder het bureau een metalen prullenbak te voorschijn, gooide de foto's erin, stak een lucifer aan en hield die boven de prullenbak, zoals hij al zo vaak had gedaan.